LE PORTAIL

FRANÇOIS BIZOT

LE PORTAIL

Préface de
JOHN LE CARRÉ

LA TABLE RONDE
7, rue Corneille, Paris 6ᵉ

Préface

Pour moi, c'était simplement Bizot. Je lui ai découvert un prénom voici tout juste dix ans, quand il a épousé une superbe Française qui, à ma stupéfaction, l'appelait François. Pour nous autres, il reste Bizot, le héros malgré lui, à l'érudition encyclopédique, avec l'étoffe d'un brave et l'âme d'un poète, une insatiable passion pour la vie et la mission faustienne d'en découvrir la substantifique moelle.

Accompagné par une amie commune, je l'ai rencontré à Chiang Mai en Thaïlande du Nord, dans une magnifique maison en bois de sa conception, au cœur d'une futaie habitée par les gibbons. L'un d'eux, le phénix des hôtes de ces bois, avait choisi pour perchoir le faîte du plus grand arbre et, assis là, dos au soleil déclinant qui le dessinait en ombre chinoise, il se masturbait pensivement tandis que nous buvions nos whiskies à la brune. Si la guerre du Cambodge s'éternisait, les Américains s'étaient retirés, la soldatesque de Pol Pot avait investi Phnom Penh, et le calvaire de Bizot était derrière lui. Il l'évoquait par bribes éparses et impulsives quand sa réticence cédait aux encouragements de notre amie aujourd'hui décédée, Yvette Pierpaoli, qui, elle, connaissait Bizot depuis Phnom Penh. J'avais séjourné deux ans plus tôt dans la capitale, mais, Bizot ayant déjà regagné le village sur le site d'Angkor où commence son récit, seule y subsistait sa légende, dont Yvette entretenait la flamme avec dévotion. N'étant donc pas en mesure de comparer le Bizot ténébreux et versatile que je connais à l'homme insouciant qu'il semble avoir été avant les épreuves ici relatées, j'en suis réduit à imaginer quelles ridules cernant ses yeux et sa bouche, quels sillons creusant sa joue et son front, quelles affres trahies par ses regards ou ses gestes y ont été gravés par son supplice physique et mental aux mains de son inquisiteur, Douch.

La douleur fait de Bizot une autorité. Nous ne sommes pas plus fautifs d'avoir échappé à pareilles souffrances qu'il ne l'est d'avoir vécu nos pires cauchemars, même si son destin hors du commun sied à sa carrure. L'empathie et l'expérience délimitent deux mondes impénétrables l'un à l'autre, entre lesquels il ne nous est pas donné de choisir. Parfois, saisi du besoin impérieux de ressentir les tourments que j'essayais de relater dans mes livres, j'ai cru frôler l'expiation en prenant des risques, au Cambodge ou au Moyen-Orient, et en me disant ensuite : « Ouf ! j'ai eu chaud », ou : « J'aurais pu y rester. » Éphémère consolation, car au bout du compte je voyais toujours la guerre en touriste, de l'extérieur, jamais en victime. Avec un passeport en règle et un billet de retour dans ma besace, une liasse de dollars dans ma banane, je n'étais guère que de passage, et même dans les pires enfers — des terrains d'entraînement au regard de ce qu'a connu Bizot — je ne méritais aucune mention sur le martyrologe. Cet heureux sort engendre la culpabilité, l'impression trompeuse que si l'on n'est pas une victime, on est du côté du bourreau, et je n'en suis pas exempt. Mais Bizot est en proie à une autre sorte de culpabilité, le syndrome du rescapé : pourquoi ai-je été épargné ? quel traître suis-je pour survivre quand tant d'autres ont péri ?

Voilà pourquoi le soir où Bizot a distillé son histoire, j'ai ressenti un désir croissant d'en savoir davantage. J'aspirais à connaître son expérience de l'intérieur, me l'approprier et, en tant que romancier, lui donner la forme que je croyais à tort requise pour produire un impact sur le lecteur. Avec l'autorisation et la collaboration de Bizot, j'ai ainsi pris des libertés dont j'ai honte à la lecture du présent ouvrage.

Pour commencer, j'ai créé un personnage de Hollandais méditatif nommé Hansen, alors qu'on ne peut pas trouver plus français que Bizot. Je l'ai dépeint en ancien jésuite converti au bouddhisme, ce qui n'est pas si faux, puisque Bizot quérit éperdument les divinités de toutes sortes. Je l'ai affublé du métier d'espion, quand la liberté d'esprit et l'humour débridé de Bizot en auraient fait l'agent le plus incontrôlable au monde. Pis encore, il s'agissait d'un espion à la solde des Américains, auxquels Bizot reproche sans cesse, comme en témoignent ces pages, de s'être mêlés avec une telle balourdise du destin du Cambodge. « J'ai écrit ce livre dans une amertume sans fond, explique-t-il en avant-propos. Un sentiment désespéré le traverse. Je ne crois plus qu'aux choses... » Et, aucun lecteur ne pourra en douter, Bizot impute ce désespoir aux Américains qui, en violant sauvagement l'innocence cambodgienne, l'ont privé de ce qu'il aimait le plus au monde : l'harmonie de la complexe société khmère bouddhiste, passée et présente, qu'il se passionnait à étudier, et sa fille Hélène, dont l'avatar fantomatique apparaît à la fin du livre en la personne d'une belle Eurasienne de seize ans que Bizot, à son éternel regret, ne parviendra pas à faire passer en Thaïlande. Mais, outre que Bizot n'a pas la rancune tenace, les Khmers rouges lui ont enlevé bien plus encore : la tendre magie du Cambodge prérévolutionnaire, paradis sur terre à jamais perdu aussitôt qu'entrevu.

Dieu merci, tous les passages de mon histoire sur Hansen ne sont pas si répréhensibles. Sa culpabilité d'avoir contribué à la ruine du Cambodge a pour pendant la rage de Bizot contre l'intervention américaine. Son courage, ses inquiétants accès de distanciation, sa surprenante humilité, ses aspirations esthétiques, son désespoir et son indifférence au gain appartiennent à son modèle. Mon Hansen aurait fort bien pu affirmer en écho à Bizot que le plus insupportable dans le fait d'être enchaîné est l'humiliation. Transporté aux environs de Bangkok, il donne fidèlement chair à mes souvenirs de Bizot errant dans l'obscure touffeur de Chiang Mai. Parfois, me disais-je en écoutant la voix tendue et emphatique de Bizot, il me parle comme si c'était moi son interrogateur, et non Douch.

Le Bizot rencontré il y a vingt ans n'était que l'ombre de celui que *Le Portail* m'a appris à connaître. Certes, j'avais deviné sans peine l'existence des monstres « [qu'il] porte, qui bougent en [lui] et dont pourtant, intérieurement, le rappel infernal attise constamment la mémoire » — j'en recèle moi-même un ou deux, mais assurément sans commune mesure avec les siens. En revanche, il m'aura fallu ce livre pour reconnaître la portée et la profondeur de son témoignage, l'acuité et la rigueur, artistiques autant qu'intellectuelles, avec lesquelles il sait recréer images, sons, sentiments et caractères humains ainsi que l'ardeur de son inextinguible passion.

Certains passages de ce livre me paraissent mériter le qualificatif pourtant galvaudé de « classiques ». Le récit de son arrivée dans Phnom Penh (grâce à Douch) avant les troupes khmères rouges, stupéfaites de ne rencontrer aucune opposition, affamées et épuisées, qui battent le pavé par petits groupes perplexes en attente de

11

consignes ; la description de son camp de détention dans la jungle et des séances collectives de contrition des jeunes recrues khmères rouges ; l'extraordinaire épilogue dans lequel il retourne au camp et retrouve celui qui l'a fait prisonnier ; les longues transcriptions littérales de ses conversations avec Douch l'interrogateur — figure tragique dans sa « quête de l'absolu » —; le scrupuleux historique de ses sentiments d'amitié et de respect pour son tortionnaire ; la chronique des dernières semaines dans le périmètre de l'ambassade de France à Phnom Penh ; le drame surréaliste de ses rencontres avec le prince Sisowath et Mme Long Boret, spectres accusateurs qui viennent y chercher asile et se font refouler faute de papiers — toutes ces scènes me semblent uniques dans leur essence et leur puissance d'évocation, incomparables à tout compte rendu des mêmes événements par des journalistes ou des historiens. C'est que Bizot n'était pas un observateur, un analyste ni un expert en chemise de soie au bureau climatisé, mais un acteur de cette période. Tout imprégné de la culture du Cambodge, il en maîtrisait la langue. Il avait une deuxième âme, et cette âme était khmère.

Il arrive qu'en refermant un ouvrage on se sente jaloux de ses futurs lecteurs, pour la simple raison que cette expérience leur reste à découvrir. *Le Portail* est un tel livre. Il renferme des sentiments si vrais, une narration si limpide et sincère, des péripéties et des images si riches, une passion enfin débridée et si insondable que je le range sans hésiter dans la catégorie si réduite des classiques contemporains.

Ainsi donc je vous envie. Puissiez-vous être nombreux, car Bizot vous mérite.

JOHN LE CARRÉ, février 2000.

(Traduit de l'anglais par Isabelle Perrin.)

À Lay et à Son.

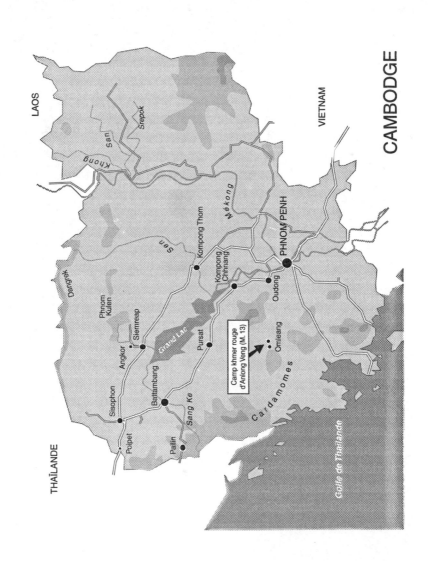

CAMBODGE

Chronologie

1953-1954. — Indépendance du Cambodge. La pleine souveraineté du royaume est transférée au roi Norodom Sihanouk. Au Vietnam, défaite de Dien Bien Phu ; le pays est divisé en deux à la suite des accords de Genève. Fin de l'Indochine française.

1965-1966. — Les États-Unis envoient des troupes au sol pour préserver le Sud-Vietnam de l'invasion communiste. Le mouvement communiste khmer, fondé en 1951, dépêche une délégation à Pekin, et prend le nom de « Parti communiste du Kampuchea » (PCK).

1968-1969. — Les troupes américaines au Sud-Vietnam comptent plus de 550 000 hommes. Des raids aériens sont lancés par les Américains sur les sanctuaires vietcong au Cambodge.

1970. — Coup d'État du 18 mars, à Phnom Penh. Le général Lon Nol, favorable à l'intervention américaine, prend le pouvoir et proclame la République khmère. De Pékin, Sihanouk appelle aussitôt à la résistance et annonce la création du « Gouvernement royal d'union nationale du Kampuchea » (GRUNK). Incursions de troupes américaines et sud-vietnamiennes au Cambodge. Les Vietcong envahissent le territoire et occupent le site d'Angkor.

1973. — Signature des Accords de Paris et retrait des troupes américaines. Le PCK enrôle de force les jeunes paysans dans l'« Armée révolutionnaire de libération ».

1975. — Début de l'offensive khmère rouge contre Phnom Penh (décembre 1974). La France reconnaît le GRUNK (12 avril). Chute de la capitale, le 17 avril. Évacuation des villes et commencement d'une « purification » qui s'étend à toutes les couches de la population. Ouverture à Phnom Penh du camp de torture de Tuol Sleng (S. 21).

1976. — Sihanouk démissionne de ses fonctions de chef de l'État. Promulgation de la nouvelle Constitution du « Kampuchea démocratique » présidé par Khieu Samphan ; Pol Pot est Premier ministre. Tentative de putsch à Phnom Penh. Démantèlement des « réseaux provietnamiens ».

1977. — La Chine supporte totalement l'économie du Kampuchea. Rupture des relations diplomatiques entre le Kampuchea et le Vietnam.

1978. — Les divisions vietnamiennes occupent les provinces à l'est du Mékong, à la suite d'une série d'incursions khmères en territoire vietnamien.

1979-1980. — Grande offensive vietnamienne (25 décembre 1978) et prise de Phnom Penh le 7 janvier 1979. Formation d'un gouvernement sous protection militaire vietnamienne. Proclamation de la « République populaire du Kampuchea ». Désagrégation des unités khmères rouges par la famine et repli de leur commandement en Thaïlande. Transfert du reste des forces armées vers des bases arrière, en forêt et le long de la frontière thaïlandaise. Reprise de la guérilla.

1985-1993. — Les troupes vietnamiennes enlèvent plusieurs positions khmères rouges à la frontière thaïe. Retrait officiel du corps expéditionnaire vietnamien (1989). Accord international de paix de Paris (1991). Nombreuses défections dans les rangs khmers rouges après les élections organisées par l'ONU.

1998. — Mort de Pol Pot. Effondrement du mouvement khmer rouge.

À mon arrivée au Cambodge en 1965, la plainte exacerbée des gibbons perçait chaque matin le bruissement feutré des villages. Flottant sur les bassins immobiles, où l'or étendait ses traînées verdâtres, la lumière du soleil dissipait les vapeurs endormies de la nuit ; je pensais que ce renouvellement était inéluctable.

La terre était riche, belle, émaillée de rizières, piquetée de temples. C'était un pays d'élection pour une vie simple et paisible. La réflexion sur l'existence était monnaie courante chez tous ses habitants. Le déroulement des fêtes, le service des dieux, les rites ordinaires, rien ne se concevait sans l'art, sans la poésie, sans le mystère, car toujours l'esprit des mânes soufflait sur le cycle des saisons.

Aucun paysan n'était assez pauvre que les plus beaux fruits de son jardin ne fussent pour les hôtes des monastères et des ermitages, où les fils de chaque famille étaient appelés à servir. Tous les garçons faisaient le vœu d'adopter, durant quelques années, la vie austère du moine mendiant, au cours de pompes fastueuses, dont les parents préparaient l'or, les ornements, les draperies, les lampes et les fleurs, longtemps à l'avance.

Dans la campagne résonnait la vibration des gongs, et nous savions que les cris joyeux que nous entendions étaient ceux qui accompagnaient les morts jusqu'au lieu de leur renaissance. Mais, par-dessus tout, j'aimais écouter le retentissement rauque de la voix des chanteurs de chapay, dont le blues âpre et cru, qui flottait sur l'eau des rizières, savait rendre toutes les tonalités de l'âme khmère.

Là où d'étroits sentiers coupaient le périmètre des villages, on voyait se dresser, près d'une termitière, dans un bois sacré ou au pied d'un vieil arbre, de petits autels dédiés aux divinités du sol. Ces gardiens des frontières étaient grossièrement taillés dans le bois, ou simplement figurés d'une pierre, quand ce n'était pas une antique sculpture exhumée par les pluies. En passant, les paysans leur rendaient hommage d'une poignée de feuilles fraîches.

C'est ainsi que, pour ma part, je me souviens de ce pays, et les images du passé, en ce lointain reflet qu'elles projettent encore en moi, ne font renaître que des enchantements — ceux de mes vingt-cinq ans. Cependant, quelque chose de plus impitoyable que le temps me tient éloigné d'elles. Une intraitable révolte a remplacé pour toujours ma mélancolie. Je pense à ces années d'avant-guerre comme au sourire d'un amour défunt qui repose au creux de la tombe.

Ce qui m'oppresse, plus encore que les yeux ouverts des morts qui comblent les rizières sablonneuses, ce sont les applaudissements qui retentirent en Occident pour saluer la victoire des Khmers rouges contre leurs frères en 1975, d'autant plus fréné-

tiquement qu'ils couvrirent en même temps le long hurlement de millions de massacrés.

Quand j'arrivai à Siemreap en 1965, le Cambodge vivait plutôt calmement à côté du Vietnam plongé dans la guerre, et, dans l'arrière-pays, malgré des incidents de frontières, les villageois demeuraient comme en dehors du temps. La Révolution culturelle couvait chez le voisin chinois. L'Europe encourageait partout ceux qui travaillaient au renversement des vieilles sociétés féodales pour l'avènement d'un monde meilleur. L'intelligentsia de tous les pays conspuait l'engagement américain au Vietnam.

Moi, je n'étais ni pour ni contre : ma pensée était ailleurs. Attiré par les mystères de l'Extrême-Orient, fasciné par les gestes et les rituels séculaires d'un peuple replié sur ses traditions, mon errance m'avait préservé des spectres de l'antiaméricanisme qui hantaient alors tous les esprits. Sans que je ne me le sois jamais formulé, les seuls dieux qui vivaient en moi étaient américains : le dessinateur Saul Steinberg et le saxophoniste Charlie Parker... C'est dire qu'à mon arrivée en Indochine, j'avais peu de raisons de me reconnaître dans l'a priori hostile qui caractérisait la plus grande partie de la communauté française à l'égard des États-Unis.

Il apparaissait, au contraire, que les paysans qui m'entouraient, dont j'allais partager l'existence répétitive en m'établissant dans un village reculé d'Angkor, avaient tout à perdre de l'arrivée des communistes. Dans ma passion pour les religions et les coutumes du passé, que je voulais voir se perpétuer, j'au-

rais plus volontiers pris le contre-pied des idéologies en vogue. Mais écartelé sur place, très vite confronté aux plus absurdes contradictions, je fus réduit au désespoir. Dès 1970, date de l'arrivée des Américains au Cambodge, et jusqu'en 1975, l'irresponsabilité de ceux que j'avais cru mes alliés dans cette impossible quête, leur immense maladresse, leur coupable et fausse naïveté, leur cynisme même, provoquèrent, sur le coup, plus de fureur et de révolte en moi que, bien souvent, le mensonge des communistes... Pendant ces années de guerre, battant frénétiquement l'arrière-pays pour rechercher les vieux manuscrits que les chefs de monastères conservaient secrètement dans des coffres laqués, je fus le témoin de l'imperméabilité des Américains aux réalités cambodgiennes... Mais je ne saurais dire aujourd'hui ce que je leur reproche finalement le plus, de leur intervention ou de leur désengagement.

Cet état de la situation était favorable aux Khmers rouges qui surent habilement en exploiter les dérives à leur profit. Dans les zones périphériques que le pouvoir central ne s'était jamais préoccupé de gouverner, ils faisaient figure de puissance d'ordre, imposant le sens moral à la base de l'action révolutionnaire, par opposition aux soldats de Lon Nol qui répandaient partout le vol et la corruption. Sur place, pourtant, on racontait des Khmers rouges les choses les plus viles dont l'homme soit capable (assassinats d'enfants à mains nues, décapitation à la nervure de palme, holocauste...) ; mais la crainte de paraître favorable aux Américains figeait à ce point les esprits qu'il ne se trouvait plus en Europe de gens suffisamment libres eux-mêmes pour crier leur indignation et dénoncer le mensonge. La sagesse des nations eut vite fait de choisir son camp : celui de la liberté et de la non-ingérence… Soutenus par l'opinion internationale, les révolutionnaires obtinrent la victoire en 1975, sur un ennemi en complète déconfiture physique et morale.

À partir de cet instant, le sang allait couler plus que jamais. Après avoir été la proie des horreurs de la guerre du Vietnam étendue à son sol, le malheureux pays allait connaître l'effroi post-révolutionnaire. Les Khmers rouges au pouvoir opérèrent des coupes claires dans la population, éliminant par tranches, systématiquement, toutes les couches de la société, à commencer par les paysans qui étaient déplacés et regroupés dans des camps de travaux forcés, quand ils n'étaient pas décimés par la famine, les maladies, la torture.

Ce n'est qu'en 1979, soit au bout de quatre longues années, que cessa le génocide. Sans souci de cohérence idéologique, les troupes vietnamiennes y mirent fin en envahissant le Cambodge, pour le « libérer » une deuxième fois non de l'impérialisme américain, mais de la cruauté et de l'impéritie de leurs « frères » khmers rouges…

Quand on « découvrit » sur place l'horreur absolue, commença pour beaucoup le temps des contritions. J'enrage aujourd'hui quand je vois qu'il ne se trouve plus un seul sage pour soutenir l'idéologie au nom de laquelle tout ce mal fut méthodiquement accompli.

Pourtant, des témoins avaient dénoncé plusieurs années auparavant l'horreur qui se tramait à l'abri des forêts. J'avais, par un malheureux hasard, été un de ceux-là. Le 10 octobre 1971, alors que je m'étais rendu pour mes recherches dans un monastère de la région d'Oudong, à trente kilomètres au nord de Phnom Penh, j'avais été arrêté puis enchaîné dans un camp de détention khmer rouge. Pendant trois mois, j'avais vu l'abomination répandre sa chape sur les campagnes. Dès ma libération, l'ambassade de France m'avait demandé de traduire un texte sur le « Programme politique du Front uni national du Kampuchea » que j'avais rapporté du maquis. Son contenu préfigurait l'horreur : déjà y étaient annoncées l'évacuation des villes et la mise en place d'un collectivisme étatique reposant sur une population réduite. Ces avertissements, dûment relayés à Paris, n'avaient cependant pas trouvé la moindre écoute, et la France avait opiniâtrement maintenu son soutien aux Khmers rouges...

Je retournai au Cambodge aussitôt que le raz d'épouvante se fut retiré. J'eus à cet instant même le sentiment de l'irrémédiable et de mon incapacité à revivre sur cette terre. L'image que mes yeux fixaient et celle que mon cerveau voyait au même moment étaient incompatibles. Ce dédoublement constant de ma vision m'écartela comme un mal schizophrénique.

J'ai écrit ce livre dans une amertume sans fond. Un sentiment désespéré le traverse. Je ne crois plus qu'aux choses ; l'esprit sait y pressentir ce que leur apparence renferme d'éternel. La philosophie la plus éclairée n'est-elle pas celle qui enseigne à se méfier de l'homme ? De cet optimum, de cette créature suprême, qui forme l'aristocratie naturelle du monde vivant ? De celui qui apporte — quand par exception il devient vraiment lui-même — *l'excellent, mais aussi le pire ?* Vainqueur des monstres et monstre lui-même à jamais...

Alors, je m'interroge : les religions que j'étudie seraient-elles l'art d'apprendre à tuer dans son corps le dragon ? Et cette présence diabolique, enfouie en nous et qui ressort toujours, est-elle le péché originel dont on m'enseigna l'existence quand j'étais enfant ?

Je hais l'idée d'une aube nouvelle où les homo sapiens vivraient en harmonie, car l'espoir que cette utopie suscite a justifié les plus sanglantes exterminations de l'histoire.

Pourrons-nous jamais, d'un tel constat, tirer la leçon et nous en souvenir, effrayés, à chaque arrêt sur nous-mêmes ? Notre drame sur terre est que la vie, soumise à l'attraction du ciel, nous empêche de revenir sur nos erreurs de la veille, comme la marée sur le sable efface tout dans son reversement.

I

De mes souvenirs surgit aujourd'hui l'image d'un portail.
Il m'apparaît, et je vois l'articulation dérisoire qui fut dans
ma vie à la fois un début et une fin. Fait de deux battants
qui hantent mes songes, d'un treillis de fer soudé sur un
châssis tubulaire, il fermait l'entrée principale de l'ambassade de France quand les Khmers rouges sont entrés dans
Phnom Penh, en avril 1975.

Je l'ai revu treize ans plus tard, lors de mon premier
retour au Cambodge. C'était en 1988, au début de la saison
des pluies. Ce portail m'a semblé beaucoup plus petit et
fragile. J'y ai, sans attendre, posé mes yeux et mes mains
aveugles, immédiatement surpris de mon audace, hésitant
sur ce que je cherchais au juste, et surtout ignorant de ce
que j'allais y trouver : de la serrure légèrement de travers,
des soudures visibles, des plaques de renforcement posées
dans les coins, de toutes ces cicatrices qui m'apparaissaient
soudain cruciales — mes yeux passant au travers ne s'y
étaient jamais arrêtés —, un surprenant mélange de confu-

29

sion et de crainte m'envahit; devenu réel et comme doté d'existence, il me faisait éprouver du plaisir en même temps que resurgissait l'horreur.

Ce n'était pas seulement le plaisir du déclenchement des larmes. Cette nouvelle réalité, recouvrant mon souvenir, me fit songer aux soudeurs qui avaient posé sans soin le grillage sur le cadre, et aux maçons qui avaient fiché les charnières dans le ciment. Auraient-ils pu imaginer de quel drame ce montage un jour serait l'instrument? Je ne m'expliquais pas qu'une ambassade ait pu recevoir une porte de si mauvaise facture; ni qu'un grillage si fragile ait résisté à tant d'espoirs si forts, se soit ouvert à tant de maux si lourds. J'avais conservé l'image d'une structure beaucoup plus imposante, faite pour retenir, pour refouler, lourde, infranchissable; or, la ferronnerie, tout à coup mise au jour, et dont je voyais (comme avec gêne) le matériau, les lésions, les souffrances, m'apparaissait dérisoire.

La douceur inattendue qui m'envahissait au moment même où remontait l'horreur — mélange qui coule maintenant dans mes veines pour toujours — fit vaciller mon corps sans chasser l'affliction qui m'étouffait. Je ressentis avec force la dérision du temps et le jeu frivole des choses.

J'éprouvai le même sentiment à l'intérieur de l'ancienne ambassade, dans les locaux de la chancellerie. Les deux étages étaient occupés par un orphelinat de jeunes filles. Son responsable se tenait assis dans l'angle d'une pièce vide du rez-de-chaussée. Il m'accompagna dans nos anciens bureaux transformés en chambres. Des fillettes y étaient installées, comme surgies d'un abîme, silencieuses, assises par terre sur des nattes. Certaines, coquettes, se coiffaient. Elles étaient nées un peu avant ou après 1975, de parents massacrés au moment de la prise de pouvoir des Khmers rouges. L'image de leurs visages calmes me bouleverse encore. Je fus immédiatement dominé par des sanglots retenus, et des bulles ridicules se formèrent au coin de mes lèvres. Était-ce cette détresse sans fard, le masque tranquille de ces adolescentes épargnées, ou ces murs vides sans portes ni volets, cadres des heures effrayantes, ancien refuge de ma détresse du 17 avril au 8 mai 1975, qui faisaient surgir en mon corps tant de peine ?

Tout mon passé cambodgien, à peine réveillé en moi, vint s'échouer contre cette image d'un présent sans mémoire. Il n'avait d'autre réalité que celle des signes, mais le drame du pays khmer m'apparut soudain crûment, dans cette inconsistance même. Un drame « sans importance », en quelque sorte, cloué dans mon imagination, sans la moindre solennité, et dont les preuves tangibles s'évanouissaient dans le devenir des choses, sous l'hermétisme des traces qu'elles portent comme les déformations émouvantes de leurs reflets à la surface du temps.

En traversant la cour pour sortir de l'ambassade, je scrutais l'asphalte inchangé, avec ses anciennes craquelures, et pourtant recouvert à mes yeux du dépôt des événements. J'y cherchais les endroits où, vingt ans plus tôt, s'étaient posés mes pas, et mon regard tomba précisément là où Ung Bun Hor, le dernier président de l'Assemblée nationale, s'était tenu debout, les jambes flageolantes, obstinément et mécaniquement occupé à défaire son pantalon. Les deux gendarmes français qui l'accompagnaient — qui le soutenaient, car le pauvre homme s'effondrait à la vue des Khmers rouges qui l'attendaient de l'autre côté du portail — avaient longuement hésité sur ce geste avant de réaliser qu'il perdait la tête. Dehors, une jeep et deux camions bâchés stationnaient. La princesse Manivane, troisième femme de Sihanouk, était déjà montée à l'arrière de l'un des véhicules, flanquée de sa fille, de son gendre et de ses petits-enfants qui avaient joyeusement quitté leur cachette...

Je reviendrai plus loin sur ces moments. Le plus urgent est de fixer les traits de ma pensée, alors qu'elle bondit en tous sens, pressée de toutes parts. Il me faut pour cela la ramener aux sources. En remontant en arrière, jusqu'à la mort de mon père, à quoi elle se rattache toujours. Parce que le vide creusé m'a laissé si seul, si démuni, qu'elle s'est reconstruite sur cette base nouvelle, faite des matériaux premiers, uniquement, tel le nomade qui ne s'encombre pas du superflu. Le jour de la disparition de mon père, je compris qu'il emportait avec lui tous les masques protecteurs dont je m'étais affublé, que pour vivre, pour surmonter ma souffrance, j'allais comme le révolutionnaire devoir faire table rase du passé, et composer un à un de nouveaux gestes, choisis pour leur efficacité immédiate. La manœuvre fut si fondamentale qu'aujourd'hui encore — et depuis la date de sa mort — rien ne se décide, ne s'arrête, sans un retour à cette aune primitive.

En même temps, bien que la disparition de mon père ait laissé en moi une fureur inextinguible, elle me rappelle un tel amour que je trouve aussi du bonheur à y penser souvent.

Celle du Cambodge, en revanche, des villages cachés sous les frondaisons et des rizières bocagères parsemées de borasses en bouquets, ne provoque en moi que le découragement. J'en ai tellement parlé déjà, aux mêmes amis, après 1975, dans ces années honteuses — rappelez-vous ! — où la « libération paysanne » brillait en Occident de tous les feux de la Révolution, que les mots, poussés hors de ma bouche par l'ignominie, se sont progressivement vidés du contenu qui les faisait vivre avec force. Il en est, bizarrement, des mots comme des effleurements ou des frottements minutieux de l'amour : on ne répète jamais longtemps la même caresse précise à une femme. Aussi, depuis des années, je ne parle plus, ni de mon père ni du Cambodge, pour préserver — comme une jonque échouée se conserve dans la tourbe — la vie des monstres que je porte, qui bougent en moi, et dont pourtant, intérieurement, le rappel infernal attise la mémoire.

Le portail n'ouvre donc pas sur les cris d'agonie des torturés de la prison de Tuol Sleng, mais sur l'absurde et le désespoir. Ce ne sont pas les événements en eux-mêmes, les faits bruts, datés, qui importent. Mais c'est l'épaisseur de la vie qui les porte, resurgie soudain dans le silence des choses, dans l'objet banal où ceux qui ont inscrit dans leur chair l'empreinte des événements lisent trente ans plus tard la marque d'un destin. Ce soldat gisant là sous la pierre, c'est le fils ou l'oncle d'un tel qu'on connaît, c'est l'amant de la femme qu'on a retrouvée soi-même déchiquetée au bord du chemin, dans le *sarong* neuf qu'elle avait longuement choisi le matin même au marché. La seule réalité, n'est-ce pas cette émotion, ce lien à la vie et aux êtres, enfermée dans les choses?

Le vantail sud du portail a été conservé, au fond du parc de l'ambassade de France reconstruite au même endroit, tel un petit autel dressé aux mânes des morts — de plusieurs millions de morts. En retenant son souffle, on peut encore y entendre le pas alourdi des exilés longeant le vieux boulevard avec leurs paquets. La rouille qui le ronge n'en a pas à mes yeux entamé le rayonnement. Avec le temps, il s'est paré d'une beauté surprenante. Comme ce qui est beau, achevé, qui dure — ce qui vaut, au bout du compte — il est devenu simple et son grillage, régulier : tel le trait dans un dessin de Matisse. Tant de choses y sont exprimées en un éclair, qui touchent aux racines de la vie, que cela donne à la fois aussi bien envie de pleurer, de mourir et de vivre...

Les lignes qui suivent ont toutes été écrites dans l'inconfort, penché vers l'avant, le front appuyé sur ce grillage que les Khmers rouges après 1975, ou les orphelines qui occupèrent les lieux en 1980, ont repeint d'un enduit cellulosique vert, aujourd'hui écaillé, mais sous lequel l'ancienne couleur grise est encore visible par endroits.

2

Au début de la guerre, en 1970, j'étais à Angkor. Les États-Unis venaient de créer les conditions d'un coup d'État réussi contre Sihanouk, pour installer leur quartier général à Phnom Penh, et porter le général Lon Nol à la tête d'une nouvelle république.

Des avions de reconnaissance porteurs de mitrailleuses électriques — leur bruit terrifiant étreint jusqu'au vomissement — tournoyaient au-dessus du ciel alourdi par les pluies et chargé de reflets mordorés. Encerclée par les troupes de Hanoi, la petite ville de Siemreap, qui jouxte les temples d'Angkor, n'était plus ravitaillée qu'à travers l'aéroport. Les militaires campaient sur le terrain de sport (au nord du Grand Hôtel), tirant des salves de 105 sur les villages environnants. Les cibles étaient choisies au hasard sur la carte, par un état-major en liaison avec Phnom Penh, et chaque obus atteignait impitoyablement son but : les victimes mouraient sur place sans comprendre. Le matin, les paysans arrivaient par petits groupes pour acheter du sel et quelques victuailles; la vente de médicaments leur était interdite. Ils étaient fouillés sans ménagement à leur retour, la Sûreté militaire les soupçonnant d'être des espions communistes. Toute l'attention des autorités locales se portait sur l'organisation du renseignement.

Je connaissais quelqu'un au quartier général dont la tâche était de trier les rares indications venues de l'extérieur. Il s'agissait d'un ancien paysan devenu chauffeur à l'Auberge des Temples (le vieil hôtel colonial du parc d'Angkor), dont la femme était du village où j'avais ma maison. Un jour, en fin de journée, alors qu'il m'avait confié que peu d'informations parvenaient des zones occupées, j'observai qu'il quittait son uniforme et ses rangers briqués pour passer un short flottant et une chemise : sa femme était tombée malade et il partait à son chevet! Le soir tombait. Il allait passer les défenses de la ville de nuit, esquiver les mines, traverser les lignes ennemies, éviter les guetteurs, franchir les barrages, contourner d'éventuels bivouacs dont il devrait deviner l'emplacement, et puis marcher jusqu'au village, y pénétrer sans se faire tirer dessus, et enfin retourner le lendemain soir en prenant les mêmes risques... Il revint sans avoir noté les positions adverses pourtant côtoyées de si près, sans même se sentir investi du devoir de les communiquer; et ses supérieurs, au courant de son incursion, ne lui demandèrent rien. Il servait pour la solde, pas pour la cause. Malgré sa haine profonde des Nord-Vietnamiens qui maintenant contrôlaient le parc d'Angkor, prenant les habitants (et les temples) en otages et s'abritant là où il avait passé son enfance, il ne faisait pas de lien entre ses propres motivations et les objectifs de l'armée. Il ne voyait pas que les militaires, auxquels rien ne lui permettait de s'identifier, pussent défendre l'intérêt des paysans. Son intérêt à lui, c'était sa tranquillité, la monotonie regrettée des jours se répétant depuis des siècles sur l'émaillage cloisonné des champs. Rien à voir avec l'idéal brandi par les citadins de Phnom Penh, coupés de la campagne depuis toujours. Cette guerre lui était totalement étrangère.

Traditionnellement, les Khmers sont des guerriers. Au temps de l'Indochine française, les sections de commandos étaient composées uniquement de ces êtres fidèles, droits, qui ne balancent jamais, qui ne craignent pas de mourir ; avec un sens inné du terrain, du camouflage, de l'embuscade. Malheureusement, les Américains allaient les transformer en soldats inadaptés, impossibles à plier aux règles d'une guerre technique, ni à mobiliser contre un ennemi vietnamien peut-être moins talentueux mais parfaitement encadré. Le gouvernement de Phnom Penh s'efforça, à grands frais, de mettre sur pied une armée de valeureux jeunes gens déguisés en GI, affublés de casques lourds et de gros rangers...

La nuit du 6 juin 1970 avait été éprouvante. Du village de Srah Srang où j'habitais, situé au milieu du site d'Angkor, à treize kilomètres au nord-est de Siemreap, nous avions entendu de nombreuses explosions dont certaines semblaient toutes proches. Des défenses de la ville nous parvenait le retentissement étouffé des canons, puis les obus s'élevaient droit au-dessus de nous, avec un sifflement strident qui se perdait peu à peu dans les profondeurs boisées. Hélène, ma fille, qui dormait entre sa mère et moi, dérangée dans son sommeil, avait tété sans relâche jusqu'au matin. Depuis plusieurs jours, la progression des troupes nord-vietnamiennes était commentée par les villageois, qui ne savaient que penser, et donnait lieu aux histoires les plus invraisemblables : l'envahisseur poussait devant lui des troupeaux d'éléphants, utilisait des sections de femmes commandos qui se lançaient nues à l'attaque des positions khmères pour décontenancer les soldats... L'imagination débordante des villageois puisait à pleins bras dans leur mythologie bigarrée.

Au matin, j'avais pris très tôt, comme chaque jour, la route du « petit circuit » pour me rendre à la Conservation d'Angkor où je travaillais à la restauration des céramiques et des bronzes, sans savoir que Siemreap était déjà encerclée. À la sortie du village, un camion retourné, éventré au B 40, barrait la route. Les passagers morts gisaient en tous sens alentour. Je chargeai trois blessés dans la deux-chevaux camionnette et retournai en trombe au village. L'accueil fut insensible et muet ; personne ne voulut m'aider, et la mère d'Hélène — la « mère de la petite », comme on disait au Cambodge — refusa catégoriquement qu'on mette les blessés chez nous, par crainte d'éventuelles représailles. Il s'agissait d'un soldat, avec une balle dans le ventre, et de deux grands enfants, fils de soldats, horriblement déformés, l'abdomen déchiqueté et plusieurs fractures ouvertes. Je bricolai avec une caisse de carton un panneau marqué au mercurochrome d'une grande croix rouge, le fixai au capot de ma voiture, et nous repartîmes vers Siemreap. À la hauteur d'Angkor Vat, dans le virage qui contourne l'ancienne digue à l'est, deux soldats casqués et lourdement armés surgirent devant nous et m'intimèrent l'ordre d'arrêter. Je stoppai immédiatement la voiture, dans un coup de frein qui fit hurler l'un de mes passagers, et je bondis en courant vers eux, criant, en khmer, de ne pas tirer. À ce moment-là, une trentaine d'hommes sortirent des fourrés qui bordaient le bas-côté de la route et reprirent leur chemin, en file indienne, jetant à peine un œil sur nous. Ils étaient tous jeunes, fatigués, le visage morne.

Les deux soldats vietnamiens me fouillèrent, regardant avec étonnement le « foulard magique », imprimé de diagrammes et de formules bouddhiques à l'épreuve des balles, qu'on m'avait remis au cours d'une cérémonie collective — tous les hommes du village avaient été tatoués sur la langue et au sommet du crâne —, et que je portais soigneusement croisé sur la poitrine. Aucun, visiblement, ne parlait le khmer. La voiture fut examinée de fond en comble et les blessés, dont les plaies encrées par les excreta dégageaient une forte odeur, palpés et retournés sur place. Les deux hommes s'accrochèrent tant bien que mal sur les ailes avant du véhicule et me firent comprendre que je devais démarrer lentement, avec mon chargement humain. Je tournai la clé de contact, mais, catastrophe ! plus de batterie... Les accus étaient à plat. Je maudis à cet instant Berthelot, le chef de garage de la Conservation, qui m'avait remis le véhicule sans le vérifier. Les Vietnamiens assis sur le capot me regardaient pester sans réagir. Je leur fis signe de pousser, en m'arc-boutant sur le côté de la deux-chevaux, une main sur le volant. Un des enfants blessés gémissait bruyamment. Des obus de mortier, tirés depuis Siemreap, tombèrent près de nous. D'autres soldats longeaient la route, avec une égale insouciance du danger ; je m'efforçais d'observer le même détachement. Mes deux guerriers se mirent à pousser, indifférents aux explosions. La voiture avançait en grinçant. Dans le rétroviseur, je les voyais, avec leur harnachement d'armes et de grenades, se déplacer pesamment, les bras tendus contre l'arrière de la deux-chevaux, la tête dans les épaules, avançant à lentes enjambées.

Nous arrivâmes à proximité d'un abri protégeant l'un des transformateurs qui amenaient le courant à l'Auberge des Temples. Là, on me dit de m'asseoir par terre et d'attendre. Des obus éclataient çà et là, dans l'indifférence générale. D'autres colonnes de soldats avançaient au loin, en direction de la ville. Il faisait chaud. La camionnette était restée sur la route et j'imaginais la souffrance des blessés enfermés, privés d'air. De longues heures s'écoulèrent sans que je sois autorisé à me lever. Finalement, un homme arriva vers moi, d'un pas rapide, accompagné d'un interprète. Il n'avait aucune arme et portait une simple casquette ; sur sa poitrine, un sac contenant des cartes se trouvait maintenu par de larges courroies qui se croisaient dans le dos. Je compris, malgré — ou à cause de — ces modestes attributs, que c'était un officier de haut rang. Ses yeux étaient vifs, ses traits bien dessinés, il parlait d'une voix claire, précise, avec fermeté. Il me fit demander d'écrire avec le doigt mon nom sur le sol et d'expliquer ce que je faisais. Je lui dis que je travaillais à la Conservation d'Angkor, que j'habitais le village au nord du bassin, où le circuit tourne à angle droit. Après m'avoir entendu, il m'intima l'ordre de retourner d'où je venais et d'y rester. Je n'étais pas autorisé à sortir de chez moi. Il ajouta que nous aurions été immédiatement déchiquetés par les mitrailleuses des lignes de défense de la ville, si notre voiture n'avait pas été interceptée par ses hommes.

— Ils tirent par rafales incessantes, sans aucun discernement, sur tout ce qu'ils voient bouger ou qui approche, me dit-il, d'un ton presque amusé.

L'officier m'interrogea encore sur les jeunes blessés qui étaient avec moi, dont le plus âgé, de toute évidence, était déjà soldat. Puis il sortit de sa poche ventrale une feuille pliée en quatre, griffonna rapidement en vietnamien quelques mots destinés à ses hommes, prenant soin de vérifier l'orthographe de mon nom encore visible sur le sable.

« *Le Grand-Frère Bizot transporte des enfants blessés sans avoir pu aller jusqu'à la ville. Il lui est accordé de retourner au village. Déclaration faite à la connaissance de tous les camarades pour qu'ils laissent passer Grand-Frère Bizot.* »

(Signé : *Tám.*)

Dix ans plus tard, ce haut gradé nord-vietnamien, qui commandait l'attaque de Siemreap, fut renvoyé dans la région pour y conduire de nouvelles opérations. Arrivé à Angkor, il retrouva le chemin du village de Srah Srang et il y entra, entouré de gardes du corps, pour demander ce qu'était devenu le Français qu'il avait arrêté un jour et dont il se souvenait... De lui ne s'approchèrent que des faces vides, édentées, affamées... On fit chercher la mère d'Hélène qui venait de rentrer au village, enfuie comme des milliers d'autres Khmers du camp où elle avait trimé pendant trois ans, sans presque aucune nourriture. Il lui fit porter le soir même un sac de cinquante kilos de riz.

Je ne me déplaçais plus sans ce coupe-file, que je gardais dans ma poche comme un porte-bonheur.

Cette présence des Nord-Vietnamiens, qui avaient saisi le prétexte du coup d'État de Lon Nol pour pénétrer en territoire cambodgien dès 1970, était totalement méconnue de l'opinion internationale. Le discours de la presse française l'occultait, reprenant celui du prince Sihanouk, lui-même ulcéré par son éviction et son exil forcé à Pékin, chez l'« ami » Chou En-lai. Certes, il n'avait pas d'autres solutions que de sauver la face en reprenant certains slogans de la gauche antiaméricaine. Cependant, le « combat » du prince khmer contre l'« impérialisme » des États-Unis ne pouvait masquer sa haine ancestrale des Vietnamiens, et aller jusqu'à une solidarité ouverte avec l'ennemi historique. Jamais il n'aurait regagné la confiance de son peuple en laissant soupçonner une telle alliance. La « résistance » ne pouvait s'appuyer que sur des Khmers !

Ce paradoxe cambodgien, consistant à n'avoir jamais pu admettre de connivence étrangère pour la défense du pays, cette fierté viscérale d'un peuple taciturne, allaient conduire à une immense contradiction, à ce mystère incompréhensible pour le reste du monde, d'un génocide perpétré cinq ans plus tard par une nation contre elle-même. Il allait aussi permettre de justifier, au nom du principe de non-ingérence, le fait que l'Occident n'ait pas levé le petit doigt pour empêcher un tel massacre.

Peu de temps après l'encerclement de Siemreap (6 juin 1970), je fis la pénible expérience de cette incompréhension des Occidentaux. J'avais dû escorter jusqu'à Phnom Penh un convoi d'une quinzaine d'engins lourds retirés des chantiers que nous avions abandonnés à Angkor et chargés de caisses contenant des statues destinées au Musée national. Dès mon arrivée dans la capitale, Jean Rémy, le directeur de la plantation de Choup, m'avait convié à dîner au siège de la Compagnie des Terres-Rouges. Plusieurs planteurs étaient présents ce soir-là, que j'avais connus quelques années plus tôt dans leurs belles demeures coloniales, au milieu des hévéas. Certains avaient dû se replier sur Phnom Penh avec leur famille, à cause des combats. Jean Lacouture, de passage au Cambodge, était à ce dîner l'invité d'honneur. Nous étions une dizaine dans la salle à manger, placés autour de la grande table. Tout au long du repas, les conversations avaient porté sur les dernières nouvelles du front, sur la situation militaire et les coups de commandos qui s'intensifiaient un peu partout. Le pays était plongé dans une dépendance totale de l'aide américaine.

Un des convives m'interpella sur les conditions de travail du personnel à la Conservation d'Angkor. Il posait des questions précises sur l'état de la route que j'avais empruntée pour venir. Je racontai, sans vouloir entrer dans le détail, comment, avant Battambang, les Viets avaient attaqué un pont.

— Vous voulez dire les « Khmers rouges », reprit Jean Lacouture. Je ne crois pas qu'il y ait beaucoup de Nord-Vietnamiens au Cambodge ! Même si cette thèse arrange Lon Nol...

Tous les regards revinrent sur moi.

— ... Je n'ai vu que des Vietnamiens, des Nord-Vietnamiens...

Un silence tendu me fit comprendre que le journaliste parisien me prenait pour une de ces victimes naïves de la propagande anticommuniste. En fait, le planteur qui m'avait interrogé n'était pas innocent. Il méprisait — comme beaucoup de témoins résidant en province — les positions défendues par Lacouture dans ses articles. L'intelligentsia française, en effet, encore rivée dans son ensemble aux clichés de la guerre du Vietnam, voyait dans les raids de commandos menés contre l'armée gouvernementale, une rébellion populaire indépendante et spontanée. J'étais jeune, et il était normal qu'un homme mûr, dont l'autorité était largement reconnue, n'eût pas prêté attention aux discussions de l'apéritif. Les indications que j'y avais données lui auraient pourtant fait comprendre qu'il n'avait pas affaire à un coopérant sorti frais émoulu de la capitale.

— Ne vous y trompez pas ! souligna-t-il du ton d'un connaisseur. La distinction n'est pas facile à faire. Et cette ambiguïté est largement exploitée...

Je ravalai ma salive. Aux yeux de Lacouture, j'étais tombé dans le piège du discours officiel. Je sortis mon laissez-passer et le lui tendis :

— Voici le sauf-conduit qu'on m'a délivré sur place, à Angkor. Il est écrit en vietnamien, et il m'est très utile aussi pour circuler dans les autres provinces !

Le papier fit le tour de la table. Lacouture, affichant son scepticisme avec obstination, le regarda sans rien ajouter — et il n'en tira apparemment aucune conclusion, comme le montrent les articles qu'il continuera d'écrire, plusieurs mois après, sans changer de point de vue.

À la suite de cette brève interruption, la conversation reprit de plus belle. Je fus ainsi amené à raconter l'incroyable bataille dont j'avais été le témoin, alors que notre convoi, approchant de Battambang, s'était trouvé bloqué par l'attaque du pont. J'avais été fortement marqué par cette brutale mésaventure : elle avait engendré chez moi une véritable prise de conscience. La vague intuition que j'avais jusqu'alors des événements auxquels le hasard m'avait mêlé se transforma en une claire perception des enjeux stratégiques et humains de la guerre qui commençait.

En fin de journée, nous nous étions heurtés à un barrage militaire, à la hauteur d'un grand monastère fiché dans la rizière, dont l'ombre noire se profilait en contrejour sur le ciel. Le sergent qui commandait le groupe de section affecté à la garde du pont était venu à notre rencontre.

— Vous devez rebrousser chemin, nous avait-il dit de loin, d'une voix forte. Le pont va être attaqué. Je ne vous veux pas dans mes pattes. Partez !

L'homme qui parlait avait la peau noire des Khmers, c'est-à-dire à la fois très foncée et cuivrée. L'œil dur, la mâchoire carrée, les dents courtes — comme de petits blocs usés sur le dessus — et les trois sillons horizontaux du cou, placés l'un sur l'autre, si caractéristiques — et si élégants chez les filles — qu'ils ont été choisis comme un des attributs hiératiques de la beauté sur les peintures murales. Sa chemise entrouverte laissait voir les tatouages rituels. Il portait un fouillis de colliers, ornés de Bouddha, de dents de tigre, d'amulettes s'entrechoquant, dont nous allions entendre le cliquetis protecteur toute la nuit.

Il était impossible de manœuvrer les engins pour faire demi-tour. Le sergent était déjà reparti en courant, criant des ordres en direction de ses hommes. Nous n'avions guère le choix et décidâmes, avec l'accord des moines, de garer au moins les véhicules les plus légers dans la cour du monastère. La demi-lune, couchée sur le dos, était déjà visible : faucille de lumière sur le ciel bleu.

Je marchai jusqu'au pont, large d'environ cinq mètres, et me penchai sur le rebord. Derrière les premiers buissons qui encombraient le fond du lit boueux, j'aperçus un soldat torse nu, d'une vingtaine d'années, qui piochait précipitamment le sol à l'endroit que lui avait indiqué le sergent ; j'en vis d'autres faire la même chose, un peu plus loin. Mon estomac se serra quand je compris qu'il creusait l'emplacement dans lequel il devrait se terrer, à une bonne vingtaine de mètres des piles de la maçonnerie, en contrebas de la route. Son visage trahissait une grande peur, et je ressens encore celle qui m'étreignit à la seule pensée de prendre sa place. Une immense touffe de bambous, poussant à proximité, cachait maintenant le soleil couchant. Le sergent s'affairait, donnant des instructions, entrant dans chaque trou pour en assurer le pourtour, parlant aux jeunes hommes placés sous son commandement avec une grande fermeté. Tous lui obéissaient sans rien dire et le suivaient des yeux. Pendant qu'il donnait des ordres, ses mains fixaient sur sa poitrine plusieurs paires de chargeurs remplis, maintenus tête-bêche par un morceau de chambre à air.

La nuit tomba en quelques instants, donnant le signal de départ aux croassements monotones et indifférents des grenouilles. Le taillis de repousse environnant la digue moutonna sombrement sous la lune. Le paysage perdit ses couleurs. Prenant conscience de ma présence sur le pont, le sergent m'enjoignit vivement de rentrer. J'étais à peine arrivé aux véhicules qui remplissaient la cour que retentit le crépitement des armes automatiques, assourdi comme dans un studio par le parcellement des terres alentour. L'ombre des chauffeurs qui conversaient avec les moines disparut sous les camions. Je courus m'abriter derrière un muret, où j'allais rester en éveil toute la nuit.

Un silence fragile tomba sur le pont. Rien ne bougeait. Le sergent s'était mis sur le dos, contre le parapet. La lune reprit son lent mouvement dans le ciel, versant une clarté plate qui noyait les reliefs. Les crapauds-buffles ajoutèrent aux grincements de la nuit leurs prosaïques sons de trompe. Nous entrâmes dans une attente interminable.

Ce n'est que quelques heures avant l'aube qu'on perçut très nettement, en marge de la sérénade vibrante qui n'avait pas faibli, le froissement des branches : le taillis qui bordait l'autre côté de la digue bougea. Mon attention était accrochée aux rampements progressant sous les feuilles, lorsque s'élevèrent soudain des paroles criées dans un porte-voix :

— Sihanouk! Vive Sihanouk!

Aussi insolite fût-elle en la circonstance, l'évocation du prince demeurait sans surprise. Arguant de la destruction par les Américains de leurs sanctuaires situés au Cambodge, de l'autre côté de la frontière, les troupes de Hanoi avaient pénétré dans le cœur du pays khmer en toute impunité, avec comme seul viatique la cigarette et comme sésame le nom de Sihanouk. À chaque paysan rencontré, à chaque village traversé, s'offrait le même scénario : des colonnes d'hommes fatigués le long des pistes dont un ou deux se détachaient pour aller à la rencontre des habitants, le paquet de cigarettes à bout de bras, et ce nom sur les lèvres : « Sihanouk! » Ainsi l'envahisseur se présentant comme « libérateur » se frayait-il aisément un chemin en milieu hostile, cautionné par le prince qui, chaque jour, lançait sa harangue persifleuse sur les ondes de Radio-Pékin.

— Camarades! reprit le porte-voix, nous sommes frères!

Nous nous battons pour Sihanouk, et pour libérer la patrie bien-aimée !

Tapis dans leurs trous, les Khmers, déconcertés, scrutaient la ligne d'horizon pommelée, par-dessus laquelle la lune croissante avait déjà modifié les lointains. L'homme qui parlait avait l'accent de Phnom Penh :

— Camarade ! Toi, tu es dans ton trou inconfortable, Long Nol, lui, dort avec sa femme dans un lit...

Brusquement, le sergent se dressa — il n'était plus sur le pont, mais dans un angle mort de la digue — et tira trois ou quatre coups, secs, ajustés, précis, dont l'impétuosité sortit mon esprit de l'engourdissement hypnotique dans lequel il était en train de glisser. Après un silence, la même voix reprit, presque moqueuse :

— Camarade Tuoy ! Ni toi ni tes hommes n'avez la moindre chance de nous échapper. Nous sommes nombreux et bien armés. À quoi bon tirer sur ton frère ? Rendez-vous ! Aucun mal ne vous sera fait.

Je sentis la peur s'emparer de moi et maudis la malchance qui nous avait fait tomber dans ce piège.

— Li ! Chhè ! Akhlok ! et vous tous..., reprit notre dangereux falsificateur, nous vous connaissons bien, vous et vos familles. Ne soyez pas idiots, vous serez tous morts avant le lever du jour... Rendez-vous, c'est votre dernière chance. Li ! veux-tu vraiment que ton fils devienne orphelin ?

Les assaillants prononçaient le nom de quelques-unes des nouvelles recrues réquisitionnées pour défendre le pont ; toutes venaient des villages environnants et le renseignement était facile. Ce subterfuge avait fait ses preuves en de nombreux endroits, et ils ne s'attendaient pas à trouver beaucoup de résistance. Mais c'était sans compter avec l'opiniâtreté du sergent qui bondissait d'un trou à l'autre, secouant ses hommes paralysés par la peur, remontant sur le pont, disparaissant dans le taillis, réapparaissant sous la lune.

Alors nous entendîmes dans le porte-voix le lancement des premiers ordres d'attaque :

— Commandos n°s 7 et 9 : progression ! Commandos n°s 1, 2 et 4 : progression !

Chaque injonction se trouvait ponctuée de coups de sifflet, et l'on percevait sous les branchages le déplacement rapide des soldats assaillants, avançant par bonds successifs dans notre direction. Pour communiquer leurs ordres dans le feu de l'affrontement, leurs chefs disposaient de sifflets d'assaut. Le son un peu mou, produit par trois tubes métalliques juxtaposés comme dans la flûte de Pan, imitait l'accord simple d'un orgue électronique. Tous les combattants rapportent que leurs plaintes modulées dans la nuit avaient aussi la vertu de figer l'adversaire dans un effroi cataleptique...

Après ces mouvements qui avaient dans l'ombre resserré sur nous l'encerclement, et dont les signaux sonores nous révélaient la dramatique progression, la voix résonna à nouveau, avec encore plus d'audace :

— Camarades, regardez-moi ! Je suis votre frère ! Parlons ensemble ! Je me présente à vous sans armes. Ne tirez pas. Regardez.

J'allais être le témoin d'un incroyable spectacle : un

homme se mit debout, à cinquante mètres, le bras droit écarté, le gauche dirigeant le faisceau d'une lampe de poche sur lui...

Fasciné par son courage, personne n'osa bouger. Une violente explosion ébranla l'air dans les secondes suivantes. Le sergent avait lancé incontinent une grenade sur l'apparition fantasmagorique. Autour de nous, une violente fusillade crépita en tous sens, sans plus s'arrêter. Un tir de B 40 toucha l'extérieur du pont. Une gerbe de balles atteignit l'un des tracteurs.

Le jour se mit à poindre. Le paysage modifié par les rayons de la lune retrouvait ses contours. L'aurore infiltrait ses premiers rayons sous les halliers, mettant les attaquants en fuite, et les tirs cessèrent progressivement, comme avec regret. Au bout d'un moment, le sergent, qui avait repris sa position allongée sur le dos, se mit à parler à haute voix, faisant l'appel de ses hommes. C'est à ce moment que nous vîmes se balancer lourdement une ombre au sommet des bambous. Son poids faisait pencher les tiges. Accroché aux nœuds, ou probablement monté trop tard, l'homme s'était fait surprendre par le jour... Le sergent épaula et le coup fit glisser lourdement son corps dans l'enchevêtrement des troncs. Tous indemnes et très excités, les jeunes sortirent de leurs trous, poussant des exclamations de victoire, commentant la peur qui leur nouait encore le ventre. Les moines et les chauffeurs les rejoignirent en courant. Puis les corps désarticulés sous le taillis furent traînés jusqu'au pont.

— Alors c'était quoi ? demanda Rémy. Des Khmers ou des Vietnamiens ?

— Celui dans les bambous devait être khmer, répondis-je. Mais les trois autres, dilacérés par la grenade, étaient vietnamiens.

À mon grand regret, Jean Lacouture, à l'autre bout de la table, pris dans une conversation avec ses voisins, n'entendit presque rien du récit que je venais de faire. Un an plus tard, cependant, j'allais faire l'expérience amère de la montée en puissance discrète des Khmers rouges, encore terrés dans les maquis. À côté des Nord-Vietnamiens, dont la mission était de combattre l'armée républicaine, leur rôle consistait à administrer sournoisement la frayeur, à l'abri des forêts, d'abord par doses légères, afin de paralyser les villageois en les dévitalisant, puis, comme l'araignée ourdit sa toile, de tisser sur eux un grand réseau de fils serrés qui finisse de les assujettir, faisant disparaître les réfractaires au premier soubresaut. L'efficacité de cette organisation cachée, qui allait progressivement s'étendre sur l'ensemble de l'arrière-pays comme un venin, impliquait tout un dispositif de sécurité intérieure : les Khmers rouges développèrent une véritable paranoïa qui les conduisit à instituer dans les territoires « libérés » des mesures de contrôle et de surveillance des paysans, dans le but de déjouer d'hypothétiques infiltrations ennemies.

3

Nous étions en octobre 1971. Je m'étais rendu pour mon travail dans un monastère de la région d'Oudong, à l'ouest de Phnom Penh, avec deux de mes collaborateurs cambodgiens, Lay et Son, qui m'aidaient dans mes enquêtes sur les pratiques bouddhiques liées à la transe. Nous rendions visite à un vieux moine réputé pour sa connaissance des rites. Arrivés sur place, nous tombâmes dans une embuscade préparée par un petit groupe de miliciens khmers rouges, dont je reconnus l'uniforme imitant le pantalon et la chemise noirs des paysans. Ils nous emmenèrent rapidement dans un village désert, à quelques kilomètres de là.

Après un interrogatoire grotesque auquel je m'étais prêté avec mauvaise humeur (le creux de mes aisselles avait été examiné par le responsable local qui pensait y trouver un micro ou je ne sais quoi...), on m'avait lié les bras dans le dos, en les attachant au niveau du coude, et fait escorter — seul cette fois — par deux adolescents (dont l'un tenait le fusil) vers une autre destination que nous n'avions atteinte qu'au milieu de la nuit. Le rare contenu de mes poches, les quelques riels que j'avais sur moi, ma montre, le laissez-passer en vietnamien, les clefs de la voiture, tout m'avait été confisqué. Au moment de la fouille, je m'étais rendu compte que j'avais oublié, le matin même, de prendre le petit bouddha et la chaîne en or que le *krou* Yao m'avait mis deux ans plus tôt autour du cou pour me protéger, et que je ne quittais jamais.

Nous marchâmes toute la journée et les deux suivantes. J'étais dans un grand état d'agitation. L'incapacité à me contenir, à me calmer, me faisait avancer si vite que les gardes armés qui m'accompagnaient devaient presque courir derrière moi pour me suivre. Ma colère avait éclaté au moment où j'avais été mis en joue. Elle avait sur le coup tellement décontenancé mes agresseurs qu'ils avaient consenti à laisser la voiture sur le bord de la piste, alors qu'ils voulaient la saisir, et qu'ils ne m'avaient pas tout de suite ligoté. Très vite, elle avait ensuite cédé le pas à une souffrance asphyxiante. Les muscles du cou se rompent et une induration effrayante bloque la gorge. Je retenais mes larmes à tout instant.

Dès les premières lueurs du troisième jour, après un bref repos dans une *sala*[1] délabrée, nous étions repartis sous une pluie battante, longeant la piste défoncée, coupant par des chemins glissants, striés d'ornières, pénétrés de teintes rougeâtres, empruntant traverses et diguettes abandonnées. Nous arrivâmes avant midi à l'orée d'un village habité,

---

1. Sorte d'abri qu'on trouve un peu partout dressé au bord des routes pour les voyageurs.

dont j'aperçus de loin les bouquets d'aréquiers qui montaient dans le ciel. Des chiens aboyèrent dans notre direction. Je fus dirigé vers l'escalier d'une grande maison de bois sur pilotis ; la première marche baignait dans une flaque d'eau assez profonde. Dans la salle du haut, je retrouvai mes deux compagnons (qui avaient marché toute la nuit sans faire de pause), allongés sur le dos, les jambes emprisonnées dans un énorme joug de pied, sorte de *khnoh* en bois, placé à cinquante centimètres du sol. Leurs visages livides affichaient une expression terrible où se lisaient la fatigue et le désespoir. Quelques villageois étaient montés prêter main-forte aux soldats qui me serraient de près. On me dénoua les bras. L'un d'entre eux dégagea rapidement à coups de masse les deux lourdes traverses en bois du carcan, assujetties avec des coins.

L'ambiance était hostile. Le plus âgé, mal à l'aise, fit un bref discours un peu mécanique qui ne s'adressait pas à moi, mais que j'étais destiné à entendre. Je revois ses dents rougies par le bétel et ses yeux qui fuyaient mon regard éperdu.

— Camarades, nous devons accomplir notre travail. Nous sommes en guerre contre l'impérialisme américain ! (Sa voix monta d'un cran et son talon heurta le plancher avec rage en prononçant « impérialisme américain ».) N'hésitez pas à mettre en œuvre les instructions de l'Angkar, pour lui comme pour les autres ; elles sont légitimes. *Neu !*

Je compris instantanément. Mon corps se raidit, et je me débattis, menaçant, revendiquant, suppliant qu'on me conduise à un responsable pour que je puisse m'expliquer. En m'agitant de la sorte, j'espérais surtout prendre la mesure de l'effet produit par mes ruades; mais je craignais, à chaque fois, de déclencher une réaction plus funeste encore. La pression des doigts qui s'était d'abord accentuée sur mes bras se relâcha; la détermination des gardes, intimidés tout d'un coup, sembla céder un instant à mes invectives. Puis, soudain, celui qui tenait le marteau se jeta sur moi, les lèvres serrées et tremblantes, le regard sauvage, et je ne dus qu'à la confusion qui s'ensuivit de ne pas être frappé à la tête. Mon assurance s'amollit immédiatement, la lourde traverse glissa, mes deux jambes furent soulevées en même temps par plusieurs paires de bras et placées dans les encoches en demi-lunes taillées sur la poutre inférieure.

Toute résistance m'avait quitté; je me retrouvais sur le dos, à côté de mes deux compagnons qui s'étaient détournés par pudeur, pour ne pas voir. Une vive douleur me fit soudain pousser un cri! Le carcan, pressant mes chevilles trop grosses, m'écrasa peau et tendons en se refermant. Un léger filet de sang apparut au-dessus du pied droit, peut-être plus fort que l'autre, dont je ne pris conscience qu'après coup, en voyant les gouttes tombées sur les planches. Les coins furent remis en place. L'homme qui avait voulu me frapper, et que la fureur n'avait pas quitté, se mit à taper dessus avec une telle frénésie que ses acolytes furent obligés de l'arrêter. Il jetait sur moi des yeux pleins de haine. On entendit, à plusieurs reprises, les pièces qui bloquaient l'ouvrage craquer dans leur logement après coup.

Quelle qu'ait été la douleur ressentie, j'avais crié avec exagération, comme pour conjurer la fatalité qui s'abattait, en cet instant, sur ma vie : les animaux ne théâtralisent-ils pas leur peur jusqu'à simuler la mort? Par une sorte d'instinct primitif, comme le cochon hurle quand on l'attrape tout autant que lorsqu'on l'égorge, j'avais amplifié mon cri jusqu'à la hauteur de mon désespoir.

Nous nous retrouvâmes seuls. Sans attendre, je demandai à Lay, qui était contre moi, s'ils avaient des nouvelles d'Hélène, ma fille, âgée de trois ans, qui nous avait accompagnés à Oudong. Elle était restée avec d'autres enfants dans le village où nous nous étions arrêtés avant de prendre le chemin du monastère de Vat O. J'eus conscience à ce moment-là qu'une grande part de l'horrible souffrance qui me brûlait venait de la séparation forcée de mon enfant. J'avais sans cesse devant les yeux ses belles boucles châtain clair et sa frimousse retenant ses sanglots devant les gens qu'elle ne connaissait pas.

Mes yeux restaient fixés, grands ouverts, sur les pièces de la toiture. La douleur de mes chevilles comprimées devenait lancinante : j'avais du mal à garder mes genoux relevés pour que les tibias se maintiennent parallèles au sol, immobiles dans leur logement.

L'eau clapota au bas de l'échelle; la maison bougea légèrement et le frôlement de pieds nus se fit sentir sur le plancher. Je vis à l'envers, c'est-à-dire en tournant les yeux pardessus moi, une douzaine de jeunes paysannes s'approcher à la queue leu leu. Les premières me regardaient avec une curiosité qui n'était pas feinte, et je ne savais quelle contenance me donner. C'étaient des filles de village, jolies comme celles de chez moi, avec ce blanc de l'œil légèrement doré, qui donne à leur regard une luisance toute particulière. On les avait fait venir pour voir de près l'ennemi abhorré. Les plus jeunes, qui étaient aussi les plus convaincues, approchèrent leurs pieds de ma tête. Outrage suprême : dans toute l'Asie du Sud-Est, le sommet de la tête est tabou, et une femme ne se met pas dans la situation d'être au-dessus d'un homme. L'une d'entre elles vint si contre moi que je perçus le grain délicat de sa peau et sentis sous le tissu usé du sarong, tendu sur ses formes pleines, la chair lisse et ferme de son corps. Leurs lèvres ourlées et charnues se resserrèrent, esquissant une grimace, en réaction à la répugnance que je leur causais, et toutes se mirent à me cracher dessus, avec de courts raclements de gorge pour faire venir la salive. J'entendis un long râle de désapprobation sortir de la bouche de l'ami Lay, qui lâcha d'une voix blanche, les yeux baissés, la tête remuant lentement, sans regarder personne :

— Oh! mesdemoiselles, que faites-vous? Que savez-vous de nous?

Les impacts légers, un peu froids, atteignaient mon visage. Cette haine à mon endroit était si naïve et si sincère que je n'en éprouvais pas le moindre ressentiment. Mais quand elles furent parties, mes yeux fermés se crispèrent. Je fus pris d'un long sanglot, comme ces crises qui débutent chez l'enfant par des contractions du ventre, puis s'étouffent dans une apnée silencieuse.

Lorsque je repris contact avec mes deux compagnons, nous prononçâmes tristement quelques mots de dérision sur notre détresse commune. Nous étions écrasés par le désespoir. Son, un grand garçon noir et maigre, très doux, qui venait tout juste de se marier, était si oppressé qu'il pouvait à peine parler. Ni l'un ni l'autre ne nourrissaient la moindre illusion sur notre sort — plus tard, ils me racontèrent qu'ils avaient entendu des choses terribles avant mon arrivée —, mais ils n'osaient manifestement pas me le dire. Tous deux étaient de grands fumeurs et n'avaient plus que quelques cigarettes. Comme ils voulaient les faire durer, ils me confièrent le reste de leur paquet pour être moins tentés, avec la consigne de ne leur en donner qu'une par jour...

Quelqu'un pataugea dans la flaque. On nous montait le repas : riz, graines de sésame, poissons grillés, que nous avalâmes avec plaisir, rapidement.

Puis des pas firent à nouveau clapoter l'eau. Nous nous dressâmes tous trois sur les coudes, nous retournant tant bien que mal vers la porte : c'était moi qu'on venait prendre. La première poutre joua sur sa base. Je me mis debout sans précipitation, dépliant lentement les jambes qui prenaient appui sur mes chevilles douloureuses. La cordelette de nylon vert et rouge, que j'avais autour des bras pour venir, me fut renouée. Je m'engageai pour descendre, en équilibre instable sur l'échelle, et un des gardes qui attendaient en bas leva les bras pour m'aider.

Nous arrivâmes presque aussitôt sur la place du village — située en fait à quelques pas de la maison — où se trouvaient réunies une cinquantaine de personnes disposées en arc de cercle. Flanqué de deux adjoints assis les jambes croisées, un homme se tenait derrière un bureau, sur une estrade. Il portait le *krama* autour du cou, cette pièce de coton à carreaux que le paysan khmer utilise à la fois comme écharpe et comme serviette, et, jusqu'aux oreilles, une casquette à la chinoise. Entre lui et le public, un tabouret m'attendait à côté d'une table basse garnie d'un paquet de cigarettes proprement ouvert et d'un verre de thé. J'allais directement y prendre place, avant qu'on ne m'y invite, voulant faire croire que je n'avais pas peur.

Le chef hocha la tête en me regardant, avec un grand sourire qui montrait les dents du haut grossièrement recouvertes d'un plaquage en cuivre. Il prit une mine sévère en apercevant mes liens et demanda qu'on me les retire, avec une sorte d'irritation forcée, comme si le fait que je lui sois ainsi présenté était une faute de convenance, tout à fait inadmissible. On me détacha et, satisfait, il m'examina avec un air presque complice, prenant l'assemblée à témoin. La présence du métal dans sa bouche le gênait pour parler, mais n'empêchait pas qu'on reconnaisse son accent, celui des Khmers kraum du Sud-Vietnam. Il m'invita à prendre une cigarette. Je refusai. Alors, il se tourna vers le jeune homme assis à sa droite pour demander, par son intermédiaire, que je décline mes nom, prénom et adresse, et que j'expose les raisons pour lesquelles j'avais été arrêté. L'interprète s'adressa à moi en anglais. Surpris, je fis mine de ne pas comprendre (premier mensonge).

Pourquoi cette feinte ? Cette réaction allait peut-être me coûter la vie ! La vérité, c'est qu'ayant vécu pendant des années dans un village khmer, marié moi-même avec une Cambodgienne, me sentant si proche et si solidaire des habitants du cru, je ne pouvais supporter d'être pris pour un Américain. Qu'un Khmer s'adressât à moi en anglais me mettait immédiatement de mauvaise humeur. Pas à cause du drame vietnamien : pour bien des paysans du coin, attachés à leurs traditions et réfractaires aux nouvelles idéologies, la révolution communiste venait perturber leurs modes de vie ancestraux. Non, c'était la méthode grossière des Américains, leur ignorance crasse du milieu dans lequel ils intervenaient, leur démagogie maladroite, leur bonne conscience déplacée, et cette sincérité bon enfant qui confinait à la bêtise. Ils étaient totalement étrangers au terrain, animés de clichés sur l'Asie dignes des guides touristiques les plus sommaires, et se comportaient en conséquence.

D'office, ils avaient engagé par centaines les meilleurs éléments que comptait le pays : fonctionnaires honnêtes, désireux de remettre de l'ordre, soldats fidèles, avec tout un état-major d'intermédiaires dévoués, allant du chauffeur à la cuisinière, en passant par l'interprète, l'informateur, etc. Tous s'en étaient remis à eux avec espoir, tant leur semblait juste le combat de ces nouveaux conquérants, venus en défenseurs du peuple cambodgien contre le voisin honni qui voulait les soumettre à un joug étranger. Les Khmers ont toujours détesté les « Youn » ; fiers et attachés à leur liberté, ils se sont continuellement méfiés des velléités d'annexion du Vietnam. Repliés qu'ils étaient sur leurs traditions, ils éprouvaient une profonde hostilité pour le renouveau social annoncé par leurs frères ennemis, dont ils ne doutaient pas des intentions véritables...

Malheureusement, les Américains ne s'installèrent qu'en

excitant les convoitises et en alimentant la corruption. Le nouvel employé s'entendait appeler « brother », recevant une énorme tape dans le dos, avec en prime une quantité de dollars équivalente à celle qu'aurait gagnée pour le même travail un Américain aux États-Unis (soit de dix à vingt fois le traitement local d'un gouverneur de province)... À ce prix, fonctionnaires, ouvriers, artisans, tous abandonnaient leur emploi dans la précipitation, pour se frayer un accès jusqu'à l'ambassade américaine qui recrutait à tour de bras. Mais ce paternalisme et cette complaisance avaient, bien entendu, leur contrepartie. Sur la base sincère d'une fraternité entre les hommes, l'employeur exigeait en retour un rendement à l'américaine, ce que peu de Khmers étaient à même d'apporter. Les relations de la hiérarchie avec ses employés se détériorèrent rapidement, provoquant tensions et humiliations, ruinant à jamais les extraordinaires espoirs de confiance et d'amitié que chacun avait pu nourrir. Le phénomène engendra très vite, à tous les niveaux, une duplicité et une absence totale de respect mutuel, instaurant un climat d'amertume et de suspicion irréparable.

— What is your name ? répéta l'interprète.

— Je suis français et nous sommes au Cambodge. Parle-moi donc en français ou en khmer ! lui dis-je dans sa langue.

Tout le monde rit derrière moi et le juge manifesta son contentement par de grands hochements de tête qui le faisaient se pencher en avant. Les rires n'étaient pas ceux d'une assistance amusée. Ils partaient en ordre, commandés comme des applaudissements, et s'arrêtaient en même temps. Il avait, posée devant lui, la pochette transparente renfermant le contenu de mes poches.

— Camarade, tu parles bien la langue khmère ! Où l'as-tu apprise ?

J'expliquai que j'étais arrivé au Cambodge en 1965 pour y étudier les monuments et les traditions bouddhiques. J'avais habité un village de la région d'Angkor jusqu'à l'arrivée des troupes de libération sur Siemreap. Je m'étais alors replié sur la Conservation, d'où je tentais de poursuivre mes recherches dans les régions où cela restait possible. Parallèlement, je venais fréquemment à Phnom Penh pour faire des provisions et acheter les pièces de rechange, les produits et le petit matériel nécessaires, afin de continuer les travaux de restauration (céramique, bronze et bois) dont j'étais responsable. Il acquiesça de la tête, puis me provoqua brusquement :

— Je te connais bien. Je t'ai vu déjà de nombreuses fois !

Je regardai avec étonnement le petit homme assis, sentant sur moi la pointe de ses yeux scruter mes réactions.

— Moi, je ne crois pas te connaître... Où nous serions-nous rencontrés ?

— Si, si, je te connais bien, insista-t-il, à plusieurs reprises, s'adressant aux spectateurs derrière moi en riant, mais sans rien dire de plus, écarquillant les yeux et levant la tête, comme lorsqu'on crée un suspense pour corser le récit d'une bonne histoire. Nous nous sommes croisés de nombreuses fois à Saigon. Seulement, toi, camarade, tu ne me regardais pas !

Tu ne me connaissais pas! En fait, je t'observe depuis long-temps : tu travailles pour les Américains au Vietnam!

La mascarade était si grossière que je restai planté sur mon tabouret, peu ébranlé par l'accusation. Le Khmer kraum m'avait parlé courtoisement, mais avec une ironie mal dissimulée. Je lus clairement dans ses yeux que je n'étais pour lui qu'une représentation sans vigueur de l'ennemi, et que son jugement était déjà arrêté.

— Je ne suis jamais allé à Saigon! répondis-je d'une voix calme (deuxième mensonge).

Je remarquai que mes propos étaient consignés par le greffier se tenant à la gauche du Khmer kraum.

— Les Américains ont besoin d'hommes comme toi, qui connaissent bien le pays et les langues locales. Ils les envoient sur le front pour payer directement les militaires, car ils n'ont aucune confiance en leurs valets qui détournent la solde des combattants, dès qu'ils le peuvent...

— Je ne travaille ni pour les Américains ni pour per-sonne, dis-je en me levant. Je suis un chercheur français. Si tu peux prouver le contraire, il faut me tuer!

Mon élan de sincérité fut à nouveau applaudi. Le juge laissa passer quelques instants, ouvrit les deux mains devant lui comme si j'avais besoin d'être calmé, et reprit avec un grand sourire :

— Il y a divergence : l'Angkar arbitrera. La victoire du Kampuchea [1] sur l'« impérialisme américain » (son talon

---

1. Nom officiel du Cambodge pour les communistes khmers, dès 1954.

heurta vivement l'estrade) sera retentissante et glorieuse !
Pour l'instant, camarade, nous sommes en guerre. Nous
devons nous battre pour libérer nos frères de l'agression
ennemie. Quant à toi, tu dois être soumis au régime des prisonniers édicté par nos lois révolutionnaires.

Sa tirade fut saluée par de nouveaux applaudissements,
et des gardes m'emmenèrent.

Je retrouvai Lay et Son, inquiets, s'interrogeant sur le
traitement qu'on allait m'infliger pour présager du leur. Nous
communiquions par signes ou à voix basse, convaincus que
des mouchards épiaient par l'interstice des planches chacune de nos paroles. Je m'endormis un instant, tant la fatigue
et la peur m'avaient abattu.

Brusquement, des mots stupéfiants furent prononcés à
proximité de la maison. S'adressant à des personnes dont
nous ne soupçonnions pas la présence — elles s'étaient avan-
cées sans bruit — une voix forte et décidée s'éleva :

— Dépouillez-le de ses vêtements ! Déshabillez-le et
fusillez-le ! Qu'attendez-vous donc, camarades ?

Nous avions déjà entendu dire que les Khmers rouges
dénudaient leurs victimes pour que le tissu puisse encore
servir. La mémoire de l'immense frisson qui m'envahit alors
de la tête aux chevilles, par ondes glacées, ne m'a jamais
quitté. Nous échangeâmes un long regard, qui déclencha
une sorte de rire irrépressible, nerveux, tout à fait insolite.
J'entendis de nombreux clapotements et mon cœur se serra.
Des hommes firent irruption. Je vis leurs mains sur moi me
manipuler, m'arracher de l'entrave, me soulever, me ficeler.
Rapidement, je fus poussé vers la porte. Les feuilles d'un

gros jacquier noueux filtraient le soleil. Au deuxième plan, j'entrevis un morceau de la route que j'avais suivie pour venir, et, de chaque côté, des rizières abandonnées, circonscrites de diguettes éboulées. Je ne me souviens plus des bruits. Une dizaine de Khmers rouges armés attendaient au pied de la maison. La corde qui me serrait les coudes fut plusieurs fois dénouée et renouée, occasionnant des échanges animés sur la bonne manière de faire le nœud. On approcha de mon visage un bandeau et je marquai un mouvement de recul. Le jeune Khmer qui tenait le tissu entre ses mains ébaucha en s'approchant de moi un sourire embarrassé et retira la cigarette de ses lèvres. Je refusai qu'on me bande les yeux.

— Où m'emmenez-vous? Je veux voir!

Parmi les hommes qui m'entouraient, il en était un plus âgé qui riait à côté de moi; il s'empara du bandeau avec calme, posa sa main sur mon bras et me dit d'un ton rassurant :

— *At oy té!* Ça n'a pas d'importance! Ne crains rien, c'est la procédure...

Je tremblais. Je voulais le croire mais j'hésitais. Puis je dis, avec un air résolu :

— Alors, laissez-moi remonter un instant. Mes compagnons m'ont confié leurs cigarettes, je dois leur rendre.

Ma requête semblait si déplacée que je dus l'expliquer plusieurs fois pour qu'elle soit comprise.

— Donne les cigarettes, nous leur rendrons nous-mêmes, je m'en occuperai personnellement, tu n'as pas besoin de remonter!

Je ne voulus rien entendre ; je n'en démordais pas. Les résignations qui nous sont les plus difficiles doivent souvent passer par une petite négociation, pour donner le change à notre impuissance.

— Non, non ! Je n'ai pas confiance. Vous allez les fumer. Je veux les rendre moi-même.

En parlant, je m'étais retourné pour gravir l'échelle. Des mains se resserrèrent sur moi, et je me débattis, puis, finalement, celui qui avait déjà entrepris de me calmer — ce devait être un gradé — consentit à me laisser monter, pour calmer la tension. Un des gardes m'accompagna. Dans la pièce, qui m'apparaissait moins spacieuse, je regardai, à côté de ma place vide, mes amis immobiles, figés dans la cangue. Je me baissai sur Lay pour mettre à sa portée le paquet dans la poche de ma chemise, plantant mon regard dans ses yeux, puis dans ceux de Son ; l'émotion me noua la gorge. Je les quittai sans oser parler.

En bas, les hommes armés attendaient. On me serra le bandeau sur les yeux, pendant que mes oreilles distinguaient la voix du chef rabâchant :

— *At oy té !*

La locution est propre à toutes les langues de l'Indochine. Elle m'était répétée depuis le début de mon arrestation, et j'y avais puisé chaque fois un peu d'espoir. Je réalisai, tout à coup, qu'il ne s'agissait pas tant d'un encouragement que de l'expression d'une philosophie de la fatalité, une manière d'aider à accepter l'inévitable, de consentir à son destin...

Une main ferme me poussa en avant ; mes jambes se

mirent en branle, mes pieds avancèrent. Sous le bandeau, qui ne tombait pas complètement sur mes joues, à cause de l'épaisseur du nez, j'entrevoyais mes pas. Dans l'opacité de l'étoffe, malgré mes yeux fermés, je voyais tout le village, la place vers laquelle nous nous dirigions, et moi, marchant au milieu d'hommes en armes. Mes idées se bousculaient, rien n'arrivait à ma conscience. Une lâcheté, un engourdissement de l'esprit, m'empêchait de penser, de ressentir quoi que ce fût.

Après avoir longé la place, nous coupâmes à travers un terre-plein herbeux, pour franchir une piste et accéder au sol battu d'un champ encore meuble. Les tiges raides piquées dans les mottes me blessaient les pieds. Plusieurs mains me guidaient, imprimant à mon corps de courts arrêts, des changements d'orientation, me lâchant et me reprenant au gré du chemin. La voix du chef contre moi annonçait les obstacles. Personne d'autre ne parlait, mais j'entendais le bruit des pas, les respirations, le frottement des habits, le cliquetis des boucles à bretelles. On s'arrêta. L'absence de parole devint anormale. Les mains disposèrent mon corps debout dans un certain sens, me faisant reculer légèrement, puis m'abandonnèrent. Je restai planté là, suspendu au silence.

Seul mon cœur submergé par les assauts du sang battait bruyamment dans mes tempes.

Les soldats armèrent leurs fusils.

4

—Tu veux te laver ?

Le sourire découvrait les dents et les gencives. Je ne fis pas attention à l'homme qui venait de parler. Pourtant, le souvenir que je garde de lui remonte, je crois, à ce premier instant. Il s'était joint aux gardiens qui m'entouraient, m'observant, les mains dans le dos, avec un air sympathique. Sa veste noire était trop grande et le pantalon découvrait jusqu'au-dessus de la cheville des pieds fins et veinés. La peau très claire, les dents nombreuses mal alignées trahissaient son ascendance chinoise. Il semblait jeune, n'ayant pas atteint la trentaine. Rien dans son comportement discret ne m'avait indiqué qu'ici, c'était lui qui commandait. Son autorité était totale, ses pouvoirs sur les détenus, illimités. Ses silences agissaient plus puissamment que la parole.

Il n'avait pas plus tôt tourné les talons que j'appris son nom : Ta Douch [1]. L'usage révolutionnaire était d'appeler

---

1. Prononcer : [dwjt].

tout le monde *mit*, « camarade », voire « camarade cadet » ou « camarade aîné », mais les chefs étaient nommés *ta*, « grand-père », pour marquer la distance et le respect. J'allais vite me rendre compte que les lentes allées et venues de sa silhouette sans hanches, d'une maigreur maladive (il souffrait comme tous, en cette période de l'année, d'incessants accès de paludisme), étaient accueillies dans le camp par un silence funeste et un ralentissement des gestes. Il avait aussi cette capacité surprenante de passer sans transition du sourire joyeux à l'expression tendue, grave. Douch n'avait que deux visages : un regard franc et ouvert sur des lèvres largement retroussées ou des yeux muets tombant sur une bouche fermée. Comme tous les responsables communistes en Asie, il parlait lentement et à voix basse ; en ces moments, sa tête se redressait toujours un peu, avec les paupières presque closes, tant les yeux tiraient vers le bas.

Dès mon arrivée, au sortir de la forêt claire que nous venions de traverser, devant les restes piétinés mais très verts d'un palmier de sous-bois, j'avais aperçu deux gaillards musclés, apparemment libres, pilant du riz au mortier sans oser lever les yeux un seul instant sur moi, me faisant prendre conscience de mon infortune. À nouveau, j'avais ressenti la peur. L'emplacement avec ses abords se trouvait dissimulé sous une épaisse bambouseraie. La fumée de l'unique foyer creusé dans un nœud de turions contre une grosse termitière était récupérée par un bricolage de tuyaux pour pouvoir se dissiper dans le feuillage en plusieurs endroits. La lumière du soir tombait diffuse, paisible. Les hautes tiges mobiles des bambous bruissaient doucement, dégorgeant goutte à goutte les dernières pluies d'octobre. Hors le battement des pilons, aucune rumeur, aucun bruit qui trahisse la présence secrète, à quelques pas de moi, d'une cinquantaine de prisonniers et de leurs neuf gardiens. Et, tandis que je scrutais les lieux, se répercuta à l'orée de la forêt, comme un appel lointain, indifférent à ma détresse, le chant à deux temps du loriot.

On m'amena vers un des longs abris, fermés sur un seul pan, qui pouvaient chacun contenir quinze ou vingt hommes disposés côte à côte sur des lattes, à un mètre du sol. Tous étaient au *khnoh*, c'est-à-dire qu'ils avaient la cheville prise dans une sorte de cep collectif, constitué d'étriers enfilés le long d'une grande tringle commune. Mes yeux se détournèrent en hâte. Le sol glissant épanchait son eau en chuintant sous les pas. Les semelles faisaient ventouse. Une poule effrayée s'enfuit devant moi, suivie de ses poussins qui piaillaient et couraient en tous sens. J'ignorais encore que la grosse géline cendrée, dont j'aurais plus tard l'occasion d'observer pendant des heures la crête dentelée, les ailes arrondies, et la queue tachetée comme par les coups de pinceau d'un peintre contemporain, allait devenir mon amie.

— Tu veux te laver ? répéta Douch.

Exténué par ces trois jours de marche dans la boue, j'avais demandé la permission de me laver, dès mon arrivée dans le camp, avant même qu'on ne tentât de me passer au pied l'un des fers empilés contre la cloison, à côté des bambous remplis d'urine. En contrebas, l'eau claire d'un ruisseau coulait sur les galets retenus dans le coude qui tournait le baraquement.

Je levai finalement les yeux vers lui, hochant la tête d'un air affirmatif, sans m'étendre. J'étais las de répondre aux questions que tant de gens me posaient depuis mon arrestation. J'y avais d'abord prêté une attention ardente, pensant à chaque fois que mon devenir en découlait. Je compris vite que rien de ce que je disais ne pouvait être pris en compte, pour une raison simple : je n'avais jamais devant moi les personnes dont dépendait mon sort.

— Eh bien soit, vas-y ! dit-il presque aimablement.

Il tourna les talons avec lenteur et partit. Je ne savais pas encore que j'étais le seul prisonnier du camp à bénéficier d'une telle faveur. Dès cet instant, les jeunes gardiens, qui tenaient entre leurs mains chaque moment de mon existence — ils étaient cinq et leur âge oscillait entre douze et dix-sept ans — comprirent que ma nationalité étrangère faisait de moi un détenu spécial. Je me dirigeai sans attendre vers la rivière. Un garde prit en hâte le kalachnikov qu'un autre qui s'approchait de nous portait en bandoulière, pour m'emboîter le pas. En quelques enjambées, j'arrivai à la berge qui descendait en pente douce vers le lit encaissé, et me déshabillai entièrement, presque avec provocation, pour indiquer mon désir d'être un peu seul. Gêné, le jeune garde détourna les yeux, et j'entrai dans l'eau pour en remonter le cours jusqu'au-dessus de la courbe, me mettant hors de la portée de son regard. L'eau m'arrivait à peine aux genoux, mais dans le creux du courant grossi par les pluies, elle montait à mi-cuisses. Je m'y plongeai, en suffoquant, sans parvenir à étouffer des gémissements de bien-être. Ainsi immergé et flottant, couché de tout mon long, accroché aux cailloux, secouant ma tête dans les remous, j'éprouvai une joie immédiate. Le passage de l'eau froide sur mon corps apaisa ma pensée, comme un anesthésiant la douleur. Quand j'eus remis mes vêtements, je fus reconduit à ma case. Je me hissai sur le plancher un peu élastique, constitué de larges bandes en bambou éclaté provenant des massifs alentour. Sur un signe des gardes, les prisonniers s'étaient resserrés pour me faire de la place en bout de tringle. Aucun d'eux ne regardait vers moi. Les visages affichaient un mélange de réserve, de patience, de bonne volonté, que j'identifiais mal. Plus tard, il me fut donné de comprendre ce qui était arrivé à ces captifs. Ils venaient des zones libérées de la région Sud-Ouest (placée sous le contrôle du fameux Ta Mok) et s'étaient retrouvés là sans qu'aucun motif ait jamais été explicité.

C'était toujours le même scénario. Un jour, la notification arrivait au chef de village, griffonnée sur un bout de papier plié plusieurs fois, avec le coin retourné vers l'intérieur telle une enveloppe. Il portait simplement un nom, une date et le lieu de la convocation ; rien d'autre. L'individu désigné pouvait se sauver ; il en était encore temps. Mais fuir ressemblait à un aveu et comportait des risques : sa famille serait inquiétée, ses biens confisqués. Il fallait donc faire face, et commencer la tournée des postes de contrôle en brousse, au bord d'une piste, à quelque carrefour, dans la *sala* d'un village détruit. Là, des chefs le feraient attendre, feindraient de l'oublier pendant des heures entières, parfois même des jours, le laissant ruminer et rassembler dans son esprit tout ce qui aurait pu correspondre à des errements : propos fanfarons, actes inconsidérés, provocations gratuites, marques d'indépendance, bref, toutes les imprudences dont la rumeur aurait pu remonter à l'Angkar. Jamais on ne répondait à ses questions, ni n'avançait le moindre chef d'accusation. Puis venait le moment où on lui attachait les bras, et celui de l'arrivée dans le camp, où les premiers jours durent une vie ; où le cri de la révolte peu à peu s'éteint. On apprend la patience, la résignation ; on comprend qu'il faut cesser de croire à sa propre innocence. Peut-on être innocent quand on a des chaînes ? Alors, on rentre en soi, on prend conscience de son égoïsme, de son irresponsabilité... On médite sur sa culpabilité, qu'on est prêt au bout du compte à reconnaître, pourvu que les maîtres du camp soient assez généreux pour consacrer, malgré leurs lourdes tâches, un peu de leur temps précieux à notre humble cas personnel.

J'avais connu à Srah Srang un de ces paysans fiers, libre comme l'oiseau, toujours par monts et par vaux, aimé et respecté — il était réputé pour ses dons de chanteur *arak* (sa voix arrivait mieux qu'aucune autre à faire entrer les génies du sol dans le corps d'un médium) — qui s'était un jour distingué par l'une de ces funestes réactions.

Un groupe de cinq hommes, vêtus d'un costume noir et portant le *krama* autour du cou — seul le plus âgé était armé d'un revolver —, avait fait son apparition et s'était rendu dans la *sala* construite à la sortie du village, sur l'ancienne digue du *baray* oriental, face au temple du Prè Rup qu'on voyait de loin. Ils s'y étaient installés pour quelques heures, indifférents au toit de chaume détérioré par les pluies et défoncé par l'accumulation des gousses du vieux tamarinier qui le surplombait. Personne n'avait encore vu de Khmers rouges, et la nouvelle de leur arrivée s'était vite répandue. Ils offraient des cigarettes aux gens qui passaient devant eux et qu'ils appelaient « camarades ». Après ce premier contact, ils étaient revenus quelques jours plus tard et les habitants, inquiets, leur avaient apporté du thé et du bétel, leur proposant même de quoi manger; ce qu'ils avaient refusé. Utilisant l'entremise d'un marginal du village, un homme mal inséré, aigri et avide de changement, qui avait trouvé avantage à leur parler dès le premier jour, ils firent savoir que tous les chefs de famille étaient tenus de se présenter et d'entendre ce qu'ils avaient à leur dire. Une vingtaine de personnes, presque seulement des femmes, étaient venues, conduites par le chef du village. Le discours, truffé de néologismes incompréhensibles, avait commencé sur des poncifs idéologiques, pour aboutir à une demande d'aide que chaque famille devait fournir à la Révolution. Le village devait remettre un certain nombre de sacs de riz, avec autant de charrettes et de zébus qu'il en fallait pour le transport. Les attelages seraient rendus. Dans la semaine, et après bien des discussions, le tribut avait été collecté, et le chargement emporté par les Khmers rouges, de nuit. Mais les charrettes avec leurs bœufs restèrent sur place, à l'endroit où ils les avaient abandonnées, près du Phnom Bok, à trente kilomètres. Les paysans partirent en groupe les récupérer,

75

et notre chanteur retrouva la sienne cassée. Furieux, il jura qu'on ne l'y reprendrait plus et que la Révolution devrait désormais se passer de lui !

Quinze jours plus tard, un message portant son nom arriva au village. Il se rendit à la convocation et ne revint jamais...

Le cadenas qui fermait la tringle fut ôté et le garde me tendit un étrier pour y assujettir ma jambe, au niveau de la cheville. À nouveau, je me retrouvai confronté à l'horrible situation de faire entrer l'articulation de mon pied dans un logement si étroit. Je bandai le tendon pour occuper encore plus de place, et appelai l'attention de mes gardes sur l'impossibilité d'appliquer ce système au calibre de mon ossature. De toute façon, j'avais décidé de ne plus me laisser piéger. Repliant mes jambes, je refusai toute tentative de ferrement. Certes, on aurait pu, en forçant un peu, faire passer la barre dans les œillets métalliques. Mais j'espérais, en exagérant la difficulté, échapper non seulement aux fers, mais à l'effrayante promiscuité de la tringle collective.

Le numéro deux du camp, homme grossier et brutal, plus âgé que Douch, avait vu la scène depuis l'endroit où il était assis. Il envoya un garde dans les autres baraques s'enquérir d'un arceau plus grand. Sur ces entrefaites, Douch vint à la rescousse. Son visage sérieux se penchait en avant, laissant tomber la lèvre du bas sur sa denture chahutée.

— As-tu pris ton bain? s'enquit-il, tout en réfléchissant à une solution.

Puis il prononça quelques mots, de cet air las qu'il affectait souvent, et regagna sa table placée sous l'auvent du logement des gardiens.

On me fit lever et me conduisit vers l'entrée, sur le chemin que j'avais emprunté pour venir. À partir de là s'incurvait la place circulaire où, assis en rond, les jeunes gardes procédaient tous les soirs à leur confession collective. À cet endroit se trouvait un abri, construit pour protéger de la pluie les quatre sacs de paddy apportés chaque semaine par des paysans. Un garde revint avec une chaîne; un autre s'accroupit pour arrimer mon pied à l'un des piliers qui soutenaient l'auvent.

La pluie se mit à tomber, en même temps que le jour. Je ne savais comment me mettre. L'odeur de la forêt monta du sol mouillé. De dessous le tapis de feuilles, d'herbes et de brindilles, l'humus trempé rendait l'arôme surprenant d'un vieux vin. Dans la pénombre, mes yeux tombèrent sur les poules qui s'accrochaient aux bambous comme des chats, pour aller percher dans les branches. Je m'accroupis, enfonçant les talons dans le sol inondé. Un jeune garde, sautant par-dessus les flaques en s'amusant, m'apporta une assiette de riz. Je n'avais rien mangé de la journée; j'avalai les grains mouillés et froids, avant de m'endormir recroquevillé sous la pluie.

Les poules étaient les premières levées. Bien avant l'aube, elles avaient sauté lourdement sur les bambous pleins de pluie, dont quelques-uns ployaient jusqu'au sol, déclenchant une averse à chaque bond. J'enviais la joie des poussins restés par terre, criaillant, regroupés par famille, qui retrouvaient leurs mères empressées autour d'eux pour les conduire avec tendresse. Quant au coq — un croisement de coq sauvage dont la queue rouille en faucille s'achevait sur une traîne vert sombre —, le camail gonflé, la crête rouge vif, l'éperon dressé, c'était son heure de gloire : la voix claironnante, quoique à peine éveillé, battant des ailes, tapant des pieds, il se lança sans attendre dans plusieurs courses à saute-mouton.

À mon arrivée, la basse-cour se composait d'un coq, de trois poules, de trois poulets et de dix-neuf poussins. Chaque jour, quand c'était possible, les neuf gardiens faisaient bouillir un poulet dans leur soupe collective ; ils mangeaient à part. Consommer un œuf était un acte antirévolutionnaire — seule la viande apaise la faim du combattant. Les prisonniers recevaient deux bols de riz seulement ; le premier vers neuf heures, l'autre le soir, après dix-sept heures. Est-ce à cause de la faim qui fut permanente, ou de la céréale pilée tous les matins, dont les grains de montagne gardaient tant de saveur ? Je n'ai jamais mangé d'aussi bon riz.

Il plut par torrents pendant trois jours. Douch avait donné des instructions pour qu'on transportât la réserve de paddy ailleurs et que je pusse entrer sous l'abrivent. Mais l'abondance de l'eau, jusque dans le logement des gardiens, qui dormaient dans des hamacs, rendait obligatoire la construction d'un bat-flanc pour entreposer les sacs ; ce travail traîna pendant des semaines et ne fut jamais achevé.

Dès la première journée, je fis l'épreuve du dénuement de notre pauvre communauté : comme je ne pouvais disposer d'aucun récipient libre, le repas du matin ne me fut pas servi. L'un des codétenus qui assuraient notre pitance s'approcha de moi, mais ne me donna pas ma ration. En fin d'après-midi, je fus servi dans le couvercle carbonisé d'une des deux grosses marmites en fer. Il s'agissait là d'une solution provisoire, bien entendu, et les gardes me laissèrent entendre que c'était à moi de me débrouiller. J'avais vite compris que mon sort, comme celui des autres prisonniers, dépendait de leur arbitraire ; et il serait hors de question de se plaindre. Aussi, dans l'après-midi, j'avais insisté pour qu'on m'accompagnât à la rivière. Il était nécessaire de faire renouveler l'autorisation qui m'avait été accordée la veille, en sorte de marquer clairement que j'avais acquis un droit.

En longeant la première baraque, qu'il fallait contourner pour descendre au ruisseau, je ralentis le pas devant le sourire triste et vague de mes nouveaux compagnons de fer, qui me regardaient passer du fond de leur solitude. Une femme âgée semblait dormir parmi eux, mais sa figure jaune que j'aperçus et d'imperceptibles tremblements me convainquirent qu'elle était très malade. Au retour, je m'arrêtai pour dire quelques mots — sans oser évoquer le plaisir que j'avais éprouvé à me rouler dans l'eau — et j'appris qu'elle était la seule femme du camp. Elle souffrait de paludisme et ne se nourrissait plus. Le lendemain matin, je sus qu'elle était morte pendant la nuit. Mon premier réflexe fut de me souvenir qu'à son côté j'avais vu un gros bol façonné dans le péricarpe d'une noix de coco ; il m'avait tiré l'œil à cause de sa dimension inhabituelle.

Douch vint me voir à la tombée du jour. Il apportait une feuille double et un crayon à bille. Je devais rédiger ma déclaration d'innocence. J'ignorais que le document que j'allais produire serait comparé à la minute de mon procès public, qu'il servirait de référence à tout ce que je pourrais dire ensuite, et que j'aurais à en écrire une bonne douzaine d'autres. J'en profitai pour lui demander qu'on veuille bien me donner une écuelle, ou sinon qu'on m'attribue le bol de la vieille. Douch me le fit apporter par un garde le lendemain matin. Je reçus l'objet avec reconnaissance. Son bord avait été taillé au *phkiek*[1], et je me représentai les lèvres de la morte sur les brèches lustrées dans l'enveloppe très dure ; je méditai sur l'imprévisible destin des choses. Plus tard, on me confia que cette attribution avait fait toute une histoire, parce qu'un garde s'était déjà approprié le récipient très prisé.

C'était cela le plus difficile : les jeunes gardes nous tenaient sous leur dépendance ; on devait notamment obtenir, parfois en suppliant, leur consentement pour se soulager. Le besoin d'uriner ne faisait pas problème ; chaque baraque disposait de plusieurs tubes de bambous assez gros, qu'un codétenu allait vider le matin en aval du ruis-

---

1. Sorte de machette khmère traditionnelle qu'on utilise au Cambodge, composée d'un fer assez court emmanché dans une crosse de bambou.

seau. En revanche, il était beaucoup plus ennuyeux d'avoir à s'alléger le ventre. Les gardes renâclaient d'autant plus sur cette corvée qu'ils devaient, le plus souvent, libérer le pied de plusieurs captifs à la fois, pour dégager celui qui les avait appelés, que cela prenait du temps et nécessitait la présence d'un second garde armé. Il fallait ensuite escorter l'homme jusqu'aux feuillées. La tranchée avait été aménagée à l'extérieur du camp, vers la forêt. Je n'y suis allé qu'une fois et j'en garde une vision d'horreur : deux planchettes glissantes, couvertes de larves blanches mobiles, donnaient accès au surplomb de la fosse, pleine de matières grouillantes, clarifiées par les coulées de boue. Il s'agissait d'une expérience abjecte, une sorte de cauchemar fantastique, hors de toute réalité ; les prisonniers évoquaient sans cesse leur hantise d'y tomber.

Très vite, j'ai préféré attendre l'heure du bain, et m'évader à quelques mètres, sur un contrebas que j'étais le seul à utiliser, où poussaient utilement quelques buissons d'*Eupatorium*, dont les feuilles odorantes et souples sont d'un côté crantées de minces nervures, de l'autre couvertes d'un fin duvet.

Assez vite, ces corvées trouvaient leur rythme régulier. En ce qui me concernait, le fait de n'avoir à ouvrir qu'un cadenas tempérait l'irritation fréquente des gardiens. Malgré cela, je fus plusieurs fois obligé de faire sous moi, en bout de chaîne, parce qu'aucun d'eux n'avait daigné répondre à mes signaux.

Notre régime comportant un aliment unique, la couleur et la consistance des selles étaient uniformes ; toute variation devenait un indice sur l'état de santé du détenu. J'observai qu'au moindre coup de froid (on entrait dans la saison fraîche), au moindre changement de nourriture, une modification y était décelable. Un après-midi, je vis un des jeunes gardes soulever avec beaucoup d'attention les feuilles mortes qui recouvraient le sous-bois et enfoncer doucement une baguette dans le sol : il avait décelé le terrier d'une mygale dont il faisait sauter l'opercule. Dans toutes les campagnes, la grosse araignée est un aliment recherché. J'étais à ce point tenaillé par la faim que la salive me vint à la bouche et que je plantai avec force mon regard sur lui quand il revint pour griller sa prise. Il partagea de bonne grâce l'araignée avec moi et j'eus la surprise d'observer que le morceau ingurgité avait suffi à altérer la couleur de mes selles…

Nous dûmes déménager au bout de trois semaines. Un des adjoints du chef, un homme jeune dont je me rappelle le beau profil dolichocéphale — le blanc crémeux des yeux ressortait sur son teint bistre, et le rouge qui tapissait sa bouche couvrait ses lèvres jusqu'à leur bord charnu —, tomba malade d'une manière surprenante, terrassé par un génie tutélaire. Je fus témoin de sa brutale prise de possession par cette force surnaturelle, et du délire hallucinatoire dans lequel il tomba, en plein milieu du camp, se roulant par terre dans une crise convulsive, totalement absent de lui-même, proférant des obscénités entrecoupées de jurons, les mâchoires tordues par un trisme. La pauvre marionnette animée par l'esprit d'un mort fut emmenée à son village et livrée au médium. Celui-ci révéla que le dieu gardien de la rivière voulait se venger sur lui, parce que son eau était souillée par l'urine du camp. Les villageois rapportèrent le funeste augure à Douch, qui accepta de changer d'emplacement. Nous fûmes tous transférés à quelques kilomètres en amont, escortés d'un renfort d'hommes armés. Jamais je n'oublierai à quel point je fus affecté par ce déménagement : le changement de repères fit naître en moi un terrible sentiment de détresse. J'eusse donné n'importe quoi pour ne pas avoir à m'accommoder d'un nouveau sol, à m'habituer à un autre poteau... Cette mystérieuse faculté qu'a l'être humain de s'attacher aux objets les plus dérisoires de son existence, aux instruments mêmes de son supplice, simplement parce qu'ils font partie du modeste décor de son quotidien, du simple fait qu'ils lui sont devenus familiers, occupa mon esprit pendant des heures. Sans doute en va-t-il de même de notre vie entière. Je méditai longuement sur ce que cette réalité révèle de la condition humaine, et je ne cesse encore aujourd'hui de m'en étonner.

Revenant sur une réflexion ancienne, j'observai que ces tourments qui m'étaient infligés modifiaient complètement ma façon de voir le paysan khmer. Jamais je n'avais pris la mesure de sa vraie personnalité, malgré des années de fréquentation assidue, au cours desquelles j'avais observé dans le détail ses modes de vie, étudié sa pensée et ses croyances. Ma relation avec lui avait toujours été biaisée par mes origines françaises : j'étais mis, à mon insu, en situation de prééminence non seulement du fait de mon travail à la Conservation d'Angkor, mais à cause de ce que je représentais à ses yeux, quelle que soit mon intimité de vie avec lui. Je ne pouvais rien à ce fossé qui s'était historiquement creusé entre nous, de l'autre côté duquel j'étais d'abord un étranger, socialement dominant. Réciproquement, mes propres représentations du Khmer que je tentais d'approcher au quotidien s'étaient figées dans des schémas qui me tenaient à l'écart de lui. Je ne le rencontrais que dans l'état de subordination où il avait été placé traditionnellement, et qui introduisait une discrimination définitive dans nos rapports. Or, ce soudain asservissement, dû à ma captivité, fut un renouvellement douloureux de mon apprentissage, comme un réveil brutal à la réalité. Je découvris des masques nouveaux, insoupçonnés, sur le visage des Khmers, des physionomies qu'ils ne m'avaient jamais montrées. Je décryptais maintenant, parfois avec frayeur, les traits que je n'avais pas su voir.

Plusieurs soirs par semaine — tous les soirs quand il ne pleuvait pas —, les gardiens se réunissaient pour une confession collective. Douch n'y participait pas. Je fus le témoin privilégié de ces cercles qu'ils formaient, assis par terre, sous la direction d'un aîné, où l'homélie militante alternait avec la comptine.

— Camarades, commençait le plus âgé, faisons le bilan de la journée écoulée, pour corriger nos fautes. Nous devons nous nettoyer de ces péchés à répétition qui s'accumulent et constituent un frein à notre Révolution bien-aimée. Ne vous en étonnez pas !

— Moi, disait le premier, je devais aujourd'hui remplacer la tige de rotin, au nord de la première baraque, qu'on utilise pour faire sécher le linge. Je n'ai encore rien fait... à cause de ma paresse.

Le président de séance hochait la tête en fronçant le sourcil, sans sévérité, voulant seulement montrer qu'il savait combien il était dur de combattre l'atonie, si naturelle chez l'homme, quand il n'est pas porté par de solides convictions révolutionnaires. Sans rien dire, il passait au suivant, en plissant le bout de ses lèvres dans sa direction pour le désigner.

— Moi, faisait celui-ci, euh... je me suis endormi après le repas, oubliant d'aller vérifier que les bambous d'urine dans les baraques avaient tous bien été vidés...

Quand chacun avait parlé à son tour, on passait à l'étape suivante, que l'aîné introduisait en ces termes :

— L'Angkar bien-aimé vous félicite, camarades, pour ces aveux, si nécessaires au progrès de chacun. Tentons maintenant sans crainte, afin que nos actions puissent resplendir à jamais, d'aider notre frère à mieux discerner ses propres erreurs, celles qu'il n'a pas confessées, parce qu'il n'a pas su les voir. Qui veut s'exprimer ?

Un des plus jeunes leva le doigt. L'éclat de son beau visage, percé d'yeux profonds, laissait voir, comme chez le sergent du pont, des gencives marbrées dont les taches violettes s'étendaient jusqu'au fond du palais. C'était le plus gentil de nos surveillants. Il s'attardait parfois, le soir, après m'avoir passé la chaîne, à me poser des questions sur Phnom Penh et sur la France.

— Cet après-midi, commença-t-il, je suis entré par surprise dans le dortoir : j'ai vu le camarade Miet dissimuler quelque chose dans sa couverture.

— Menteur ! s'écria l'accusé. Je n'ai rien caché, j'ai simplement voulu...

D'un signe de la tête, le responsable avait déjà envoyé quelqu'un fouiller le hamac du coupable ; il revint en courant, tenant un cahier à la main. Le jeune Miet pleurait. Le chef glissa le cahier dans sa chemise sans l'ouvrir ; il ferait son enquête plus tard. Un autre prit la parole...

Ces séances d'« instruction » (le mot employé était celui d'« éducation religieuse », *rien sot,* emprunté au bouddhisme) faisaient régner la suspicion entre les gardiens ; ils n'hésitaient pas à s'accuser mutuellement de n'importe quoi, dans le seul but de recevoir un compliment de Douch. La délation est le premier devoir du révolutionnaire. On citait l'exemple de jeunes gens qui aimaient la Révolution à ce point qu'ils n'avaient pas craint de dénoncer leur père et leur frère...

En zones libérées, l'obligation d'endoctrinement commençait à s'instaurer pour tous les enfants dès l'âge de huit ou neuf ans. Ils partaient en stage de formation, et souvent, à cause des déplacements rendus difficiles et des bombardements, ne revenaient plus. Placés sous l'autorité d'un instructeur, ils suivaient une discipline très stricte. L'ascendant que ces jeunes esprits subissaient alors de leur maître prenait des formes irrésistibles.

Le soleil envoyait ses derniers faisceaux lumineux à travers le treillis serré de la bambouseraie, et sur le sol jouaient des taches de lumière tombant des voûtes comme d'un vitrail, quand la séance s'acheva. Camarade Thép vint me rendre visite. Il était prisonnier depuis bientôt un an, et bénéficiait d'un régime souple : exempté de fers, il pouvait se déplacer à sa guise. Douch l'avait assuré de sa libération proche, car le motif de sa captivité pendant des mois n'était pas grave. Les semaines passaient cependant, sans qu'il osât réclamer son élargissement. Il fallait attendre que le signe vînt d'en haut.

Thép était le seul à venir discuter avec moi, jamais très longtemps, et nous échangions librement, même si la possibilité qu'il fût un mouchard ne pouvait être exclue. J'évitais de lui poser des questions qui l'auraient embarrassé, comme par exemple sur le nom des villages, des rivières ou des montagnes de la région qui m'auraient donné des indications sur la situation géographique du camp. C'était un homme petit, noir, plutôt costaud, approchant la cinquantaine. La nouvelle de la mort de son père lui était parvenue, et il venait m'en parler, le cœur brisé, me confiant qu'il avait juré d'être présent à ses funérailles...

Pour changer de sujet, j'évoquai la séance de délation à laquelle je venais d'assister. J'avançai qu'il s'agissait d'un endoctrinement d'autant plus facile qu'il touchait des enfants, avec tout ce que leur innocence pouvait aussi charrier de cruauté. En réponse, il s'approcha en baissant la voix et commença le récit suivant :

— Au début de l'année, des Khmers rouges sont arrivés dans mon village. C'étaient des gens originaires du Sud-Vietnam, des Khmers kraum. Ils venaient installer les responsables locaux qui auraient pour tâche d'administrer le district et de prendre en charge les affaires courantes au nom de l'Angkar. Camarade! ces hommes avaient-ils été choisis parce qu'ils étaient les plus stupides? Ils ne pensèrent qu'à tirer parti d'un pouvoir qu'ils exerçaient pour la première fois, et, dans leur excitation, ils donnaient des ordres insensés à tout le monde. Les maudits n'hésitèrent pas à condamner à mort trois chefs de famille qui avaient refusé que leur fils unique fût enrôlé dans une formation de combat avec des Vietnamiens... Comprends bien, camarade : ces gens ne manigançaient rien, mais aucun ne voulait perdre le seul enfant qu'il avait, et qui était encore si jeune! Il est probable qu'un père dont le garçon aurait déjà reçu l'ordination bouddhique, ou qui en aurait eu plusieurs, aurait réagi autrement; pas eux... L'exécution de la sentence plongea le village dans la consternation. Les habitants, outrés, se rebellèrent et tuèrent les assassins. Puis les choses semblèrent rentrer dans l'ordre, jusqu'au moment où, un mois plus tard, des soldats vietnamiens encerclèrent le village, permettant aux Khmers rouges qui étaient avec eux de réunir les habitants et de se faire indiquer les membres de la famille des trois hommes à l'origine de l'affaire. Dix-neuf personnes furent identifiées, oncles et cousins, présents ce jour-là dans le village, et cinq bébés. Adultes et adolescents furent massacrés sans attendre, publiquement, à coups de dos de bêchoir sur la nuque. Quant aux nourrissons, qui avaient été retirés à leurs mères et mis de côté pendant le supplice, qu'en ont-ils fait? Tu te poses la question, hein? Eh bien, leur liquidation fut confiée à un jeune qui était avec eux. Un garçon de quatorze ans! Nous connaissions tous ses parents qui étaient d'un village voisin. Son instruction idéologique ne datait que de quelques mois. Voyant l'adolescent hésiter devant tout le monde, un des chefs — probablement son instructeur — l'approcha, passa le bras sur ses épaules, et l'exhorta à voix basse. Alors, camarade, j'ai vu cela de mes yeux : le jeune prit son courage à deux mains, s'avança, agrippa un par un les bébés par le pied et, sans précipitation, toqua fermement chacun des petits corps contre le tronc de l'arbre, le vieux manguier à l'ouest de la place... À deux ou trois reprises, chaque fois. Cela lui valut des félicitations du chef qui cita son zèle et son sang-froid en exemple. Voilà ce que les Khmers rouges font de nos enfants! Ils les transforment en audacieux qui ne discernent plus le bien du mal!

— Camarade Thép! lui dis-je, cynique. Ignores-tu la cause de cette sauvagerie? Ignores-tu que la Révolution est pauvre? Que celui qui aime l'Angkar doit économiser les balles de son fusil pour combattre l'impérialisme américain?

Mon pied avait heurté le sol avec une rage simulée, en prononçant la fin de ma phrase. Thép, dont le visage était plein de la scène d'horreur qu'il venait de relater, hochait la tête, les yeux écarquillés dans le vide. Il allait me répondre lorsque nous vîmes Douch marcher dans notre direction. Il se leva aussitôt et partit en le saluant au passage.

Thép devait mourir quelques jours plus tard, terrassé par une crise de paludisme. Nous y étions tous sujets : violentes céphalées, tremblements fébriles, convulsions tétaniques. Dans les régions de montagne, la maladie à l'état endémique surgissait dès l'arrivée du froid. Les habitants étaient touchés, mais résistaient assez bien ; leur rate devenait grosse et dure. En revanche, les paysans des vallées, qui n'avaient pas l'habitude de vivre en zone impaludée, mouraient souvent dès la première poussée de fièvre ; quatorze morts, dans le camp, en trois mois, sur un peu plus d'une quarantaine de détenus. Quant à moi, j'avais déjà contracté l'affection au Kulen (nord d'Angkor), dans les villages du piémont ; c'est peut-être à cause de cela que j'eus la chance de ne pas être malade durant ma captivité. Mais mon immunité semblait si saugrenue, face à la psychose qui atteignait tout le monde, que, lorsque les gardes m'interrogeaient sur ma santé, j'inventais quelques maux de tête pour ne pas éveiller de jalousie.

Je savais Thép très malade depuis la veille, et il avait demandé à me voir. Son état devint si grave qu'un des gardes vint me chercher. Il délirait à mon arrivée et me reconnut à peine. On me dit qu'il avait parlé de son père toute la nuit. Ses dents serrées à se briser laissaient filtrer le va-et-vient rapide d'un souffle frillant. Son corps s'arc-bouta sur les lattes dans un dernier accès. Le *krama* qui le couvrait glissa, dégageant une verge érigée. Nous le recouvrîmes, et son membre sous le tissu resta longtemps tumescent.

Douch venait s'enquérir de ma déclaration d'innocence. Je l'avais rédigée avec difficulté et dans un état de grande émotion. En la signant, les larmes m'étaient montées aux yeux; je voyais, dans une vision prémonitoire, le document entre les mains de gens qui en prendraient connaissance après ma mort, comme de la dernière trace que j'aurais laissée.

Comme Douch me l'avait suggéré, j'y donnais un rapide curriculum vitae, avec les séjours d'étude que j'avais faits hors de France, notamment en Allemagne, précisant que j'étais aussi resté en Angleterre plus d'un an... Je jurais, ensuite, sur la tête de ma fille, pensant faire preuve ainsi d'une plus grande bonne foi, que ma seule activité, depuis, avait été mes recherches sur le bouddhisme. Douch lut attentivement le texte écrit en français. C'est alors que je me fis la réflexion que nous n'avions jamais parlé qu'en khmer.

J'avais horreur de communiquer en français avec des Khmers : les phrases me semblaient plates, vides de sens, parce que ce ne sont pas seulement les mots qui diffèrent d'une langue à l'autre, ce sont aussi les idées qu'ils traduisent, les façons de penser et de dire. Je ne pouvais rendre dans ma langue ce que j'avais à expliquer à mon bourreau. Les liens qui étaient en train de s'établir entre nous dépendaient totalement de notre capacité à nous comprendre, sur un terrain commun; et ça ne pouvait se faire que dans sa langue.

Il sauta en se retournant pour s'asseoir sur les sacs trop hauts. N'y parvenant pas, il s'accroupit par terre, levant lentement le visage sur moi en baissant les yeux :

— Pourquoi t'a-t-on envoyé étudier le bouddhisme au Cambodge?

— Parce qu'il est différent.

— En quoi est-il différent?

— On trouve dans les campagnes des croyances et des pratiques étranges, expliquai-je, en total désaccord avec les livres de Ceylan. Or, toute la littérature bouddhique officielle enseignée à Phnom Penh est tirée du canon cinghalais. C'est comme si le bouddhisme n'était pas le même dans les villages et dans la capitale... Je me suis donc posé la question de l'origine de ces traditions paysannes. Et d'abord j'ai dû faire l'inventaire des pratiques les plus singulières. Voilà mon travail.

— À Kompong Khleang, dit-il, le village où j'ai passé toute mon enfance, au bord du Grand Lac...

— Je connais Kompong Khleang, interrompis-je, c'est une magnifique cité lacustre, envahie par les moustiques, mais...

— J'y habitais avec ma grand-mère, reprit-il. Au monastère, les moines sont aussi des médiums que les pêcheurs interrogent. L'esprit des défunts s'exprime par leur bouche. D'autres sont appelés *lok angkouy* parce que leur corps reste « assis » pendant qu'ils le quittent pour inspecter les environs du village et découvrir la cause des malheurs de ceux qui les consultent. Une fois sur deux, d'ailleurs, il s'agit d'un génie local rendu furieux du fait que quelqu'un, par inadvertance, a uriné sur lui... Est-ce là l'originalité des traditions dont tu parles?

— Oui, en partie du moins. Il peut s'agir, ici, de cultes

prébouddhiques qui ont persisté en se greffant sur des pratiques chamaniques et des rituels de guérison au sein du monastère... En fait, je pense surtout, par exemple...

Sceptique, pointilleux, Douch écoutait, me contredisait. Il voulait me tester. Pour expliquer ma présence au Cambodge, je devais justifier ma démarche de terrain. Plus encore, j'avais à formuler une véritable problématique de recherche, comme je ne l'avais peut-être encore jamais fait. C'était la seule manière, semblait-il, de le convaincre de mon innocence. Je lui demandai de m'acheter un cahier et un crayon, avec l'argent qu'on m'avait confisqué. En même temps, je suggérai qu'il me ramène aussi du savon et une boîte de lait concentré.

On prêtait au lait concentré sucré une abondance de principes nutritifs qui en faisaient, dans tout l'arrière-pays cambodgien, le fortifiant idéal. Partout, on trouvait des boîtes marquées du « Moineau d'Or » *(chap meas)*, fabriquées sous supervision australienne. L'étiquette trilingue (khmer, chinois, français) se lisait comme une ordonnance ou une recette mystérieuse : « Pour obtenir un litre de lait sucré à 171 grammes par litre, contenant 2 800 u.i. de vitamine A, 392 u.i. de vitamine D, 1,96 mg de vitamine B1, il suffit d'ajouter au contenu de cette boîte 810 grammes d'eau bouillie »...

Douch esquissait une réponse quand une trentaine de soldats de l'armée de Lon Nol firent irruption, les bras solidement attachés dans le dos. La nuit tombait déjà. Les nouveaux captifs avaient leur tenue de camouflage, imprimée de taches vertes, noires et brunes, et se distinguaient mal dans l'obscurité partielle. Ils portaient des traces fraîches du combat qu'ils venaient de perdre. Tous faisaient une mine tragique. Ils étaient pieds nus, certains en maillot de corps, quelques-uns blessés. Cinq ou six Khmers rouges, armés de M 16 américains, les tenaient en joue. L'un d'eux s'était directement rendu au logement des gardiens, où il resta longtemps à parlementer avec Douch qui l'y avait tout de suite rejoint : leur arrivée tardive tombait mal et posait un problème de sécurité. Les prisonniers reçurent l'ordre de s'allonger, et furent rapidement ferrés, le long de deux barres collectives, trop courtes cependant pour les recevoir tous ; les autres furent attachés ensemble par des cordes et des chaînes. Ils demeurèrent, sans bouger et dans le plus grand silence, à l'endroit où on les avait mis. Nous arrivions au mois de novembre ; un froid humide tombait la nuit sur la forêt. Pour protéger ma santé, Douch me faisait apporter tous les soirs une grosse bûche, contre laquelle je me serrais pour dormir, couché sur le côté, exposant alternativement aux braises mon dos et ma poitrine. La fumée qui sortait du bois et me piquait les yeux imprègne encore mes narines. Je m'endormis en imaginant leur détresse.

Quand je sortis de mon sommeil, entrecoupé des sombres pensées qui m'empêchaient de trouver le repos, la bûche était éteinte et mes muscles paralysés sous la froidure. Les soldats s'étaient tous relevés dans la nuit, n'ayant pu supporter longtemps la saturation glaciale de la terre. Ils étaient debout, immobiles. Leurs figures défaites faisaient peur. Tous me regardaient, claquant des dents, frigorifiés.

— D'où venez-vous? tentai-je discrètement, au bout d'un certain temps.

Les plus proches m'entendirent sans répondre, détournant leurs yeux. L'un d'entre eux avait autour du ventre un foulard orné de diagrammes et de lettres.

— Où l'as-tu eu? demandai-je, en le fixant des yeux, et en faisant des deux mains un geste rapide autour de ma taille.

Jetant un coup d'œil étonné vers ses compagnons, il me répondit rapidement :

— Kompong Cham.

Sa gorge clouée par le froid avait émis les deux mots avec un son rauque pénible.

— Est-ce une composition de l'*acary* Loch? demandai-je aussitôt.

Je connaissais bien les diagrammes de protection que la guerre avait remis au goût du jour. Pas un homme enrôlé — sauf chez les Khmers rouges — qui ne portât un de ces tissus, sous forme de chemise, de foulard, ou de turban, reçu de son père ou d'un maître spirituel. Œuvres sacrées, leur principe de protection reposait sur le pouvoir qu'on attache aux lettres dans le bouddhisme : les guerriers s'enveloppaient des formules immortelles de la doctrine pour être invulnérables... Certaines de ces compositions, très anciennes, étaient signées d'un grand maître. Avec un peu d'habitude, on identifiait leurs styles aisément.

— Oui, c'est de l'*acary* Loch, mon maître, de sa propre main, répondit-il avec fierté.

Le camp bougeait, et l'escorte armée s'était reconstituée autour d'eux. Nos jeunes gardes lui prêtaient main-forte pour défaire tringles et chaînes. Les « Lon Nol » se mirent en rang docilement, se mordant les lèvres, cachant la douleur de leurs membres tétanisés par le froid. Puis la colonne s'ébranla pour sa dernière marche. Arrivant à ma hauteur, l'homme au foulard magique sortit du rang. Un des gardes l'interpella immédiatement, mais il était déjà sur moi.

— Je veux remettre mon foulard au Français ! dit-il en se tournant vers le Khmer rouge qui arrivait au pas de charge.

— Prends-le ! ajouta-t-il en me regardant ; et il s'avança légèrement, les yeux ouverts, par-dessus moi, pour que je dénoue le tissu.

Le garde armé, qu'un autre interrogeait de loin, laissa faire, perplexe, haussant les épaules, puis le poussa légèrement du bout de son fusil, pour qu'il regagne vite le groupe.

— Qu'est-ce que c'est que ces histoires ! fit-il en me dévisageant, avant de repartir à grandes enjambées. La Révolution n'aime pas ça !

Un des jeunes gardes qui avait vu la scène s'approcha aussitôt et prit le foulard pour l'examiner.

— Grand-père[1], n'as-tu donc jamais vu de diagrammes magiques dans ton village ? lui demandai-je.

— Non, j'en ai vu seulement à Omleang, où je suis allé en formation. Les instructeurs s'en faisaient des caleçons.

------

1. Par un glissement assez comique, dû au rôle majeur des jeunes gardes dans notre vie de tous les jours, l'usage était de les appeler *ta*, « grand-père », expression de respect qui ne tenait pas compte de leur âge...

Ils les avaient retirés aux prisonniers qu'on emmenait à l'Angkar Leu, avant que les tissus ne soient tachés par le sang...

Sans s'en rendre compte, l'enfant m'avait ingénument révélé non seulement le nom du chef-lieu de la région où nous nous trouvions, en dépit de toutes les consignes de silence qu'il avait reçues, mais encore expliqué le sens funeste de l'expression Angkar Leu, l'« organisation d'en haut », dont j'ignorais jusque-là qu'elle signifiât la mort.

Quant à l'incroyable anecdote des caleçons, elle montrait à quel point la révolution khmère rouge cherchait à profaner le système de valeurs lié aux traditions. Mettre les lettres de la doctrine bouddhique au contact de parties du corps considérées comme « impures » était un véritable sacrilège, qu'aucun paysan ne se serait risqué à commettre. Seuls des citadins pouvaient assumer un tel radicalisme iconoclaste. Ayant substitué aux structures traditionnelles du village celles de la solidarité fraternelle du maquis, mus par des idéaux sincères, ulcérés par la pauvreté des uns et la richesse des autres, fils, pour la plupart, de petits commerçants ou d'employés frustrés, de Sino-Khmers mal intégrés, tous avaient en commun une existence qui s'était déroulée en dehors du monde rural, dont ils ne connaissaient rien. Aucun d'eux n'avait jamais fait la rizière. La manière dont ils allaient à travers la campagne montrait qu'ils ne respectaient ni les plantations, ni les jardins, ni les arbres, ni les chemins. Ils n'accordaient pas davantage le salut aux images sacrées, comme à aucune des valeurs du bouddhisme, n'y voyant que des superstitions de pay-

97

sans, alimentées par tous les rois, depuis Angkor, pour endormir le peuple. Paradoxalement, ces citadins qui haïssaient le soc, la terre, les palmiers, les animaux domestiques, à qui la rustique existence au grand jour des villageois était contraire, se représentaient idéalement le paysan khmer comme un stéréotype de la révolution permanente, un modèle de simplicité, d'endurance et de patriotisme qui devait servir d'étalon à l'homme nouveau, affranchi des tabous religieux. Dans ce scénario contradictoire, le bouddhisme était remplacé par les directives chéries de l'Angkar, pour le triomphe de l'égalité et de la justice. Les théoriciens khmers avaient substitué l'Angkar au Dhamma, cette personnification de l'« Enseignement », qui joue le rôle de l'« Être primordial » au commencement du monde, et dont le corps, fait des lettres de l'alphabet, donne naissance au couple originel.

Le nouveau camp vers lequel nous nous étions déplacés avait, à l'image du premier, été aménagé dans une gigantesque bambouseraie dont les hautes tiges flexibles montaient et retombaient comme les traînées lumineuses d'un feu d'artifice. Bien avant d'arriver, nous en avions aperçu de loin les multiples couronnes qui haussaient leur panache de grappes claires par-dessus le violet des étages forestiers. Ce transfert avait coïncidé, en plus des changements auxquels nous avions dû péniblement nous habituer, avec de nouvelles directives que Douch avait lui-même annoncées : nous étions tenus de produire ce dont nous avions besoin.

Pour commencer, les prisonniers autorisés à travailler seraient divisés en deux groupes spécialisés, l'un dans la préparation de médicaments traditionnels, l'autre dans le travail du rotin et du bambou pour fabriquer les objets du quotidien (corbeilles, paniers, vans). Les autres condamnés devraient participer à l'effort collectif en aidant de leur place.

L'Angkar fournit les formules pharmaceutiques, une grande bassine et certaines espèces de simples, difficiles à se procurer. Pendant des jours entiers, nous fûmes mobilisés par la fabrication de granules aux vertus multiples, dont celle de soigner le paludisme : pousses, racines, écorces, noyaux, pulpes, aubiers, cœurs, furent frottés, battus, écrasés, pilés, séchés. J'étais grisé par l'exquise émanation du bois vert pelé, d'où s'échappait dans la chaleur une odeur rafraîchissante. Puis la poudre obtenue fut patiemment transformée en décoctions, en digestions, en infusions... le tout mixtionné avec de la mélasse et chauffé jusqu'à réduction complète. On obtenait une pâte d'un goût amer, en sympathie avec celui de la quinine. Nous fûmes tous obligés d'en prendre et les gardes répétaient avec orgueil que la politique d'autarcie du Cambodge libéré était en passe d'atteindre son objectif dans le domaine de la santé... Parallèlement à la fabrication de médicaments, nous vîmes venir chaque semaine un acupuncteur officiel. Ces « médecins » étaient des paysans auxquels l'Angkar avait fait suivre, sous la direction d'un thérapeute chinois, une initiation de trois jours aux points d'acupuncture et au maniement des aiguilles, complètement inconnus des

Cambodgiens. Leur mission était de prodiguer des soins à tous les combattants et de se déplacer dans les villages. Très vite, leurs nombreuses maladresses montrèrent qu'ils n'apportaient de nouveau que leur inexpérience. J'ai vu traiter une otite aiguë en enfonçant de plusieurs centimètres une aiguille dans l'oreille d'un détenu. Chaque malade était cependant tenu de se faire connaître à eux pour témoigner de son inébranlable confiance en la Révolution...

La vannerie rencontra moins de succès que la production des pilules. Notre communauté ne recouvrait pas l'éventail des métiers que développe un village. Nous n'avions parmi nous aucun expert en ce domaine, et tout le monde y alla de son idée, de sa méthode, et de ses conseils. L'étape initiale, consistant à fendre les bambous et à les affiner en minces lanières pour le tressage, posa moins de problèmes que l'opération visant à donner sa forme au réceptacle. Il s'agissait d'enfoncer avec le pied la clisse à l'intérieur d'une cavité aménagée dans le sol, puis d'en immobiliser les bords par un entrelacs de rotin. Les trous, de différents calibres, avaient été creusés au milieu de la place, devant moi, et j'étais aux premières loges pour voir le travail de nos artisans de fortune qui s'évertuaient sans succès à forcer dans leurs moules les claies à coups de talon : les contours rigides se tordaient et les bords déformés se défaisaient immanquablement...

Cette difficulté de dresser le pourtour des claies me fit réfléchir. Nous reprîmes en léger biseau les extrémités de chaque tige, afin qu'elles aient la place de se resserrer l'une contre l'autre pour former l'arrondi des parois. J'allais jusqu'à mesurer moi-même, en fonction de la profondeur des trous, la longueur sur laquelle les lanières de bambou devaient être amincies, et j'en retaillai quelques-unes comme modèles. Le premier essai fut encourageant et nous arrivâmes, l'expérience aidant, à produire des paniers acceptables.

— *Veuy!* fit l'un des vanniers, il a fallu que ce soit le Français qui nous montre comment faire...

— Eh! lui répondit un autre, s'il sait construire des avions, il peut bien faire des paniers!

5

Le jour n'était pas levé que, tous les matins, Poulette déju-
chait lourdement. Sa chute faisait s'envoler Cocotte qui,
régulièrement, allait heurter les buissons, incapable d'atterrir. Bruissements, gloussements et battements d'ailes
alertaient les poussins qui s'ébrouaient dans leur cachette
avec des piaillements suraigus.

— Prrrrrou, chip chip chip! faisais-je, avançant doucement la main vers Poulette. Viens, ma belle, chip chip! viens...

Elle avançait, se dandinait, caquetait en s'arrondissant,
repartait, simulait un empressement subit autour de ses
petits, tournait sur elle-même... tout cela en approchant
graduellement et de façon à livrer d'abord les plumes légères
de sa collerette irisée, dont l'humble couleur grise prenait des reflets d'opale, et qui s'ébouriffaient à chaque
branlement de tête. Je les soulevais du bout des doigts,
attendant pour la prendre qu'elle se colle contre ma main
d'elle-même. Alors je la levais à la hauteur de mes yeux et
tapotais du nez la corne de son bec usé. Le doux volatile

poussiéreux ne bougeait plus et me laissait entrer dans le champ immobile de ses yeux d'onyx, où passait, comme un essuie-glace, le lavis bleu de ses paupières grenues. Poulette se laissait embrasser.

Notre numéro de cirque reposait sur un long travail qui n'avait jamais été entièrement désintéressé : elle se laissait courtiser pour s'acquitter de l'octroi dont j'étais le préposé. Contre ses complaisances, je la laissais percer les sacs de paddy... Mais je ne réussis jamais à m'attacher les faveurs de Cocotte, belle cochinchinoise vive et peureuse, pourvue d'un plumage sombre mordoré et d'une crête si peu dentelée qu'on aurait dit celle d'un coq. Si elle accepta parfois de picorer dans ma main, elle refusa toujours d'aller plus loin. Elle ne renonça pas pour autant aux avantages durement acquis par sa voisine. Je me surpris à établir dans la gent gallinacée des distinctions du même type que celles que les anciens du Protectorat se plaisaient à faire entre les flexibles Cambodgiennes et les gracieuses Saigonaises...

Aux premiers rayons du jour, s'il me venait d'y penser — pas avant, car il aime la lumière —, je cherchais à entendre le sifflet moqueur du loriot. *Touuuuuu... thiou!* faisaient les enfants de Srah Srang sur une note élevée, en mimant sa musique. Mais son chant aigu et craintif domine si rarement le bruissement des feuillages qu'on ne songe à l'écouter qu'au moment où l'oreille l'a déjà perçu sans nous le dire. Il en est ainsi dans le monde où tant de choses ne se remarquent que lorsqu'on les connait déjà.

Une fois par semaine, Douch partait avant l'aube et ne rentrait qu'à la nuit. Je le voyais revenir au loin, par une trouée entre les arbres ouvrant sur un détour de la piste. À cet endroit, le chemin était si accidenté qu'il devait descendre du vélo. Sa silhouette se détachait en blanc sous la lune, les bras appuyés aux extrémités du guidon. Il disparaissait plusieurs minutes et débouchait sur moi, à contrejour, dans la pénombre du couvert. Le visage clos, il passait sans me voir. Dans ces moments où la fatigue s'abattait sur lui, il se transformait en personnage irascible, comme si toute la force intérieure qui l'habitait ne connaissait plus d'autre forme que la colère rentrée. Ses lèvres s'entrouvraient mollement sur ses dents encastrées par la contraction des mâchoires. Je me détournais ou faisais semblant de dormir. Il revenait manger silencieusement les restes du repas qu'on lui avait gardés près du foyer éteint.

Chargé de la sécurité dans le maquis des Cardamomes, où les opposants communistes s'étaient retirés pour abriter leur mouvement et commencer à constituer leurs troupes, Douch se rendait aux réunions hebdomadaires du comité du Parti. La force brutale y régnait déjà sans contestation et l'autorité supérieure appartenait au bourreau. Les noms de certains de ses chefs allaient jouir bientôt d'une réputation funeste : Ta Mok, Saloth Sar, Von Veth… Il devait leur rendre un rapport sur chacun des prisonniers qui lui étaient envoyés : ceux qui allaient rester de longs mois enchaînés préalablement à toute décision, comme ceux dont le sort était déjà scellé avant leur arrivée. Pour ces derniers, le camp n'était qu'un lieu de transit ; contrairement aux autres, qui étaient surtout des habitants de la région, ils ne pouvaient fournir le nom d'aucun garant local. Douch ne faisait qu'exécuter les décisions de l'Angkar. Le condamné était emmené en forêt, sans avoir jamais eu connaissance du jugement. Si d'instinct il flairait le péril imminent, la consigne était de lui répondre par des mots d'apaisement. Le lieu d'exécution n'était pas très éloigné, mais on n'entendait jamais rien : Thép affirmait que l'arme était un bêchoir ou un gros bâton.

C'était un principe général de cacher la vérité, mais, plus que de mensonge, il s'agissait ici d'un objectif moral : éviter le plus longtemps possible le spectacle affligeant de la panique. Les bourreaux mettaient leur point d'honneur à repousser au maximum le moment de honte où le condamné, pris d'un irrépressible affolement, se laisse aller à des sanglots pitoyables, à des spasmes pathétiques. Ils niaient l'évidence même lorsqu'ils faisaient creuser sa fosse au malheureux. Ils savaient aussi que, passé ces instants terribles, le sujet, pendant les secondes qui précèdent le choc fatal, se fige docilement. Dans les exécutions collectives, quand les prisonniers, côte à côte, attendent leur tour à genoux, déjà tout est joué. Le corps s'amollit, le cerveau se brouille, l'ouïe se perd. Les ordres sont alors criés ; il ne s'agit plus que de consignes pratiques :

— Restez immobiles ! Penchez la tête ! Il est interdit de rentrer la nuque dans les épaules !

Les Khmers rouges connaissaient instinctivement cette loi du fond des âges et l'utilisaient sans chercher à comprendre : l'homme s'occit plus facilement que l'animal. Est-ce un effet tragique de son développement intellectuel ? Combien de crimes auraient tourné court s'il avait pu mordre jusqu'au bout comme le chat ou le cochon !

— Psit !

Derrière moi, le fourré avait bougé. Le visage ridé d'un vieil homme apparut dans les branches.

— Psit ! Psit ! fit-il une nouvelle fois, comme si je ne m'étais pas déjà tourné dans sa direction.

Il continuait de remuer la main, voulant montrer que son signe était un geste d'amitié.

Regardant à droite et à gauche plusieurs fois, il sortit à découvert et s'avança à quatre pattes dans ma direction. Je sentis contre moi son odeur bigarrée : vêtements humides, bétel, fumée de cuisage. Rapidement redressé, les jambes croisées sous lui, remuant les sourcils en ouvrant la bouche, comme un magicien qui va faire apparaître une colombe, il sortit un paquet de sa musette. Sa main noueuse se déplaça sur mon avant-bras. Du fond de leurs orbites humides, ses yeux rouges circulèrent sur moi pleins de suspicion, avec cette insistance du regard des vieux.

— Tu ne dois pas te sauver ! souffla-t-il. Pendant la guerre contre les Japonais, j'ai vu de nombreux prisonniers comme toi. *Pouttho !* Ceux qui se sauvaient étaient repris sans exception et tués. Tu n'as aucune chance de t'échapper !

107

— La forêt est-elle surveillée ? demandai-je, indiquant instinctivement du bras la bonne direction.

— Tu seras repéré tout de suite ! Ne te sauve pas, *lok euy !* Ne te sauve pas, hein ! Tiens, prends : voici un kilo de sucre blanc. Mange, c'est bon ! Tu dois manger.

Je pris le paquet avec reconnaissance, tant j'avais faim. Il me quitta aussitôt et disparut dans les buissons, non sans m'avoir lancé encore quelques gestes complices de la main.

Ébranlé sur le coup par sa témérité, j'en viens aujourd'hui à douter de l'authenticité de sa visite. Quelles raisons avaient pu pousser ce vieil homme à prendre le risque de me parler ? D'où sortait-il ? N'était-ce pas une opération montée de toutes pièces pour m'ôter mes velléités d'évasion ? Je pense en fait que, dès cette époque, Douch avait commencé à croire à mon innocence ; ou que, dans le doute, il lui fallait du temps pour parvenir à faire tomber les lourds soupçons qui pesaient sur moi. Dans cette hypothèse, tout acte inconsidéré de ma part, toute tentative d'évasion, aurait ruiné ses efforts. Il connaissait et craignait mes réactions impulsives.

Quelques jours plus tôt, j'avais bondi jusqu'à lui, plein d'impétuosité, sous le regard intrigué de mes codétenus dont certains n'avaient jamais vu « le Français ». La veille, on avait oublié de m'attacher. Ça n'était pas la première fois : les gamins chargés de nous surveiller oscillaient continuellement entre l'obsession perverse et l'insouciance enfantine. Ces moments de liberté m'avaient enflammé. Entre être attaché et ne plus l'être, la différence était devenue extravagante. Je balançais maintenant entre le désir de m'évader et celui de vivre mieux.

Et puis, sur place, comme des éclaircies au milieu de tant de souffrance, m'envahissaient des instants de bien-être euphoriques. Dans la rivière, je m'étais redressé chancelant, cherchant un appui sur les galets inégaux, le corps alourdi hors de l'eau brusquement descendue à mes pieds. J'avais gardé les yeux fermés et le visage ruisselant dans mes mains. Entre les berges creusées à vif dans la terre grasse, mon âme s'était mise à danser. L'allégresse qui m'avait submergé s'était prolongée dans le temps ralenti. Je lançais des regards vibrants dans le sous-bois, soudain auréolé. L'eau transparente gargouillait en soulevant mes pas. Je sentais, sur ma peau hérissée, courir le doux frisson de la brise.

Ces transports délicieux succédaient sans transition à mon complet dénuement. Les émois les meilleurs sont des présents du hasard. De tels rayonnements ne ressemblent-ils pas à ce que les moines évoquent dans leur recherche d'une existence frugale et sévère ? Ce tressaillement des sens, toutefois, m'éloignait de ma souffrance. Et je souffrais au fond de moi de la sentir s'atténuer. Couché contre ma bûche, la nuit, cette détresse paradoxale m'inspirait d'étranges vers que je tournais et retournais laborieusement dans ma mémoire sans parvenir à trouver le sommeil, ni à les faire coïncider avec ma douleur que je ne voulais plus lâcher :

L'homme est un charbon vif sorti de la fournaise.
Un souffle incandescent l'attise et l'enhardit ;
Sa nature s'embrase et ses sens prennent vie,
Lorsque le feu crépite et fait brûler la braise.

Autour de son ardeur se multiplie la flamme,
Un foyer animé s'élève autour de lui.
Mais lorsque, brusquement, du brasier on prend l'âme,
L'âtre cendreux blanchit ; la place refroidit.

Noir, trésaillé, on voit le tison s'étouffer.
Toujours la passion meurt chez celui qu'on détient.
Et si un vent nouveau venait le raviver ?
Il préfère mourir que brûler sans les siens !

Mais sur le bois fumant qui se crispe et s'éteint,
Un doux frisson saisit le tison malgré lui.
La plaie du souvenir sur ses flancs bat en vain,
Bientôt elle s'apaise, et puis s'évanouit.

Il hurle alors de voir sa douleur disparaître,
Refusant qu'avec elle, derrière un voile épais,
La présence chérie de tous ceux qu'il aimait
S'efface dans le feu qui regagne son être...

En traversant la place à grandes enjambées, dans la lumière du soleil qui tombait à pic, j'avais aperçu Lay et Son séparément rivés à leur tringle, qui semblaient dormir. Je ne supportais plus mes entraves ! Le cliquetis permanent, la meurtrissure des os, l'immobilisation n'étaient rien : le pire était la honte. En début de semaine, quand les villageois venaient nous approvisionner, je m'adossais au poteau en croisant les jambes pour cacher mes chaînes. L'humiliation était insupportable.

Je ne m'expliquais pas l'apparition de ce sentiment nouveau. Peut-être ce regard fixe des filles qui s'attardaient dans la charrette pour me voir, avant d'aider à décharger les sacs. J'étais habitué aux yeux espiègles des paysannes de mon village, et ne pouvais oublier leurs regards chargés de sens. Sous l'inflexion des paupières en amande, à moitié cachées par le *krama* qui entourait leur tête, la prunelle s'allumait parfois d'une flamme dansante...

— Je sais exactement où nous sommes ! dis-je d'une voix forte en arrivant sur Douch. Phnom Penh est là-bas ! Oudong, là ! La nuit dernière, les B 52 ont bombardé au sud d'Oudong. Exempte-moi du fer ! Je te jure que je ne m'évaderai pas.

J'avais prononcé « je te jure » avec intensité, comme on fait une offre définitive pour emporter un marché. Douch parlait à son adjoint. Mon intrusion l'avait interrompu net. Il baissa immédiatement les yeux et resta muet, sans chercher à savoir comment j'avais pu quitter mon poteau. L'air chaud se fit pesant. L'autre se redressa de la table sur laquelle il était appuyé, hésitant, puis alla s'asseoir, à la fois distrait et concerné, dans un des hamacs suspendus à l'arrière. Sa présence me gênait. Je n'avais pas prévu que Douch ne serait pas seul.

— Je t'en conjure, insistai-je. Détache-moi !

La confusion qui anima ses traits me fit soudain comprendre l'ampleur de ma maladresse. Une telle véhémence, de la part d'un condamné à mort, était si déplacée que Douch ne pouvait y voir qu'un acte fou, une désinvolture suicidaire : aurais-je oublié que l'enjeu était tout simplement ma vie dont, en venant lui parler ainsi, je jouais inconsidérément ? Ma chance fut qu'il perçut, sous le chantage, une ingénuité qui ne collait pas avec les clichés sur les agents de la CIA. N'ayant cependant aucune grille intellectuelle pour appréhender cette franchise sans calcul, si éloignée de tout ce qu'il avait appris, et qui l'avait déjà embarrassé plus d'une fois pendant les interrogatoires, il demeura silencieux, tournant dans sa tête une réponse qui ne venait pas…

— Ce que tu demandes est impossible ! dit-il finalement, sur un ton calme, mais à peine audible.

— Pourquoi ?

Le visage immobile, Douch articula avec gravité :

— J'aurais peur que tu ne m'étrangles pendant la nuit.

Le fait est que je ne pensais qu'à m'enfuir. Ne laissant pas mon esprit trop appuyer sur le besoin douloureux de retrouver Hélène, je me concentrais sur mon évasion, dont les préparatifs méticuleux occupaient tout mon horizon. Elle était devenue ma seule raison de vivre. J'en rêvais. Je m'étais donné cent jours.

Dès mon arrivée dans le camp, j'avais demandé de quoi me raser. On m'avait apporté une lame « made in India », inutilisable. Elle servit à entailler chaque matin l'étui à lunettes qu'on m'avait laissé. La notion du temps m'avait semblé un élément de survie essentiel. J'étais le seul à connaître le nombre des jours, notion qui échappe très vite au détenu, qui perd ainsi un de ses principaux points d'ancrage à la réalité. J'avais insisté aussi pour qu'on m'achetât un *krama*. Je restais torse nu toute la journée, le *krama* autour des reins seulement, ne mettant mes vêtements que la nuit à cause du climat hivernal, de ce froid relatif propre au piémont forestier où nous nous trouvions. Avant le lever du jour, l'hygrométrie élevée nous glaçait le sang et paralysait les membres, même à plus dix degrés au-dessus de zéro.

De même, j'avais décidé de ne plus enfiler mes « claquettes », déjà mises à rude épreuve pour venir. Les précieuses semelles de caoutchouc étaient une des clefs de ma liberté. Par chance, elles étaient presque neuves quand j'avais été arrêté.

J'avais aussi caché sur l'autre berge un caillou assez lourd, pourvu d'une arête saillante. Je comptais l'utiliser dans ma fuite comme une arme. Cette exigence de la situation m'effrayait. Dès lors que j'avais décidé de m'échapper, je ne pouvais envisager de croiser quelqu'un — fût-ce un enfant — sans le tuer, et prendre le risque de le laisser filer pour donner l'alerte. Le déchirement aigu que cette prévision avait fait naître en moi me laissait sceptique quant à ma capacité à me lancer dans une telle aventure. Ce n'était pas tant le fait de supprimer une vie, mais l'immense difficulté du geste qu'il faudrait faire. Lever le bras, et l'abattre plusieurs fois. Les images que se représentait mon imagination me transportaient dans des scénarios d'horreur grandguignolesques, où le sang déferlait sur des visages innocents. Dans mes rêves, c'était toujours la même belle adolescente qui débouchait à la traverse devant moi, qui me regardait avec étonnement, et que je rattrapais à la course ; le bruit sourd des coups sur son corps blêmissant me réveillait, en pleurs…

Quand je sursautais ainsi, et que mes yeux désorientés s'ouvraient sur le silence — je n'entendais plus le bruit familier des poules dans les branches ni le claquement sonore des geckos —, je prenais de mon infortune une mesure plus effrayante encore. Sous le couvert épais et comme abaissé par l'obscurité, d'où tombaient une à une bagues poilues, petites branches, graines et gouttes d'eau, l'humidité en suspension s'accumulait au sol. L'absence du ciel me faisait toujours peur. Mon seul refuge était la bûche qui brûlait contre moi. Une nuit, je m'étais éveillé en érection dans le froid. La vie dont j'étais privé pouvait-elle encore bouger en moi ? Je cherchai à retrouver dans mon sexe cette vitalité que je croyais perdue, la seule qui rattache au mystère primitif. Ma main se referma, faisant ressortir l'extrémité tendue, lorsqu'un choc froid et neutre secoua mes muscles, pour m'abandonner, solitaire, sous ce ciel dont je ne voyais jamais les étoiles.

J'avais calculé qu'il faudrait m'esquiver à la tombée du jour. Me déplacer seulement de nuit, et me terrer jusqu'au soir. Cela me permettrait de marcher très vite la première demi-heure, et de bénéficier ensuite de l'obscurité quand l'alerte serait donnée. Tenaillé par la faim, je n'envisageais pas de partir le ventre vide, d'autant qu'après je ne pourrais plus rien manger.

Un jour, une grande effervescence avait électrisé les gardes qui étaient partis en courant dans plusieurs directions, tous armés d'un fusil. La rumeur effarée et confuse de l'évasion d'un détenu venait d'éclater dans le camp. Il s'agissait d'un des jeunes costauds qui pilaient le paddy quand j'étais arrivé. Prisonnier depuis plus d'un an, il avait été affecté au décorticage et à la cuisson du riz. Mes yeux s'attardaient souvent sur ses muscles saillants, aussi visibles que si quelque anatomiste les avait mis à nu, et qui contrastaient avec la maigreur des autres prisonniers. Nous ne parlions jamais. Parfois, il m'apportait un morceau de *bay kdam*, cette croûte de riz durci et brûlé par la cuisson. Je l'avais fait sourire timidement — on riait rarement dans le camp à cause des poumons trop serrés dans leur cage — la première fois qu'il m'en avait donné, en récitant mécaniquement un adage bien connu dans les campagnes :

Bay kdam, reug kda.
« Croûte de riz, pénis dur. »

Les gardes étaient rentrés de leur chasse vers une heure du matin. Le lendemain, les adjoints de Douch claironnaient qu'ils l'avaient eu. Sa dépouille était restée sur la diguette où il était tombé. Personne n'en crut mot. Je rêvai longuement en imaginant son retour chez lui.

Un nouveau prisonnier arriva vers midi, accompagné d'une petite fille de neuf ans. L'arrivée de l'enfant dans ce lieu d'adultes et de mort m'indigna. Douch était sous l'auvent. Le père portait un costume noir. Il s'inclina en levant les avant-bras sur les côtés, pour esquisser le *sompieh* traditionnel que ses coudes attachés l'empêchaient de faire. Son ignorance des usages khmers rouges, qui avaient instauré la poignée de main à la chinoise pour remplacer le geste honni des paumes jointes au niveau de la poitrine, en disait long sur lui et sur son sort... Douch répondit par un signe de la tête, gardant les yeux baissés, tandis que sa main s'avançait pour saisir le dossier apporté par le garde. Il le feuilleta à rebours, tournant rapidement les pages de la main gauche, puis reprit par le début.

La petite fille baissait la tête. Par moments, elle regardait autour d'elle, avec des yeux mobiles qui s'arrêtaient sur tout. Douch prononça quelque chose, après avoir lentement refermé le dossier. Je vis l'homme esquisser poliment un sourire, s'incliner à nouveau, hésiter en se tournant vers sa fille, puis partir en lui disant juste un mot, comme s'il allait revenir. Il repassa devant moi avec son garde, marchant assez vite, plongé dans l'encombrement des pensées qui affluaient à sa conscience. L'enfant avait entre-temps été conduite dans une des loges communes, puis presque tout de suite transférée à la place restée vide de la vieille défunte, dans la première baraque. Trois autres détenus étaient morts entre-temps, et Douch y avait fait regrouper les malades. Elle se recroquevilla dans un coin. J'étais bouleversé ; je voyais Hélène. L'heure du bain approchait et je me fis détacher en hâte, pour m'arrêter devant l'enfant repliée sur les lattes. Ses voisins m'indiquèrent qu'elle pleurait et refusait de parler.

— Demoiselle, tentai-je quand même, comment t'appelles-tu ?

C'est à peine si elle arrêta un instant de bouger le pied qu'elle tournait nerveusement, comme un chat la queue. Pressé par le garde, je continuai mon chemin, ému jusqu'aux larmes.

Elle ne mangea pas non plus. Je passai la nuit à penser à elle, à échafauder des scénarios d'approche. Dès le lendemain, j'obtins qu'on mette un peu d'eau chaude dans mon bol, et j'ouvris la boîte de lait que Douch m'avait rapportée. Je concoctai un savant mélange, en y ajoutant du sucre, et lui envoyai le tout. Vers midi, le prisonnier qui avait succédé au costaud, qui s'était fait la belle, me fit comprendre de loin qu'elle n'y avait pas touché.

Douch passa me voir en début d'après-midi pour me poser d'autres questions, tirées de l'examen de mes déclarations successives. J'étais en train d'écrire avec le Bic bleu et sur le cahier de cent pages qu'il m'avait rapportés. La couverture du cahier, illustrée d'un aigle, faisait la réclame des piles *Eagle Brand* fabriquées au Vietnam. Je lui dis sans attendre à quel point je trouvais scandaleux qu'on gardât cette petite fille ici.

— Mais elle est libre, fit-il. Tu peux voir que je ne l'ai pas prise pour une prisonnière…

— En effet, fis-je, comprenant soudain qu'il aurait pu aussi la faire emmener avec son père. Mais elle va finir par mourir tout de même si elle continue à ne rien absorber ! Elle n'a pas sa place dans cet endroit où il n'y a que des hommes.

— Je ne peux rien à cela. Mais, dans quelques jours, ça ira déjà mieux ! Les enfants s'habituent vite… Et puis elle a trouvé ici un protecteur qui lui fait passer du lait et du sucre !

Disant cela, son visage devint inerte et s'immobilisa. Après quelques instants, comme s'il ne pouvait plus tenir, il tira de son nez un raclement sonore et se mit à rire. Ses yeux brillants se fixèrent sur moi avec bonne humeur. Sa voix reprit avec calme :

— Tu te fais bien du souci pour elle ! À ta place, je m'en ferais plus pour moi-même. Explique-moi donc pourquoi tu ne parles pas l'anglais, alors que tu es resté plus d'une année en Angleterre ?

Le changement de ton me déstabilisa entièrement. Je sentis le rouge me monter aux joues et marquai un mouvement d'exaspération devant l'habileté avec laquelle il avait su me toucher. Sa pirouette m'avait atteint au moment où toute ma sensibilité était tournée vers cette enfant, et où ma garde était la plus basse.

Il était rentré la veille d'une de ses réunions au cours

desquelles mon cas était discuté. Devant la gêne agacée
que j'avais eue en guise de réponse à sa question, il m'expliqua que cette contradiction dans mon dossier était très
grave et qu'elle le troublait également beaucoup. Que s'était-
il donc passé en Angleterre que je veuille dissimuler, au
point d'affirmer en ignorer la langue ?

— Mais je n'ai rien à cacher ! Je sais à quoi tu fais allusion. Si j'ai dit, à ce moment-là, que je ne parlais pas l'anglais, c'est parce qu'on est au Cambodge ! Et que c'est la
langue des Américains ! Et que je suis français ! Je voulais
aussi faire croire au camarade khmer kraum que son obstination à me soupçonner d'être un agent de la CIA était
d'autant moins fondée que je ne parlais pas l'anglais !

— « Faire croire » ? Tu es donc coupable de mensonge
et tu le reconnais ! Prenais-tu ces gens pour des imbéciles ?
Je te trouve bien désinvolte... Que faisais-tu en Angleterre ?
Qui te payait ?

— Potier. J'y ai appris la poterie en même temps que
la langue. C'est là qu'un jour ma sœur m'a téléphoné pour
m'avertir que mon père était malade, et je suis rentré immédiatement pour recueillir son dernier soupir. Sais-tu que
le potier est comme un dieu ? Il utilise de l'eau, de la terre,
du feu ; et, pendant la cuisson, il ouvre le four pour y faire
entrer l'air... Je te dis ça parce que c'est ainsi que, dans les
textes khmers, on décrit les quatre éléments comme base
de la Création aux origines du monde. De telles définitions
font partie des originalités de la religion du Bouddha au
Cambodge. La dernière fois, tu voulais des exemples... Eh
bien, en Angleterre, c'étaient déjà des idées comme celles-

là que j'avais en tête! Alors tu sais, la CIA... Maintenant, si ce sont des preuves que tu veux, je suis condamné! Je ne pourrai jamais t'en fournir.

Mes réponses le désorientaient. Sans le satisfaire, elles lui arrivaient d'une telle manière qu'il ne doutait pas de leur franchise. Mes traits de caractère, mes façons de penser, mes réactions lui faisaient apercevoir une autre manière d'être et de vivre, bien différente de la sienne, qui semblait le séduire. Si j'avais conscience de lui livrer rarement des arguments dont il pourrait se servir, je n'en remettais pas moins ouvertement mon sort entre ses mains. De lui je faisais directement dépendre ma libération et le lui disais :

— Si toi tu ne me crois pas... qui me croira?

En fait, Douch était ma seule carte et, d'une certaine manière, j'avais confiance en lui. Certes, il me ferait tuer sans balancer quand l'ordre arriverait, prétextant n'importe quel mensonge (auquel je croirais) pour m'attirer jusqu'au lieu écœurant, mais ce serait après avoir sincèrement tenté de me sauver. Cet homme terrible ne connaissait pas la duplicité mais seulement des principes et des convictions. Et, dans cette hypothèse, j'avais un allié.

Comme c'était normal en cette période de l'année, le soir tombait maintenant vite et tôt; en fléchissant, le soleil coloriait les nuages. Ses feux, dont j'observais le déclin à l'or qu'ils déposaient autour de moi, laissaient parfois s'infiltrer sous les voûtes un trait aveuglant qui s'éteignait ou s'allumait, au gré de ses déplacements.

J'allais à la rivière plus tôt, car l'eau devenait froide. La petite était assise et n'absorbait toujours rien. Elle me regarda, mais pas un trait de son visage ne bougea quand je m'arrêtai pour lui dire quelques mots. Transparent, je portai mon buste latéralement à droite puis à gauche, sans parvenir à capter son regard, lorsqu'elle ébaucha à contre-cœur un sourire, l'effaçant aussitôt d'un reniflement sur le revers de sa main, avant de me tourner le dos.

Les longues semaines déjà passées dans le camp avaient introduit une certaine familiarité dans ma relation avec les jeunes gardes, que j'appelais maintenant « camarade cadet ». Celle-ci les autorisait à être souvent moins attentifs à mes demandes, mais aussi à ma surveillance. Ce relâchement, quand l'occasion se présentait, m'encourageait à explorer les lieux et à m'aventurer parfois plus loin que je ne le devais. La seule consigne que les gardes avaient reçue, c'était de m'interdire d'entrer dans la partie centrale, celle qui regroupait les quatre baraques, dont trois contenaient la cinquantaine de détenus. J'y jetais un coup d'œil en allant à la rivière, mais ne m'en approchais jamais. Par-dessus tout, il m'était interdit de communiquer avec mes deux compagnons.

De toute façon, il était défendu de parler. Cette interdiction n'était pas totalement respectée. Elle limitait cependant les échanges entre nous à quelques mots seulement, prononcés rapidement, à voix basse, sans en avoir l'air. Je ne savais donc pratiquement rien de ce qui se passait dans le camp proprement dit. Mon univers se limitait à la porte d'entrée que matérialisait une touffe de *Licuala*, au foyer dont ceux qui en avaient la charge étaient toute la journée devant moi, à la première baraque sur laquelle j'avais une vue partielle et que je contournais pour aller au bain, enfin, à ce que je pouvais voir des autres baraques et du logement des gardes en revenant de la rivière. Du poteau où j'étais, deux énormes faisceaux de tubes enchevêtrés, dont le sommet allait se perdre dans l'entrelacs des voûtes, me coupaient la vue sur les gardes, sauf quand Douch avançait sa table. Entre les bambous qui faisaient gonfler la terre, s'élevait le grand tronc d'un *chhlik (Terminalia alata)* dont le sommet se perdait pour moi au-delà des voûtes. Depuis la mort de Thép, qui était mon seul « informateur », et grâce à qui j'avais pu échanger quelques nouvelles avec Lay et Son toujours ferrés et séparés, je n'avais pratiquement aucun contact. Je ne parlais qu'avec Douch, les poules, et moi-même.

Parvenu au ruisseau, j'avais traversé pour voir s'il n'existait pas un chemin d'accès au sous-bois qui m'aurait permis, le jour venu, de disparaître sans tâtonner dangereusement. Prenant à l'est, j'avais dépassé l'endroit empesté où les responsables de baraque vidaient dans l'eau leurs tubes pleins d'urine, et j'étais arrivé devant une cabane bien entretenue, couverte de chaume, tapissée de feuilles. Le sol intérieur en était balayé avec soin. Manifestement fréquentée, elle était vide cependant. Je remarquai une solide traverse de bambou, munie de fortes attaches coulissantes en rotin, qui barrait la pièce à deux mètres du sol. Je revins rapidement sur mes pas sans comprendre à quoi cet abri pouvait être destiné.

Au sortir de l'eau, je rejoignis mon garde et repassai devant l'enfant, en m'arrêtant à nouveau.

— Demoiselle, fis-je avec un certain enjouement, com-

ment t'appelles-tu ? J'ai mis pour toi du lait chaud de côté…
En voudrais-tu ? Maintenant ? Qu'en penses-tu, hein ? Allez,
je vais t'en préparer un bol !

Elle avait gardé la tête baissée, sans répondre, mais je
savais que le silence, chez l'enfant surtout, peut aussi
signifier l'acquiescement. Je sautai sans attendre sur cette
occasion de la voir peut-être se ranimer un peu.

Son visage émouvant s'enfonçait dans la tristesse de ses
yeux. Elle avait de belles lèvres, presque bleues, avec, sur
l'arc supérieur, un pli qui remontait l'ensemble par le milieu,
creusant les angles exagérément et en accentuant l'ourlet.
Des dartres versicolores lui faisaient quelques taches sur la
peau sombre du cou. Ne sachant pas son nom, je continuai
à l'appeler *neang*, « demoiselle », refusant d'employer le mot
neari que les Khmers rouges voulaient introduire.

Avec le concours du jeune garde qui observait mon agitation d'une façon distraite, j'obtins de l'eau chaude, et la
précieuse mixture lui fut portée. Quand le bol vide me
revint, j'en éprouvai une satisfaction qui allait bien au-delà
du soulagement de savoir que la petite acceptait de se sustenter : mes efforts n'avaient pas été étrangers à son réveil.

— Ah çà ! camarade, fit le prisonnier qui m'avait rapporté le bol, tu as réussi ! Elle a tout bu ! *Pouttho*, tu vas en
retirer de grands mérites !

Le soir même, Douch était venu ironiser sur ma nouvelle situation de « père adoptif » et sur cette résurrection
dans laquelle je m'investissais tant, comme pour survivre
moi-même… Mais il avait consenti sans rien dire à me rapporter une autre boîte de lait, à sa prochaine sortie. Toute

la nuit, je fus dans l'impatience de la revoir, et, dès le matin, je lui fis passer un autre bol, qu'elle accepta à nouveau. Dans la journée, j'obtins même un reste de riz que je saupoudrai de sucre pour elle. Elle avala tout. L'enfant s'enhardit peu à peu, mais ne parlait pas. Je la voyais de loin faire quelques bonds, s'arrêter, tomber souplement sur ses talons et griffonner par terre, sans oser s'éloigner de sa loge. Le soir, je lui apportais moi-même son lait. Quand je lui parlais, elle tournait les yeux pour regarder ailleurs, mais ne s'esquivait pas. Un beau jour, s'arrêtant à chaque mètre, elle chemina jusqu'à moi d'un pas inégal et lent. Je fis semblant de l'ignorer pour qu'elle ne s'envole pas. Debout, tournant sur elle-même à côté de moi, elle finit par s'asseoir. Ses yeux s'habituèrent à s'ouvrir sur ce que je faisais. Je restais à écrire, sans lui montrer que sa présence occupait toute mon attention. Elle regardait les signes que ma main formait sur le papier, penchée sur le cahier, se redressant quand j'arrêtais. Lorsque je la sentais ainsi à mon côté, une vigueur nouvelle me venait, comme si la flamme de vie qui brûlait à nouveau dans son petit corps avait diffusé un jour neuf, sur l'esplanade, sur le camp, sur la forêt autour de moi. Elle buvait son lait et parfois venait prendre son repas à mes côtés. Même Poulette qui d'habitude se sauvait comme une folle devant tout le monde semblait ne pas la craindre ! Quand on me détachait en fin de journée, elle me suivait jusqu'à la rivière, puis regagnait sa place pour dormir. Le matin, elle revenait très tôt. La vue de cette enfant sous ma protection m'emplit d'un immense courage.

Après quelques jours, elle fut invitée à participer aux travaux d'entretien, sous la responsabilité d'un des chefs, un jeune homme discret, d'une vingtaine d'années, qu'on voyait peu souvent. Elle assista aux séances d'autocritique qui commençaient par des chants. Toujours muette, le regard solitaire, elle participait sans réfléchir, en tapant dans ses mains avec les autres. La petite communauté des jeunes paysans qui nous surveillaient s'ouvrait à elle.

Les bruits légers du camp flottaient dans l'air du soir, quand mon garde cadenassa machinalement la chaîne qui roulait sur mon pied. Je changeais de jambe à chaque fois, prenant soin de gonfler le talon pour que l'anneau ait du jeu. Ma petite protégée arriva, comme elle aimait à le faire, parfois, à la tombée du jour. Je la vis s'approcher, de son vol de papillon, le *krama* ondulant dans le blanc clair d'un morceau de ciel. Elle s'accroupit, et sa main alla chercher ma jambe repliée. Son doigt léger, l'index — dont je me rappelle l'ongle transparent et fragile — se glissa aisément sous les maillons de fer, qu'elle souleva pour en mesurer avec gravité la tension. Le passage de ce doigt sur le derme meurtri m'avait fait du bien. Touché par sa sollicitude, je m'étais empressé de minimiser la douleur du fer sur les chevilles, en hochant la tête en signe de dénégation, avec un sourire rassurant.

Elle repartit en sautillant et revint, un trousseau de clefs à la main. Je la regardai sans comprendre. Elle ouvrit le cadenas et, non sans mal, resserra la chaîne avec application.

6

Douch avait quitté le campement de bonne heure. Le ciel était déjà clair. Je m'étais réveillé depuis longtemps dans un indescriptible état d'excitation. La veille, il m'avait prévenu : la réunion d'aujourd'hui serait importante. Je revenais sans cesse sur les phrases qu'il avait prononcées. Tout de suite, j'avais perçu une gravité inhabituelle dans la voix, une tension particulière, mêlée d'insistance, comme lorsqu'on veut faire passer un message. Mais, le lendemain, je ne savais plus comment interpréter cette assurance ; je me demandais même si elle n'était pas le fruit de mon imagination.

Les départs répétés de Douch, les semaines passant, avaient fait naître en moi une telle attente que je finissais par appeler de mes vœux, sans en avoir totalement conscience, le moment où, enfin, ma sentence serait prononcée, dût-elle être fatale. Un mélange d'impatience et de doute me faisait craindre de ne pas tenir plus longtemps sans m'enfuir. De toute façon, Noël approchait et j'étais décidé à filer en janvier, dès qu'une occasion se présente-rait. Douch, lui-même, devait redouter quelques sursauts de ma part, et peut-être avait-il dramatisé un peu, cette fois, son départ, dans le seul but de me tenir en haleine encore quelque temps. Je ne savais pas s'il était vraiment convaincu de mon innocence ; mais, au nom des principes révolutionnaires auxquels il accordait tant de foi, il lui fallait faire la preuve de son authentique attachement à la justice. M'éclipser, dans cette conjoncture, aurait ruiné tous ses efforts, en démasquant ma culpabilité. Mes accusateurs n'auraient pas manqué d'exploiter contre lui son erreur de jugement... Je réalisai tout à coup le risque énorme qu'il avait pris en pariant sur mon innocence. Mais plus encore que la sympathie qu'il avait pour moi, ce que trahissait cette résolution, c'était une recherche passionnée de droiture morale qui ressemblait à une quête de l'absolu. Douch faisait partie de ces purs, de ces fervents idéalistes, désireux avant tout de vérité. Lors de nos discussions, il m'avait parlé de son passé d'intellectuel.

Élève du lycée Sisowath, il avait été reçu second au baccalauréat de mathématiques en 1959, discipline dans laquelle il excellait et qu'il enseigna aussitôt à Kompong Thom, pendant plusieurs années — les plus belles de sa vie, se souvenait-il — avant son affectation, en 1964, à l'Institut pédagogique de Phnom Penh. Il avait ensuite été muté au lycée de Kompong Cham, jusqu'à sa brutale arrestation — la police de Sihanouk l'avait frappé à la tête — à cause de ses activités communistes. L'amnistie de 1970, accordée par Lon Nol à tous les prisonniers politiques, lui avait permis de gagner le maquis des Cardamomes.

Toute la matinée, je ruminai mes pensées, doutant que mon sort pût vraiment s'arrêter ce jour-là, ayant à d'autres moments la conviction que le dénouement était proche. La fermeté avec laquelle Douch s'était adressé à moi pouvait signifier qu'enfin il tenait le fil de mon innocence, et qu'il avait bon espoir en une issue favorable du jugement. Mais elle pouvait aussi simplement marquer la solennité du jour où le verdict allait tomber.

Plus les heures passaient, plus l'angoisse était intenable. La chaleur moite concentrée sous les bambous, et qu'on voyait scintiller comme sous une coupole de verre, soulevait ma poitrine d'une respiration haletante. Aucune des stratégies que j'utilisais habituellement pour me calmer, en prenant du recul sur mon malheur, en relativisant ma situation par rapport à celle d'autres prisonniers, en tournant en ridicule mes faiblesses, n'avait d'efficacité. J'étais écrasé par la gravité de ce qui se jouait. La frayeur m'étouffait à ce point que j'étais obligé d'en réprimer les cris. Alors, la crispation devenait si forte qu'il me fallait tordre le buste vers l'arrière, grimaçant sous l'effort, pour étirer la peur qui se nouait au niveau de mon ventre.

Les absences régulières de leur chef avaient introduit chez les gardes — les plus jeunes surtout — une forme de désinvolture, dont j'aurais pu profiter pour m'évader. Il arrivait que l'un d'entre eux s'absentât en cachette, ce qui me laissait penser que sa maison n'était pas loin et qu'il pouvait y avoir dans les environs non pas un village, mais une sorte d'habitat forestier dispersé, dont mes plans devaient tenir compte.

Le soleil était déjà haut dans le ciel ; ses rayons criblés tombaient sur le sol en mille pétales de lumière qui répercutaient la chaleur. Le visage d'Hélène m'apparaissait par intermittence, comme une obsession. Je décidai de profiter du laisser-aller général pour me faire détacher plus tôt, et procéder à la première phase de mon évasion.

Le garde que j'interpellai ne voulut rien entendre. Il repartit sans faire plus attention à moi. Je me mis à hurler. Un des jeunes responsables, celui qui avait pris l'« enfant adoptive » sous son aile, arriva presque en courant, suivi du garde mécontent qui revenait pour se justifier. Les poules partirent devant eux à tire-d'aile. J'exprimai à nouveau mon désir d'aller à la rivière et, voyant son hésitation, je devins menaçant. Il consentit enfin à me faire détacher, mais en présence de deux gardes, dont l'un s'était muni du kalachnikov. Ne voulant pas éveiller des soupçons en traversant le camp avec mes claquettes aux pieds, je les avais dissimulées dans ma chemise roulée en boule pour être lavée, et j'emportai le tout avec moi. Sur place, je les enfouis dans un buisson. De cette manière, elles étaient à ma portée si je décidais de me sauver, au retour de Douch.

En sortant de l'eau, j'aperçus un des prisonniers, que j'avais déjà croisé sans que nos regards se soient jamais rencontrés, assis contre le pilier d'angle de la seconde baraque. Mes gardes s'étant mis à l'ombre, je m'approchai de lui. Il taillait avec application une tige de rotin.

— Pour qui est cette baguette ? demandai-je en passant. Qui veux-tu frapper avec ?

— Camarade ! nia-t-il en hochant la tête, les yeux fermés pour conjurer l'accusation. Tu t'imagines que c'est moi qui frappe ?

Ma question, que j'avais posée à brûle-pourpoint comme une boutade, était totalement innocente. Je compris cependant, à sa réaction, que j'avais touché à vif une réalité dont je ne soupçonnais pas l'existence, et sur laquelle il n'était pas possible de plaisanter. Confus, j'essayai d'éclaircir son allusion en l'interrogeant à nouveau, sérieusement cette fois :

— Qui frappe alors, si ce n'est pas toi ?

Il passait, sans appuyer, le couteau contre la verge pour la lisser, faisant des copeaux très fins qui s'entortillaient comme des poils en tombant sur lui. L'outil, dont le long manche courbé partait sous le bras, s'arrêtait quand il butait sur un nœud, et c'est la main gauche qui tirait alors la baguette contre la lame. J'avais, au-dessus de sa tête, une vue en enfilade sur vingt pieds immobiles. De près, on entendait derrière la cloison des toux, des raclements, des grincements incessants. Il me laissa partir sans réponse.

Retourné à ma place, je plantai mon regard devant moi, sans plus le laisser se poser sur rien, et je passai le reste du jour à guetter le retour de Douch. Poulette et Cocotte vinrent sans bruit me tenir compagnie.

Celui qui frappait devait être son premier adjoint, cet homme rustre et maussade que je n'aimais pas. Mais l'existence de peines corporelles, qui planaient sur nos têtes, n'était jamais évoquée. Là encore, on ne voyait rien, on n'entendait rien. Aucun prisonnier n'osait y faire allusion. Alors que la sinistre confidence excitait la curiosité de mon esprit, la cabane vide que j'avais visitée de l'autre côté de la rivière me revint en mémoire. Je compris immédiatement l'usage des attaches sur la traverse : on y fixait les poignets de la victime. Les interrogatoires devaient donc avoir lieu dans la cabane. Les coups de rotin étaient donnés, comme je l'avais entendu dire, sur les flancs de l'accusé. Sa chemise en masquait ensuite facilement la trace.

J'aperçus Douch sur le chemin. Il ne rentrait jamais si tôt, et cette modification des habitudes me jeta dans un premier désarroi. Je me redressai, sur des jambes flageolantes. Les asymétries qui caractérisaient sa figure plate de Chinois sans nez avaient fondu dans son teint hâve à faire peur. Était-ce toujours cette extrême fatigue ? Il marchait lentement ; le vélo grinçait à ses côtés. Au lieu de suivre la boucle qui contournait l'endroit où je me tenais, comme il avait coutume de le faire quand il ne voulait pas parler, il dirigea ses pas de manière à passer à quelques mètres seulement devant moi. Mes yeux cherchèrent à l'accrocher en vain. De puissants battements de tambour propulsaient le sang dans mon corps, et j'en sentais jusqu'au bout des doigts le rythme s'accélérer.

Douch coucha son vélo sur les rhizomes que les pluies avaient fait sortir, et dont certains, parvenant à se faufiler dans le désordre des tiges, avaient déjà trouvé un chemin vers le ciel. Venant du dégagement qui surplombait les baraques, une lueur crépusculaire éclairait le couvert de bambous. Douch resta longtemps avec les gardiens, puis revint, son assiette vide à la main. J'observai les gestes qu'il faisait avec assurance, comme ceux d'un comédien qui joue sans s'occuper des yeux du public sur lui. Sa part de soupe était restée dans la casserole sur le feu éteint. Debout devant le foyer, il se retourna et trouva mes yeux. Sans les quitter, il s'approcha d'un pas ferme. Alors j'entendis sa voix, détachant les syllabes, soudainement cinglante comme l'acier :

— «Vous avez été démasqué! Vos calculs ont été entièrement déjoués! »

Je restai un instant suspendu à la fin de sa phrase, sans noter sur le coup qu'il avait parlé français. Mes jambes lâchèrent. Je m'effondrai sur les genoux.

Devant ma réaction, Douch, déconcerté, se précipita vers moi et me prit par les épaules. Les muscles de mon corps s'étaient desserrés ; en même temps, mon esprit restait affaissé, et je fus sans réagir. L'expression de son visage avait entièrement changé. On y lisait maintenant un mélange de surprise et de gêne. Sa bouche riait, et il me regardait :

— Mais non… Tu me crois? Allons, c'était une blague! Tu vas être libéré.

Il m'aida à me relever, mais je retombai assis, tremblant. Des crispations nerveuses me fermaient les yeux, sans parvenir ni à épancher les larmes ni à contenir la montée de suffoquements convulsifs. J'étais épuisé. Je me dégageai de son étreinte et lui tournai le dos pour reprendre mes esprits.

— Ça y est, tu es libre, reprit-il derrière moi. Ça n'a pas été facile ! Tu seras chez toi pour Noël.

Je me relevai, incrédule, avec des gestes lents.

— Si c'est vrai, prouve-le ! Fais-moi détacher ! lançai-je en me retournant.

Son jeu avait fait bouillir en moi une telle exaspération que je n'avais plus la possibilité ni d'exprimer ma joie ni de lui montrer ma reconnaissance. Encore choqué, comme une parade à mon humiliation, je m'entêtai dans une sorte de méfiance capricieuse. Douch s'empressa de faire venir un garde qui ouvrit le cadenas. J'insistai pour qu'il repartît avec la chaîne.

— Je veux aussi les affaires qu'on m'a prises, fis-je avec détermination.

— Je te les donnerai, dit-il. Elles sont là.

— Si je suis libre, c'est que l'Angkar a reconnu mon innocence. Dans ces conditions, Lay et Son doivent être aussi relâchés !

Son visage se renfrogna, et il ne trouva pas tout de suite de réponse.

— C'est nous trois ou personne ! ajoutai-je sans attendre.

Ses yeux se levèrent sur moi. Il croisa dans le dos ses bras, tourna les talons, fit volte-face et prit la parole. Quelques instants décontenancé par sa propre maladresse, il retrouvait ses moyens.

— Ils seront libérés, mais sur place. C'est pour eux une chance d'être en zone libre. Il serait contradictoire de les renvoyer chez l'ennemi. La Révolution a besoin d'eux ici.

— Mais ils n'ont fait que me suivre! répliquai-je en refusant de comprendre. C'est à cause de moi qu'ils sont séparés de leur famille. Et tu voudrais, maintenant, que je m'en retourne seul? Lay n'est pas seulement un collaborateur de travail. Il est mon ami. Je ne peux pas l'abandonner! Ni Son, non plus! Après le joug, tu veux m'imposer la honte? Comment peux-tu...

Douch me coupa la parole, presque avec colère. Je compris que j'étais allé trop loin.

— Ils sont khmers! Leur pays est ici. Toi, tu es un étranger. Il est donc normal qu'ils restent et que tu partes! L'obstination t'aveugle et tu ne penses qu'à toi. N'oublie pas que nous sommes en guerre. Il est inutile de continuer sur ce chapitre.

Douch retourna sur ses pas. Si la décision de rester ne m'appartenait manifestement pas plus que celle de partir, j'aurais voulu qu'il affichât une détermination plus grande encore, voire qu'il proférât des menaces. Car la confusion me gagnait, en même temps qu'au fond de moi je sentais fléchir l'assurance de mes protestations. Je ne savais comment assumer ma responsabilité vis-à-vis de mes deux compagnons, et j'aurais voulu qu'on m'en déchargeât par la force...

Désarmé, vidé de toute fierté, je rattrapai Douch et lui demandai d'une voix molle, presque lâche, l'autorisation d'aller m'entretenir avec eux, ajoutant, avec le peu de courage qui me restait :

— Donne l'ordre de les détacher aussi, c'est le moins que tu puisses faire !

Douch acquiesça sans s'arrêter. Il ordonna aux gardes qui marchaient à ses côtés d'aller enlever leurs fers. En quelques enjambées, j'étais au milieu de l'allée centrale. Un froid subit imbiba l'air du soir. L'obscurité tomba sur les baraques, dissimulant le camp sous une voûte sombre. Au-dessus de moi, l'air limpide de la nuit laissa passer le scintillement des étoiles, que je vis pour la première fois. Libéré de mes entraves, je marchai entre les cabanes d'une allure gauche, presque pesante. Les bruits de la forêt arrivèrent à ma conscience avec une vivacité nouvelle. Le crissement orgastique des cigales s'entrecoupa par instants, avec des heurts violents, puis il s'arrêta complètement sur un silence saisissant. Je cherchai mes compagnons parmi les corps déjà assoupis, à l'endroit où, quelques jours plus tôt, j'avais cru les apercevoir. Un des gardes s'approcha. Plusieurs prisonniers se dressèrent sur leurs coudes. Je vis Lay et Son assis devant moi.

— Si ce que Douch vient de me dire est vrai, je devrais bientôt être libre et m'en retourner. Vous deux aussi, vous serez libres ! Mais il affirme que vous ne pouvez pas partir avec moi, que vous devrez rester ici. Libres, mais ici… dis-je d'un seul souffle, voulant évacuer au plus vite ce fardeau oppressant en jouant cartes sur table.

Debout à mes côtés, le garde les observait en m'écoutant. Je n'avais pas fini de parler que Douch arriva, projetant un faible faisceau lumineux devant lui et sur les côtés. Il étrennait une lampe de poche neuve, rapportée de sa réunion. Et, dans la lueur qu'il déplaçait, j'aperçus le vol d'une chauve-souris qui circulait en silence. Le garde qui le suivait se hissa sur la claie pour ôter le cadenas de la longue tringle que les prisonniers firent glisser en cadence jusqu'à ce que les étriers de mes compagnons fussent dégagés. Douch s'adressa à Son d'un air très sérieux :

— Bizot m'a demandé que le camarade Lay parte avec lui, et que toi, en contrepartie, tu restes prisonnier ici... Qu'en penses-tu ?

Je tournai, stupéfait, mon regard vers Douch. Comprenant qu'il plaisantait, je me mis à sourire afin de désamorcer le malaise. Son jeu était d'autant plus vicieux qu'il touchait le niveau de relation que j'avais avec l'un et l'autre. Douch avait compris qu'elle était de nature différente. J'avais recruté Son pour travailler avec moi depuis quelques mois à peine, alors que mon amitié pour Lay, de fait, était profonde et datait de plus de cinq ans. Le chef khmer rouge continua son enquête, avec toujours le même sérieux, mais cette fois en s'adressant à Lay :

— Qu'en penses-tu ? Camarade Lay, dis-moi : acceptes-tu de laisser ton collègue ?

Lay, embarrassé, mais qui avait perçu la perfidie sous l'intention moqueuse, sourit timidement, en secouant la tête, puis avoua respectueusement ne pas croire en cette démarche venant de moi.

— Et toi, camarade Son, interrogea Douch, tu n'y crois pas non plus ?

Son se massait nerveusement les mollets. Dans l'ombre de la nuit, je vis briller l'émail de ses dents et de ses grands yeux. Sa réponse, hésitante, me fit éprouver une peine vive et cruelle.

— Si, fit-il. Je crois cela possible.

— Ah! enchaîna Douch en se tournant vers moi, en voilà un au moins qui me croit!

Puis il partit en riant, silencieux.

Arrivé devant son logement, où brillaient plusieurs bougies qui faisaient ressortir dans le noir le visage des gardes installant leurs hamacs, je le vis se retourner dans ma direction. L'un d'entre eux vint me chercher. Je laissai Lay et Son, non sans avoir tenté de rattraper la mauvaise plaisanterie du bourreau, en alléguant la morbidité de son esprit.

— Tiens, me dit-il, voilà tes affaires.

Il me tendait le sac transparent où avaient été rassemblées les différentes choses que j'avais sur moi au moment de mon arrestation : sauf-conduit vietnamien, clefs, carte d'accès à l'aéroport de Potchentong, quelques riels qui représentaient ici une somme encore non négligeable...

— Et ma montre?

Dans les zones reculées, la montre-bracelet était l'objet probablement le plus rare et le plus prisé, en particulier celles de la marque « Orient ». La mienne, étanche et fabriquée en Suisse, représentait aussi une valeur très recherchée. Douch affirma qu'elle n'était pas dans le sac à mon arrivée, et qu'il ne l'avait jamais eue. Mais, en même temps qu'il me répondait, il ne chercha pas à dissimuler son malaise. Comprenant que cette question n'était pas un détail pour lui et qu'il devait savoir quelque chose, je n'hésitai pas à exiger que me soit restitué ce souvenir de mon père.

— Je veux la montre! dis-je en plantant mon regard dans ses yeux.

Il resta silencieux, hochant la tête en affichant à nouveau son embarras, comme pour se disculper ostensiblement, et sans vouloir non plus nommer personne.

— Je ne sais pas, me répondit-il. Je verrai demain.

Je refusai d'emporter le sac, tant qu'il manquerait quelque chose. Pareille intransigeance dans ma situation était assez ridicule et malvenue. Néanmoins, je la sentais en accord avec la réaction que Douch attendait de moi. Le vol était par excellence un acte contre-révolutionnaire. Plus que tout au monde, il tenait à donner une image droite et pure de la résistance khmère. Il redoutait surtout que ses camarades patriotes puissent être confondus avec des voyous de grand chemin. Nous commencions à bien nous connaître et, dans cette complicité naissante, je savais ce que signifiait sa gêne : j'y lisais, une fois de plus, la marque d'un homme de principe — même si ce visage ne cadrait pas du tout avec l'homme vicieux qui s'était manifesté dans l'épisode précédent.

Je regagnai mon emplacement dans le noir. Les poules avaient déjà perché. La bûche qu'on avait apportée en mon absence brûlait ; j'en écrasai les flammes à l'aide d'un tison, faisant sauter des étincelles qui roulèrent sur le sol froid. Je m'accroupis sur mes talons dépourvus de chaînes, et restai longtemps sans bouger, rêveur et soucieux. Si je réchappais de cette épreuve, je ne serais plus jamais le même homme. Il me semblait être allé au fond de ma douleur comme on s'enfouit dans un refuge. Je voyais la vie avec un autre regard, celui de l'homme qui sort des profondeurs de la caverne où il s'est tenu recroquevillé depuis des mois. L'existence se résumait à peu de chose désormais, et ce nombre limité de préoccupations me faisait éprouver un grand apaisement. Quand revenait à ma pensée le souvenir de l'agitation extérieure, c'était pour en faire ressortir la futilité et l'inconfort. J'avais vraiment le sentiment de m'être recentré sur l'essentiel, au point d'imaginer que la nouvelle vie qui m'attendait, avec tous ses artifices, contre lesquels je me sentais maintenant prémuni, serait simple et facile...

Je passai mes vêtements en grelottant et m'enroulai la tête dans le *krama*. Je pliai le foulard magique du soldat sur mon ventre pour me protéger du froid. Allongé près du feu, je sentis la contracture des muscles exposés à l'air de la forêt diffuser dans mon dos une douleur pénible. Je m'amusai à ne pas retenir le tremblement de mes mâchoires ; soudainement, elles se figèrent au cri d'une effraie qui traversa la nuit. Ses frouées grinçantes couvrirent un moment le frisson des bambous, puis elles se fondirent dans le crépitement lointain et discontinu des insectes... Lorsque le chant assourdissant des cigales m'annonça le retour du matin : j'avais dû m'endormir, d'un sommeil léger et inquiet, et l'aurore empourprait déjà l'horizon.

Douch était parti très tôt. J'allai retrouver Lay et Son qui se tenaient debout devant leur baraque, étourdis sous le soleil qui les entourait d'une douce chaleur. Ses rayons, maintenant assez hauts, frappaient la cime discontinue des frondaisons qui bordaient le camp vers le nord, en deux endroits seulement. Les *Irvingia* renaissants y allumèrent leurs touffes pourpres, et les premières chaleurs du jour excitèrent les milliers d'insectes à timbale que chacun abritait. Mille stridulations firent vibrer l'air encore froid, accumulé dans la nuit. Au-dessus de la tête de mes deux compagnons, le ciel s'élargit, immensément lumineux.

Rivés aux barres, les prisonniers remuèrent sur les lattes. Ils se préparaient à la première occupation du jour : l'urinement collectif. Tous se levèrent, et les tubes de bambous passèrent de l'un à l'autre, vite remplis. Le matin, il en fallait cinq ou six par baraque. Les responsables allaient les vider et les rincer dans la rivière.

Des détenus, on ne voyait d'abord que les pieds. Des pieds larges avec des orteils déliés comme les doigts d'une main. La plante était jaune et lustrée, légèrement épaissie comme celle des selliers qui travaillent le cuir. Au-delà des pieds, creusés au fond du visage, on apercevait les yeux, plongés dans une affliction sans remède. Les corps ensuite, efflanqués, dans leur tenue du premier jour : un pyjama noir pour la plupart, devenu gris à l'usure, déchiré aux genoux et aux coudes.

Pourtant, aucun des occupants entassés dans les trois baraques devant nous, malgré la maigreur qui plaquait leur peau sur les côtes, n'était souffrant. Au moindre problème de santé, il aurait été transféré chez les malades, en face du logement des gardes, où la plupart mouraient sans soin. Dès les premiers symptômes, déjà déprimé, le malheureux refusait sa pitance. La destruction envahissait rapidement son corps épuisé par le froid nocturne, quand l'homme sain et bien nourri aurait à peine souffert. Allongé auprès des autres, il endossait le masque de la maladie, sans aucun espoir de guérir. Je me souviens cependant du trépas de l'un d'eux, qui dura plusieurs mois. C'était un homme grand, à l'ossature massive, dont l'épuisement semblait déjà total quand j'arrivai. Thép me disait qu'il buvait encore un peu, mais rien de plus. Sa résistance à la mort devint impressionnante, d'autant plus qu'il restait sur le dos, immobile comme un gisant, les doigts raides, et déjà bleus, croisés sur la poitrine, avec des ongles noirs qui poussaient. Le spectre répondait d'une voix toujours ferme quand une question lui était posée. Son masque décharné, mais adouci et dépourvu de toute virilité, lui avait valu, en même temps que le surnom de « grand-mère », une vaine célébrité dans le camp. Le jeu consistait à aller vérifier s'il était décédé. Pour cela, ses voisins ou les surveillants l'appelaient chaque matin : il se gardait alors de répondre, les laissant se perdre en conjectures un certain temps, avant d'ouvrir sa bouche étique sur l'amorce d'un sourire... Les paris restèrent ouverts jusqu'à la veille de Noël, et j'eus moi-même l'occasion de voir son squelette, auquel le passage de la mort n'avait rien changé.

Douch revint peu après le repas que j'eus le bonheur éphémère de prendre avec mes compagnons. Nous étions allés manger notre riz au fond de l'allée, assis contre le long bras horizontal du pilon à pied, monté sur le terre-plein qui fermait le camp à l'ouest. Pour l'actionner, plusieurs hommes devaient peser de leur jambe sur le levier, de manière à faire contrepoids au pilon fixé à l'autre bout. Ils le relâchaient en cadence, dans le fond du mortier enterré à mi-hauteur et empli de paddy.

Dès son arrivée, il me chercha du regard et s'approcha de nous, puis, d'un signe de la main, il m'invita à le suivre. Manifestement impatient de me faire plaisir, il sortit de sa poche ma montre, qu'il garda quelques instants accrochée par le bracelet en la faisant bouger au bout de son doigt, feignant de me la donner puis de la reprendre.

— Ah, ah! fit-il en riant, Ta Mok n'est pas content! Je crois qu'il voulait ta mort uniquement pour garder la montre... Il l'avait au poignet depuis ton arrestation et ne voulait plus la rendre.

En entendant ce nom, je me souvins du chef taciturne auquel j'avais été livré, le lendemain de mon jugement public. Le gardien, avec qui j'avais échangé quelques mots, et qui n'avait pas eu souvent l'occasion de parler avec un Français au cours de sa vie de paysan, m'avait révélé non sans crainte le nom qu'on donnait ici au maître qui régnait sur les villages de la région. C'était de lui qu'était venue l'instruction de me garder enchaîné la journée entière, au pilier central d'une haute et grande maison en bois, dans un village sur la route qui menait au camp.

Douch glissa finalement le précieux objet dans le sac contenant mes affaires et me rendit le tout, l'air satisfait.

— Merci, fis-je poliment. Et maintenant, quelle est la prochaine étape? Quand vais-je partir?

— Demain. Tu quitteras le camp demain. Dès le matin, j'irai organiser les derniers préparatifs de ton départ.

Je regagnai ma place et regardai pensif la poutre à laquelle la chaîne m'avait si longtemps retenu. Le frottement permanent des anneaux métalliques sur le cylindre ligneux avait laissé quelques traces. Le matériau était banal, l'assemblage grossier, les parties du bat-flanc mal taillées, le tout sans intérêt. La grosse toile des sacs qui occupaient toujours la place rendait l'odeur rêche du jute. En y posant mes yeux, je mesurai soudain les liens étranges qui me liaient à cet emplacement, où ma souffrance avait trouvé un asile. Et je pris conscience que cet attachement ne valait que pour moi, parce que j'étais le seul à lui avoir donné vie, et qu'il ne reposait sur rien de visible pour les autres.

Il en est ainsi des temples d'Angkor, dont chaque pierre est chargée d'une histoire que seuls les mânes peuvent entendre. De même, les lits de Tuol Sleng sur lesquels je me pencherais un jour, comme un touriste passant par Phnom Penh, ne montreraient plus trace des débris de chair lacérée qui restèrent atrocement collés au fer.

Et tandis que je me courbais vers le bambou blanchi, retentit du sous-bois éloigné la voix perçante du loriot.

Je pris la montre et la passai à mon poignet, songeant au chef khmer rouge qui l'avait portée pendant tous ces jours. De quels faits horribles avait-elle été le témoin ? Quelles histoires invisibles pour moi renfermait-elle ?

Je me dirigeai vers la rivière, sentant sur mon bras l'extraordinaire présence du bijou. Les gardiens me lancèrent des quolibets à propos de cette parure qui brillait à mon poignet, aussi belle, affirmaient-ils, que celle d'un riche commerçant chinois. Au sortir de l'eau, je récupérai discrètement mes claquettes dans le buisson où je les avais cachées. Je revins sur mes pas et allai trouver Lay et Son. Ils ne s'étaient pas lavés une seule fois depuis leur arrivée trois mois auparavant, sauf au début, quand il pleuvait encore, avec de l'eau de pluie récoltée dans les tubes de bambous des baraques. Je les encourageai à se baigner dans la rivière, et, les voyant hésiter, j'allai moi-même chercher un garde pour qu'il les y autorise.

Je remontai l'allée jusqu'au terre-plein qui s'arrêtait brusquement sur la forêt : comme du fond d'un puits pour trouver la lumière, les arbres espacés sortaient de l'épais sous-bois, d'où perçaient, par endroits, les plumes d'émeraude d'un cycas arborescent. Le vibreur solitaire d'un insecte caché dans un énorme massif de pandanus produisait, par intermittence, un son grave et lent qui semblait sortir d'un tuyau à anche. L'air retentit de partout, et les flots cadencés qui arrivèrent à ma conscience étaient si entremêlés que je n'en discernai plus aucun : croa-croa des solistes enragés, sifflets stridents d'un ensemble à cordes, chants monotones de chœurs à l'unisson, timbre assourdi d'une étrange guimbarde, accords dominants de duettistes gonflant leur goitre blanc, coassements symphoniques d'un orchestre plus lointain. Assourdi par ces harmonies dissonantes, je pris appui sur le bras massif du pilon à pied. Le camp ronronnait dans la lumière du soir. J'étendis mon corps courbatu de tout son long sur le grand bras, une main sous la nuque, les pieds croisés, plaçant mes hanches et bougeant les omoplates jusqu'à trouver un équilibre. Le croissant horizontal de la lune émergea au-dessus d'un nuage... Je m'assoupis.

Les couleurs du soleil couchant flottaient sur Angkor et les cheveux d'Hélène volaient au vent. Cramponnée au guidon de la moto, calée entre mes bras, elle se tenait à califourchon sur le réservoir. Le bourdonnement continu des insectes recouvrait celui du moteur. De leur vol précipité et mou, des chauves-souris attrapaient les libellules qui foisonnaient dans la douceur du soir. Nous passions par la porte des Éléphants. Pour rentrer plus vite au village, je prenais un raccourci qui coupait entre de grands *Dipterocarpus* centenaires. La moto s'enfonçait sans bruit dans les vapeurs tièdes du sous-bois. L'air agité me frappait l'oreille de ses remous et gonflait le dos de ma chemise. Nous longions la petite plantation de tabac et de bananiers dont s'occupait la famille d'un gardien du Bayon. Comme chaque soir, nous sortions par la porte des Morts et retrouvions le « petit circuit », juste avant le pont de pierre. À cet endroit, un troupeau de macaques s'attardait sur la route, folâtrant entre les arbres des lisières. Pour barrer l'accès à leurs femelles en chaleur, les gros mâles nous montraient leurs dents en grimaçant, faisaient mine de nous poursuivre. Le rire argentin d'Hélène s'égrenait. Elle tendait la main au passage, pour caresser les petits accrochés à leur mère... Ma poitrine se soulevait, pressée par un bonheur sans mélange. Lancé du dôme sombre des grands « fromagers » *(Tetrameles)* agrippés aux pierres du Ta Prohm de leurs longues racines aériennes, le sifflet strident des merles mandarins, qu'on entendait du village, signalait que nous allions arriver. Hélène poussait avec eux des petits cris d'oiseaux, et remuait son corps d'arrière en avant pour avancer plus vite...

Des appels brefs, lancés d'une voix forte, montèrent à ma conscience. Sans bouger du perchoir où mon corps s'était stabilisé, je laissai ma pensée, encore enfoncée dans le sommeil, recouvrer peu à peu sa vigilance. Mes yeux s'entrouvrirent sur des gardes qui s'agitaient en tous sens. Trois d'entre eux, fusil en main, partaient vers la rivière en courant. Douch était à l'autre bout du camp; je le voyais, traversant une tache de soleil, revenir à pas précipités, serré de près par son adjoint. Débouchant de derrière les baraques, une des sentinelles, très excitée, lança en direction des chefs qui allaient vers elle :

— Non! Il n'est pas là non plus!

Douch disparut dans le logement des gardiens.

Enivré par l'odeur des cheveux d'Hélène, dont je sentais encore les boucles blondes sur mon visage, je gardais les yeux mi-clos et j'observais la scène avec indifférence, jusqu'au moment où je réalisai que c'était moi qu'on cherchait. Les Khmers rouges, ne me voyant plus, crurent que j'avais profité de ma nouvelle liberté pour m'évader. Aussitôt, j'imaginai Douch rongé par le regret de ne pas s'être montré plus méfiant... Ravi, profitant de ce quiproquo — la situation était d'autant plus cocasse qu'elle était plausible — je décidai de leur faire une farce et de rester immobile, simulant un sommeil profond, sur la poutre devenue une excellente cache. Coupé de l'effervescence qui régnait dans le camp, et dont la rumeur confuse m'arrivait aux oreilles, je me mis à rire dans ma barbe.

Lancés à ma poursuite, tous les hommes en armes avaient quitté le lieu. Rentré bredouille, l'un d'eux s'apprêtait à repartir précipitamment par la forêt, lorsqu'il stoppa à la hauteur du pilon : il m'avait découvert. J'entendis son souffle s'arrêter net, puis le frottement des semelles de caoutchouc sur le sol. Son regard resta posé quelques instants sur moi et il fit marche arrière, sans rien dire. À travers mes yeux mi-clos, je vis ensuite arriver Douch. Il ralentit le pas en s'approchant et resta en arrêt. Hésitant, il tourna les talons, puis, sur la pointe des pieds, revint finalement s'accouder à l'un des étais qui supportaient le bras où j'étais allongé. Sa voix rompit le silence :

— Camarade, est-ce la tombée du jour qui t'a précipité dans le sommeil ?

J'ouvris les yeux, simulant l'étonnement.

— Que se passe-t-il, demandai-je, il m'a semblé qu'on appelait ?

Douch arrondit les siens d'un air surpris.

— Non, fit-il, sans doute la voix des crapauds-buffles ?

Je me redressai pour m'asseoir sur la poutre, les jambes ballantes au-dessus du sol. Mes yeux se posèrent sur le Khmer rouge qui me regardait avec une expression de détachement. Je venais de le manipuler à mon tour et de le faire mentir.

Je retirai de ce petit jeu une vive satisfaction. Et de cette jouissance que j'éprouvais me vint l'idée que j'avais, moi aussi, les qualités pour, à sa place, faire un bon bourreau.

7

La nuit avait été pénible. J'avais eu très froid. Dans mon rêve, la promesse de liberté qu'on m'avait faite m'était apparue comme un leurre pour m'emmener plus facilement vers la mort. La suppression des entraves de mes compagnons n'était pas définitive : elle faisait partie de la mise en scène. Au moment du départ, j'avais vu Lay pleurer et les prisonniers se lever sur les lattes, avec des têtes patibulaires, me faisant prendre conscience que ma dernière heure était arrivée. Je m'étais réveillé brutalement, en proie à une anxiété affreuse.

Au lever du soleil, enveloppé dans le *krama*, je me dirigeai vers la grande allée pour y recueillir la chaleur des premiers rayons. Je ne pénétrais qu'à contrecœur dans cette partie du camp, la proximité des prisonniers étendus m'emplissant d'un malaise que je voulais éviter. Douch était à son bureau.

— Camarade, lui demandai-je avec surprise, ne devais-tu pas partir ce matin ?

149

— Je n'ai pas de vélo ! fit-il d'un air ennuyé. J'ai envoyé quelqu'un à sa recherche.

Je continuai mon chemin sans répondre, échafaudant des hypothèses sur la disparition du vélo qui alimentait ma suspicion. Sur la place, je croisai la petite fille qui ne venait plus me voir. Il me sembla qu'elle n'osait pas me regarder. L'enfant avait l'air de me haïr, maintenant, comme un ennemi.

J'aperçus Lay et Son avec le prisonnier qui, l'autre jour, n'avait pas voulu me répondre quand je l'avais surpris à fabriquer une trique. J'allai vers eux et demandai s'ils n'avaient pas entendu quelque chose à propos du vélo. Le bruit courait qu'un des gardes l'avait emprunté hier au soir, sans autorisation, pour se rendre chez lui, et qu'il n'était pas encore rentré. Totalement incapable de savoir si j'étais manipulé ou si je devais croire à cette histoire rocambolesque qui retardait le moment de ma libération, et au bout du compte — qui sait ? — pouvait tout remettre en question, je sentis l'inquiétude me gagner, et mon esprit basculer dans l'épuisement nerveux. J'allai m'asseoir, seul, abattu, au bord de la rivière qui coulait rapidement et sur laquelle flottait encore une brume ouatée.

En début d'après-midi, Douch vint me rejoindre, faisant claqueter les poules auprès desquelles j'étais retourné sous la bambouseraie. À ce moment du jour, j'aimais m'étendre sur le sol, écoutant dans un demi-sommeil la sèche musique des cigales.

— Le vélo reste introuvable, dit-il. Maintenant, de toute façon, il serait trop tard. Il faut attendre demain.

— Es-tu sûr, au moins, que tu l'auras à temps ? demandai-je plein d'amertume.

Alors il arrêta ses yeux sur mon visage brouillé. Crispés sous la peau, les muscles de mon front tiraient sur mes sourcils en formant des plis si douloureux que le Khmer rouge en éprouva une tristesse amusée. Le regard qu'il posa sur moi figea l'expression de ma douleur en un masque impudique dont j'eus honte. Des larmes tremblèrent dans mes yeux. Le désarroi me ballottait comme un naufragé dans les vagues.

— *At oy té !...* fit-il d'un ton se voulant protecteur. Comme ça, nous passerons Noël ensemble. Ah ! je ne dois pas non plus oublier de te rendre ton cahier. J'ai fini de le lire hier soir. Tu pourras l'emporter.

J'aurais voulu l'interroger pour savoir ce qu'il en avait retenu. Car les questions précises, sur le bouddhisme, avec lesquelles il m'avait tourmenté pendant des mois, m'avaient forcé à clarifier mes idées, au point que les réponses tirées de moi-même au forceps, et que j'avais entrepris de mettre par écrit, allaient orienter définitivement toute ma recherche. Mais ce n'était pas le moment de parler de cela...

Je fis quelques pas avec lui, puis poursuivis seul, songeur. Je décidai de laisser l'argent qui me restait à Lay et à Son. Mais ils craignirent que mon geste ne soit interprété à leur désavantage par les Khmers rouges. Lay suggéra d'en faire plutôt cadeau à l'Angkar. De toute façon, m'assurat-il, la seule chose qu'il aimerait acheter n'existait pas ici : du gras de porc. Il voulait manger de ce porc rouge, comme seuls les Chinois de Phnom Penh savaient le préparer :

tranché sur un billot à grands coups de hachoir portés à bout de bras en cadence, avec des morceaux contenant, entre le maigre et la couenne croquante, une large lame de gras opale qui le faisait rêver. Cela me donna une idée. J'allais, avant mon départ, offrir un pot d'adieu. Je rejoignis immédiatement Douch pour lui en faire la demande.

— Camarade, je voudrais faire un geste pour la communauté avant de partir. Est-il possible d'acheter, avec l'argent qui me reste, de quoi faire un repas pour tous les prisonniers : poulet, papaye, aubergines, thé?

Douch baissa les yeux sans répondre, se leva, selon son habitude, et fit quelques pas.

— Je ne sais pas si c'est possible, dit-il. Nous verrons cela demain.

— Demain? répétai-je, mais je dois partir demain! Il faut acheter tout dès maintenant! Camarade, fais-moi ce plaisir. Je suis entré ici comme un ennemi; ne me laisse pas partir comme un voleur! Et puis, c'est Noël...

Le visage du chef de camp s'immobilisa. J'avais conscience, à chacune de mes demandes, de lui tailler des croupières. Il se tourna finalement vers les soldats autour de nous et les interrogea collectivement sur la possibilité de se procurer à temps ce qu'il fallait. Son regard se posa sur le jeune Miet.

— Camarade Miet, l'interpella-t-il, ta mère aurait-elle assez de poulets? Il en faudrait...

— Treize, coupai-je avec assurance. J'ai compté : quarante-trois détenus et huit grands-pères, ça fait cinquante et un ; à raison de quatre personnes par poulet, on arrive à treize…

Douch, sans se laisser interloquer par ma réponse toute prête, s'adressa à nouveau au jeune Miet :

— Camarade, va demander à ta mère si elle peut s'en occuper.

— Puis-je l'accompagner ? sollicitai-je. Il faudra que quelqu'un paie, et c'est moi qui ai l'argent…

Je ne voulais pas manquer de saisir cette occasion inespérée de sortir du camp. À ma surprise, sans tergiverser, Douch fit un signe de la tête qui m'en donna le droit. J'emboîtai le pas du jeune garde aussitôt.

Nous sortîmes en passant la rivière à gué. Miet prit la sente que j'avais justement projeté de suivre pour m'enfuir. Nous traversâmes le bocage, dont je savais déjà que la haute forêt cernait la bambouseraie et les baraques. Nous débouchâmes dans ce que mon ami Boulbet m'avait expliqué être une « forêt mixte », avec, sous le couvert spontané, des imbrications de formations diverses. Devant nous s'étendait une sorte de savane inégalement buissonneuse, couverte d'un épais tapis de feuilles d'où sortaient des odeurs de moisi, et laissant voir, derrière le perchis diffus des arbustes, quelques grands arbres disséminés dans l'ensemble d'une futaie qui se perdait au loin.

Miet marchait d'un pas rapide, devant moi, sans fusil. En quelques instants, son jeune museau de garde-chiourme l'avait quitté. Se retournant sur moi pour s'assurer que je suivais, il avait maintenant une bonne tête de gamin de village. Je suivais, mais j'avais chaud. Pas une feuille ne bougeait autour de nous. La végétation baignait dans une moiteur étouffante. Des bruits stridents d'insectes cornaient à mes oreilles. Cette course dans les bois me demandait un effort dont j'avais perdu l'habitude. J'étais en transpiration... Au bout d'une bonne heure, nous arrivâmes au lopin familial. La maison était mal couverte et montée sur de maigres pilotis tordus. Sa présence en forêt s'expliquait peut-être par l'existence du camp. Mais elle pouvait aussi faire partie d'un habitat pionnier plus vaste dont j'aperçus au loin d'autres constructions légères.

La mère de a-Miet (traditionnellement, on fait précéder le nom des enfants de la particule « a ») vint à notre rencontre, souriante, jeune, gênée. Elle était étrangère au travail de son fils aîné qui, pour elle, n'était pas plus geôlier que moi prisonnier. Le père n'était pas là. Je lus dans le visage simple et fatigué de cette femme combien, à la fois, la mère et l'épouse étaient seules à cause de la guerre. Ses deux mains resserrèrent le *krama* qu'elle avait jeté, à notre approche, sur le globe dilaté de ses seins. Le nouveau-né, dans un hamac qui oscillait encore, dormait sous la maison.

— Il veut acheter des poulets, dit l'enfant, tout en se hissant sur l'échelle jusqu'à l'étage.

— J'en voudrais dix ou quinze, ajoutai-je.

La jeune femme souriait avec empressement. Elle avait entendu ce que nous avions dit, sans vraiment écouter. Un tas de détritus végétaux, amassés sur un foyer d'où montait un filet de fumée, se consumait sans flamme. L'aire de la cabane était balayée avec soin, sur un large rayon. Tout autour, dans l'herbe et les feuilles qui recouvraient la terre, au milieu de plusieurs touffes de caryotas mutilés par les feux de brousse, des dizaines de poulets musclés raclaient leurs pattes sur le sol humifère. Deux autres gardes, qui marchaient sur nos erres depuis le camp, arrivèrent à point pour nous prêter main-forte. En moins de deux heures, nous avions treize gros poulets, plumés et vidés.

Nous traversâmes, pour rentrer, un paysage noyé dans les derniers rayons du crépuscule, et arrivâmes à la nuit, au milieu d'un concert cocasse de piccolos, de klaxons et de trombones. Douch m'attendait. Il avait fait allumer un feu. Je m'empressai d'avaler mon riz et de le rejoindre. Il avait une casquette sur la tête et un *krama* autour du cou. Des couches d'air froid tombaient sur nous. La nuit était sonore.

— Viens, camarade, lança-t-il avec conviction, nous allons chanter !

Douch ne connaissait guère mieux que moi les chants révolutionnaires, mais son intention était d'appeler un de ses jeunes sopranos à la rescousse. Déjà prévenu, le chanteur était prêt. Il vint s'asseoir timidement, face à nous, sous une casquette chinoise trop grande. Les flammes en dansant firent vaciller les lignes de son visage. Les fûts des grands arbres, pareils à de rouges colonnes, luisaient à l'éclat du feu. Le son sortit sans effort de sa bouche entrouverte, tremblant, délicat, léger, fragile comme un trait à la plume. Est-il émotion plus poignante que celle inspirée par des mots d'amour et de haine, lorsqu'ils sont chantés par un enfant ? Il y avait tant de pureté dans sa voix argentine, suspendue aux étoiles, que chaque syllabe s'auréolait d'une beauté éternelle. Aujourd'hui encore, le souvenir de ces mélodies simples, sans accent, inspirées de la musique révolutionnaire chinoise, me fait tressaillir. Il m'en reste une sensation si amère que j'en éprouve désormais un haut-le-cœur.

Je me rapprochai du feu autour duquel nous étions maintenant plusieurs, accroupis, les coudes en extension sur la pointe des genoux, les mains tournées vers la chaleur, les doigts dessinant machinalement d'étranges figures.

— Nous avons récupéré le vélo, me dit Douch. Le camarade cadet qui l'avait pris était tombé malade et ne pouvait le ramener.

— Tout le monde est malade ici ! Si je peux, je te ferai parvenir un stock de quinine. Pour toi et les surveillants, mais pour les prisonniers aussi, sans oublier Lay et Son... À ce propos, repris-je après un silence, que veux-tu dire, camarade, quand tu m'affirmes que Lay et Son seront « libérés sur place » ?

— « Libérés sur place » veut dire qu'ils sont considérés désormais comme des soldats de l'armée de libération, qu'ils vont participer à la lutte contre les impérialistes d'Amérique et leurs valets, se battre pour la liberté du peuple khmer, lancer des offensives pour édifier une société nouvelle, indépendante, souveraine.

Le ton de Douch s'était exalté.

— J'ai froid ! dis-je en me levant et en rentrant la tête dans les épaules.

Était-ce la présence des gardes qui l'obligeait à pérorer ? Je me retournai et fis quelques pas dans le noir. Réalisant que, sans l'indiscipline du surveillant, j'aurais peut-être pu passer Noël avec Hélène, je fus secoué d'un sanglot de révolte. Le visage penché et tiré en arrière, Douch retournait une bûche à bout de bras, faisant s'élever des étincelles au-dessus du brasier. Il était tard. Un gardien finit par s'en aller. Puis les autres suivirent, un à un. Je me rapprochai du feu.

— Camarade, je ne comprends pas ! lui dis-je après avoir longuement contemplé la naissance des flammes qui sortaient de la bûche par des fentes, léchant ses flancs parés de reflets bleus. Le Cambodge est indépendant depuis longtemps et cette indépendance a été acquise, en 1954, sans verser une goutte de sang. Pourquoi n'essayez-vous pas de négocier avec le gouvernement de Phnom Penh pour conserver votre souveraineté, plutôt que de plonger à nouveau le pays dans la guerre ? Ou alors, de quel pays défendez-vous les intérêts ?

— Crois-tu sincèrement, répondit-il avec un sourire, que nous ayons eu le choix ? Les fonctionnaires de Lon Nol ont trahi le peuple ; ils l'ont vendu aux Américains pour usurper le pouvoir. Ils n'ont rien d'autre en tête que de faire du profit sur le dos des paysans, en les rançonnant et en les exploitant. Alors que nos frères communistes se battent pour protéger mes compatriotes persécutés depuis des mois aux frontières par l'aviation américaine, alors que des centaines d'hommes et de femmes sans défense meurent chaque jour, ces valets de l'impérialisme s'enrichissent outrageusement, manœuvrent ouvertement pour saper notre économie, multiplient les arrestations et les détentions arbitraires, assassinent nos patriotes. Je les connais, affirma-t-il en suspendant sa phrase : ce sont des paresseux, sans courage, sans fierté, qui profitent du malheur de leur pays et de la guerre à nos portes pour amasser des dollars. Ils imposent au peuple une dictature fasciste et raciste, l'entretiennent dans l'ignorance. À cause d'eux, le Cambodge n'a pas pu conserver la paix et la neutralité qui nous avaient protégés de l'humiliation depuis notre victoire contre le colonialisme français.

Sa voix vibrante me fit mesurer la force, l'authenticité de son engagement. En même temps, il parlait clairement, les yeux baissés, l'esprit concentré, sans lever le ton, avec éloquence.

— Nous ne pouvions pas rester sans réagir, reprit-il. Nous sommes les descendants glorieux d'Angkor. Nous n'avons jamais cessé, depuis cette époque, de livrer des combats acharnés contre les occupants en tous genres, d'accepter des sacrifices suprêmes pour la sauvegarde de notre dignité et de notre indépendance nationale.

En entendant son rabâchage, je ne pouvais m'empêcher de penser au cynisme des prétendus « rois khmers » qui, plusieurs fois dans l'histoire, s'étaient tournés tantôt vers le Vietnam, tantôt vers le Siam, prêts à tout pour garder le pouvoir. L'histoire du Cambodge se résume trop souvent à cela : un monarque universel, qui fait « tourner la roue du monde », mais qu'un gendre, un fils, ou un autre usurpateur assassine, quand il ne s'appuie pas, pour survivre, sur l'ennemi d'hier… Aussi loin qu'on puisse remonter dans le temps, les rois historiques (de l'époque moderne) ont rarement incarné le pays khmer. Jamais non plus ils ne se sont souciés de l'administrer, trop occupés de leur propre fortune. Pas même sous le règne de Sihanouk les fonctionnaires ne battaient la campagne. À la cour de Phnom Penh, et jusqu'à une époque récente, la langue parlée était le siamois. Les Français furent sans doute les seuls à respecter et à essayer de comprendre les mœurs et les lois coutumières de l'« arrière-pays », c'est-à-dire du royaume dans son entier, hors Phnom Penh et les petites villes de province. Il y a eu tellement d'interruptions dans l'histoire de ce pauvre pays qu'on y trouve plus trace de mémoire consciente. Même si Angkor ne fut probablement jamais abandonné, ce n'est qu'à l'époque moderne que les Khmers formés à l'occidentale eurent connaissance du fabuleux patrimoine et songèrent à se l'approprier. Les milliers de temples qui parsèment le pays n'avaient pas d'autres histoire que celle des génies du sol qui les hantent depuis des siècles ; leurs divinités n'y recevaient aucun culte, si ce n'est celui que les habitants vouent encore aux vielles pierres dans toute l'Asie des moussons.

En même temps, devant la vigilance inflexible du chef communiste, je mesurais l'immense incurie des soldats de Lon Nol ; l'arrogance des officiers qui, à Siemreap, n'avaient cure des paysans et me traitaient de marxiste ; la misère des hommes de troupe, enrôlés à tour de bras — ces « soldats de vingt-quatre heures », comme l'on disait —, lancés sans stratégie dans des combats perdus d'avance contre des soldats vietnamiens hyper-organisés... Bref, je percevais le fossé infranchissable qui séparait les deux camps, et j'étais à la fois consterné et fasciné par la force du Khmer rouge, dont le discours parfait collait si bien avec ce que voulait entendre l'Occident.

— Lay et Son doivent être fiers de rejoindre l'Angkar, ajouta-t-il. Au lieu de rester à la botte des colonisateurs et de leurs valets corrompus, ils vont pouvoir devenir des héros et relever la tête. C'est ce qui peut leur arriver de mieux. Tu dois le leur dire !

— Mais tu les sépares de leurs femmes et de leurs enfants ! m'indignai-je. Tu les arraches à ce qu'ils ont de plus cher !

— Leurs familles pourront les rejoindre, si elles le veulent, coupa-t-il. Nous devons nous battre sans relâche pour instaurer une nouvelle société. Ceux qui veulent nous rejoindre sont les bienvenus. L'Angkar les accueillera comme ses enfants, et s'occupera d'eux. Mais ceux qui préfèrent rester des esclaves et servir les impérialistes sont perdus. Il est trop tard pour eux. Ils sont déjà contaminés. C'est eux qu'il faut plaindre parce qu'ils n'ont plus de famille.

Je l'interrompis pour citer, sur le ton de la litanie, à la manière des bonzes, avec des trilles chevrotés dans les finales, le passage d'un texte de doctrine que je connaissais bien :

Que la mère ne se vante pas
En disant : ceci est mon enfant ;
Car c'est l'enfant du Dhamma !

Douch se mit à rire à pleines dents, regardant autour de lui, comme pour prendre quelqu'un à témoin et dire : « Ah çà ! ce Français m'amuse »...

— Camarade, continuai-je sur un ton soudain embarrassé et chargé de non-dit, j'aimerais te poser une question. L'acceptes-tu ? Je voudrais vraiment que tu me répondes avec sincérité !

Douch leva les yeux sur moi. Il marqua une certaine hésitation, sans vouloir se dérober. Il ne voyait manifestement pas où je voulais en venir.

— Cela dépend, répondit-il d'un ton à la fois prudent et curieux, il y a sans doute des choses que je ne peux pas te révéler...

En fait, comme cela m'arrive souvent, j'utilisais un vieux truc de Boulbet, qui enrobait parfois ses questions d'un tel mystère que la personne interrogée, s'attendant au pire, livrait sa réponse sans retenue, presque avec soulagement...

— Camarade ! commençai-je. Tu parles de l'Angkar comme les moines parlent du Dhamma. Alors, je voudrais te demander cela : y aurait-il chez vous un idéologue qui construit une théorie révolutionnaire en s'inspirant des mythes et des règles de la religion bouddhique ?

Douch était interloqué.

— Car, enfin, poursuivis-je, n'est-ce pas une nouvelle religion que tu défends ? J'ai suivi vos séances d'éducation. Elles ressemblent à des cours de discipline bouddhique : renoncer à nos attaches matérielles, aux liens familiaux qui nous fragilisent et nous empêchent de nous dévouer totalement à l'Angkar ; quitter nos parents et nos enfants pour servir la Révolution. Se soumettre à la discipline et confesser nos fautes...

— Ça n'a rien à voir ! trancha Douch.

— Il y a dix « commandements moraux » que vous appelez *sila*, insistai-je, du même nom que les dix « abstentions » *(sila)* bouddhiques. Le révolutionnaire doit se plier aux règles d'un *vinaya*, exactement comme le moine observe une « discipline » *(vinaya)* religieuse. Le jeune soldat touche au début de son instruction un fourniment comprenant six articles (pantalon, chemise, casquette, *krama*, sandales, sac), comme le jeune moine reçoit un ensemble réglementaire de sept pièces...

— C'est du délire d'intellectuel ! arrêta-t-il.

— Ce n'est pas tout ! Attends, camarade, dis-je en levant la main. Regarde les faits tels qu'ils sont ! Dans tout ce que tu me dis, et que j'ai moi-même entendu, on retrouve des thèmes religieux qui viennent du passé : par exemple, l'attribution d'un nouveau nom, les souffrances qu'il faut endurer comme des macérations rituelles, jusqu'au son lénifiant et conjuratoire des formules de Radio-Pékin qui annoncent l'avènement d'un peuple régénéré, né de la Révolution. Bref, les responsables communistes à qui tu rends des comptes veulent soumettre la nation à une mort initiatique.

Mon grand laïus fut suivi d'un silence obstiné.

— Camarade Douch ! repris-je en levant le ton, sans lui laisser le temps de reprendre la parole. La détermination des instructeurs qui parlent au nom de l'Angkar est inconditionnelle ! Parfois même dépourvue de haine, purement objective, comme si l'aspect humain de la question n'entrait pas en ligne de compte, comme s'il s'agissait d'une vue de l'esprit... Ils accomplissent mécaniquement, jusqu'à l'extrême, les directives impersonnelles et absolues de l'Angkar. Quant aux paysans qui passent sous votre contrôle, ils sont purement et simplement soumis à une sorte de rite purificateur : nouvel « enseignement » *(rien sutr)*, nouvelle mythologie, vocabulaire remanié qu'au début personne ne comprend. Puis l'Angkar doit être adopté en tant que famille véritable, parallèlement au rejet des parents. Et puis c'est la population qui est divisée en « initiés » et « novices ». Les premiers constituent le peuple véritable, c'est-à-dire la partie considérée comme acquise ; les autres, ce sont ceux qui ne sont pas sortis de la période de préparation et d'apprentissage, au terme de laquelle seulement ils seront admis dans le camp des premiers et acquerront le statut supérieur de citoyen accompli. Dois-je continuer?

— Ça n'a rien à voir! répéta Douch. Le bouddhisme abrutit les paysans, alors que l'Angkar veut les glorifier et bâtir sur eux la prospérité du pays bien-aimé ! Tu attribues à des idéologues fantômes de savantes élucubrations qui n'appartiennent qu'à toi. Le bouddhisme est l'opium du peuple. Et je ne vois pas pourquoi nous irions puiser notre inspiration dans un passé capitaliste que, tout au contraire, nous voulons abolir! Lorsque nous aurons débarrassé notre pays de la vermine qui infecte les esprits, poursuivit-il, lorsque nous l'aurons libéré de cette armée de lâches et de traîtres qui avilit le peuple, alors nous reconstruirons un

Cambodge solidaire, uni par de véritables liens de fraternité et d'égalité. Il nous faut d'abord bâtir notre démocratie sur des bases saines qui n'ont rien à voir avec le bouddhisme. La pourriture s'est infiltrée partout, jusque dans les familles. Comment veux-tu faire confiance à ton frère, quand il accepte le salaire des impérialistes et utilise leurs armes contre toi ? Crois-moi, camarade Bizot, notre peuple a besoin de retrouver des valeurs morales qui correspondent à ses profondes aspirations. La Révolution ne souhaite rien d'autre pour lui qu'un bonheur simple : celui du paysan qui se nourrit du fruit de son travail, sans avoir besoin des produits occidentaux qui en ont fait un consommateur dépendant. Nous pouvons nous débrouiller seuls et nous organiser nous-mêmes pour apporter à notre pays bien-aimé un bonheur radieux.

— Consommateur ? fis-je en écarquillant les yeux. Je ne me souviens pas que les pêcheurs de Kompong Khleang utilisaient beaucoup de produits importés... Je ne comprends pas de qui tu parles, si ce n'est peut-être de toi, camarade. Ta grand-mère te choyait-elle à ce point ? susurrai-je sur un ton malicieux. En revanche, je sais que vous, vous êtes totalement dépendants ! Vous êtes tombés dans un piège en embrassant la cause des Nord-Vietnamiens. Ils utilisent vos hommes pour avancer sur le front d'une guerre qui n'est pas la vôtre. Vous êtes armés par les Soviétiques, vos discours sont fabriqués à Pékin, vos chants et votre musique — qu'accompagnent désormais le tambourin, le violon et l'accordéon — n'ont plus rien de khmer ! Est-ce cela que tu appelles l'« intégrité nationale » et la

« souveraineté » du peuple ? Je ne vois rien qui ressemble au Cambodge traditionnel dans vos projets de société. Tout me paraît importé de l'étranger. Quand les Nord-Vietnamiens vous auront utilisés et qu'ils auront, grâce à vos sacrifices, obtenu la victoire contre les « impérialistes », dis-je d'un ton haineux et en tapant du pied, ils prendront la tête de votre pays et vous soumettront sous un joug encore plus rude.

— Ne te fais pas de souci pour nous, camarade, dit-il en effaçant le sourire que mon simulacre avait mis dans ses yeux. Il n'y a aucune chance pour que les Nord-Vietnamiens prennent le pouvoir au Cambodge. Nous avons déjà pris nos dispositions, fit-il d'un ton mystérieux [1]. Notre alliance avec eux fait partie d'une stratégie. Mais nous avons nos plans... Pour l'instant, il nous faut parer au plus urgent : chasser l'envahisseur en nous appuyant sur les peuples frères qui ont bien voulu nous soutenir dans notre lutte. Sihanouk a lancé un appel depuis Pékin pour que nous luttions, sous toutes les formes possibles, de là où nous sommes, contre la dictature du traître Lon Nol. Est-il pour autant devenu un étranger ?

---

1. Douch est manifestement au courant de ce qui s'est dit quelques mois plus tôt, en septembre 1971, quand le PCK tint son IIIe congrès, dans le maquis des Cardamomes, auquel il a peut-être assisté : une résolution tenue secrète désigne le Vietnam comme dangereux, prévoit un départ gradué des Vietnamiens, et une épuration du Parti des éléments pro-vietnamiens. Quand j'exprimai à Douch ma crainte que le Vietnam ne s'emparât du Cambodge, j'étais donc, sans le savoir, dans la nouvelle ligne du Parti...

— Là, franchement, camarade, tu m'étonnes ! Au lieu de rejeter Sihanouk avec tout ce qu'il représente, par sa fonction et par sa personne, tu te réfères à ses appels radiophoniques, comme s'il ne s'agissait pas de pitreries politiques uniquement destinées à sa propre survie, sans autre considération...

— C'est vrai. Sihanouk n'est pour nous qu'un symbole. C'est pour cela que nous l'utilisons. Nous autres Khmers, nous savons faire preuve d'astuce pour défendre notre dignité. Ce n'est pas la première fois dans l'histoire que nous acceptons l'aide d'une nation voisine pour reprendre les rênes de notre destin... Nos grands frères ont lutté comme nous contre la féodalité et l'impérialisme, et nous devons prendre exemple sur eux pour préparer notre libération.

— Bref, m'entêtai-je, tu préfères tendre la main aux Chinois et aiguiser la haine contre ton frère, plutôt que de t'allier avec lui pour retrouver la paix.

— Tu ne comprends pas ! me dit-il calmement, sur le ton du maître d'école qui va reprendre avec patience sa démonstration. Celui qui a trahi n'est plus mon frère. Il n'est qu'un valet de l'impérialisme et c'est lui qui s'est retourné contre moi.

Ce renversement de situation, où brusquement l'agresseur devenait l'agressé, et peut-être aussi l'éclair qui avait traversé son regard me firent songer à la cabane vide que j'avais découverte sur l'autre versant de la rivière.

— Camarade, murmurai-je en posant mes yeux sur lui, j'ai une question au bout des lèvres...

Lui et moi faisions les mêmes gestes. Nous avions chacun un bout de bois avec lequel nous fouillions le foyer à sa base, en nous brûlant les doigts, les yeux perdus dans l'ondoiement des flammes. Un vent froid arrivait des bambous, qui faisait rougir la braise et rabattait la fumée sur lui, obligeant Douch à se retourner pour respirer. Il fermait les yeux en grimaçant, mais son visage était calme et il semblait à l'aise. Notre discussion l'indignait peut-être par moments, mais elle l'excitait au moins autant que moi. Et ce contentement que je voyais dans ses traits me rassurait.

— J'ai cru deviner, à des bribes de conversations, que des prisonniers de notre camp avaient été attachés et battus...

— La plupart des gens qui arrivent ici, expliqua-t-il après un silence, ont été pris en flagrant délit d'espionnage. C'est ma responsabilité de les interroger pour savoir quels sont leurs contacts, quel type d'information ils recherchent, qui les paie. Un seul de ces traîtres peut mettre en danger tout notre combat. Imagines-tu qu'ils vont dire ce qu'ils savent de leur plein gré ?

— Mais qui frappe ? Il me...

— Ah ! coupa-t-il, leur duplicité m'insupporte au plus haut point ! La seule façon est de les terroriser, de les isoler, de les affamer. C'est très dur. Je dois me faire violence. Tu n'imagines pas combien leur mensonge me met hors de moi ! Quand je les interroge et qu'ils recourent à toutes les ruses pour ne pas parler, privant ainsi notre commandement d'informations peut-être capitales, alors je frappe ! Je frappe jusqu'à en perdre le souffle moi-même...

Dans la nuit, le feu vacilla. Une ombre sinistre dédoubla son visage. J'étais effrayé. Jamais je n'aurais cru que le professeur de mathématiques, le communiste engagé, le responsable consciencieux, puisse être en même temps l'homme de main qui cognait.

Plus tard, je songeai souvent à cette conversation, à laquelle présidait une étoile funeste. Cette nuit de Noël, un grand pan de ma naïveté tomba. J'avais été jusque-là pénétré de l'image rassurante du bourreau-monstre. Or, l'homme de foi, qui regardait maintenant devant lui d'un œil morne mêlé d'amertume, m'apparaissait tout d'un coup dans son immense solitude. Je me surpris, au moment précis où se révélait sa cruauté, à éprouver pour lui de l'affection.

Ce qui m'attachait dans son être, que la générosité n'avait pas quitté, c'était peut-être cette présence d'une souffrance constante qui marquait sa silhouette aussi bien que ses traits. En le regardant, les larmes me montèrent aux yeux, comme s'il s'était agi d'un dangereux prédateur que je ne parvenais pas à haïr. Or, n'était-ce pas simplement l'homme en lui qui était le danger ? Car je n'avais pas devant moi un monstre abyssal, mais un être humain que la nature avaient conditionné pour tuer, affilant son intelligence telles les dents du requin ou du loup... quoiqu'en prenant grand soin de ne pas lui ôter sa psychologie humaine. Ainsi qualifié, ses maîtres l'utilisaient comme le rouage d'une vaste horlogerie qui le dépassait.

Au cours de semblables pensées, je voyais clairement à quel point chez lui la spécialisation technique avait pénétré profondément le domaine moral. Son travail l'enfermait dans une grande machine d'où il ne pouvait plus s'échapper. Aussi la peur régnait-elle en lui comme partout, des chefs qu'il côtoyait aux humbles miliciens, qu'il s'agisse des menées les plus secrètes, de cachotteries grotesques ou de précautions instinctives guidées dans les forêts par la simple méfiance.

Douch n'avait pas encore, à cette date, pris sa place au musée des horreurs. Il avait moins de trente ans. Mais les tournants de la vie, qui décident d'un destin, laissaient en lui le champ libre à toutes les inclinations spontanées de sa nature, où se mêlent chez chacun le trouble comme le clair. Aussi n'avait-il pas craint, pour la bonne cause, de s'engager d'un pas définitif dans le labyrinthe des marais de l'idéologie, pour approcher leurs fleurs trompeuses qui ne poussent pas sous le soleil, et sans plus jamais lui-même pouvoir regarder le ciel au-dessus de lui. Dès cet instant, son lot fut d'obéir à la terreur, mais sous tant d'obscurité et de silence, que je me demandais s'il lui avait jamais été donné d'estimer le pouvoir atroce dont il devint dépositaire.

— Camarade, dit-il en me faisant sursauter, un jour aussi j'aurai des enfants dont la privation, comme toi, me fera pleurer... Mais, pour l'instant, mes seules valeurs sont celles qui conduisent à la libération de nos compatriotes. Mon devoir est d'aider chacun à revenir vers un bonheur simple : que peut-on vouloir de plus dans l'existence qu'un vélo, une montre et un poste à transistors ?

La réverbération du bûcher baignait ses traits d'une lueur scarlatine, donnant à son visage encore jeune une expression d'angelot. Je me pris à penser qu'on devait trouver dans tout révolutionnaire, comme chez lui, des traits de caractère enfantins.

— Regarde comment je vis ici, continua-t-il. Je m'applique à donner l'exemple : travail, austérité, sacrifice... Je suis dans un complet dénuement. Et je vois la misère autour de moi qui affecte tout le monde.

— Pardonne-moi, camarade, mais dans les territoires qui échappent au contrôle de l'Angkar, intervins-je avec conviction, là où la circulation, le commerce, la vie, une certaine liberté, demeurent encore possibles, la plupart des gens possèdent maintenant une montre, un vélo et une radio, si c'est ce que tu veux... En tout cas, la misère qui existe aussi ne touche qu'une partie de la population !

— Eh bien, c'est pire ! me lança-t-il, subitement hors de lui.

Je sentis que ma remarque avait éveillé une réflexion bannie, et qu'on ne pourrait pas en discuter. Il se piquerait d'autant plus à sa réponse qu'elle ressemblait à un aveu. Ne s'était-il pas écrié naïvement que l'homme souffre d'avantage du bonheur des autres que de son propre malheur ?

— Tok tok tok tok tok tok... To-ké ! To-ké ! To-ké !...
— Cinq ! dis-je en ouvrant les doigts.
— Huit ! répondit Douch, avec une gaieté affectée.
— To-ké !...

Agrippé dans les bambous, le gecko, dont la vibrante lamentation résonnait dans la nuit, arrêta ses rebattements à quatre...

— Camarade, fis-je d'un air attristé, nous avons perdu tous les deux. J'espère que ce n'est pas prémonitoire... Conviens au moins que toutes ces idées ne viennent pas de toi. Tu les as apprises en faisant tes études avec les Français. Elles t'ont été dictées par l'éducation occidentale que tu as reçue. Or, maintenant, non seulement tu veux les appliquer à une société qui n'a rien a voir avec les structures que tu combats, mais tu t'en sers pour justifier les morts autour de nous.

— L'exploitation de l'homme par l'homme est la même partout! s'emporta-t-il à nouveau. Elle est vieille comme le monde et déborde nos frontières. Je te trouve bien frileux pour un Français. N'as-tu pas fait toi-même la révolution et décapité des centaines et des centaines de têtes? Veux-tu me dire quand le souvenir de ces suppliciés a empêché de glorifier dans vos livres les hommes qui fondèrent une nouvelle nation ce jour-là? C'est comme pour les monuments d'Angkor, dont tout le monde admire l'architecture et la majesté... qui songe encore au prix qui fut payé, à la vie d'innombrables individus morts au cours d'incessantes corvées qui durèrent des siècles? Peu importe l'ampleur du sacrifice; ce qui compte, c'est la grandeur du but que l'on s'assigne.

Le Khmer rouge s'impliquait à fond dans notre duel. Quelques jours plus tôt, alors qu'il me posait des questions sur mon travail, je lui avais répondu que l'histoire que j'étudiais, inscrite méticuleusement dans les textes depuis si longtemps, me semblait le plus souvent un panégyrique destiné à légitimer de nouveaux chefs, aux yeux de nouvelles générations, sans souci de l'épouvante enfouie à jamais dans le cœur des plus âgés... J'avais avancé aussi, plein de dépit et avec cynisme, que les dieux étaient toujours du côté du plus fort, que dans ce monde la beauté et la cruauté ne se distinguaient jamais, pas plus que ne persistait, en définitive, la trace des plus tragiques destructions... Il interprétait maintenant l'équivoque de mes propos à son avantage. Ces réflexions me plongèrent dans tant de perplexités que je gardai les yeux grands ouverts, tels deux papillons de nuit, attirés par la blancheur des flammes qui se lovaient dans la braise.

— Certes, lui-répliquai-je finalement, en hochant la tête avec résignation. L'homme est ainsi fait ; il semble tout accepter, tout oublier. D'avoir créé des œuvres telles qu'Angkor plaidera toujours en sa faveur, quelle qu'ait pu être la part d'inhumanité assignée à cet immense chantier. Vois-tu, camarade, dans la vie, pour moi, la grande question, c'est la peine qu'on lui cause... À cet homme sur lequel nous n'avons aucun droit. Personne ! C'est pour ça que je rejette, du plus profond de mon être, l'idée de faire du sang versé une saignée nécessaire qui fortifie le patient. Comment accepter que certains décident eux-mêmes leur salut en imposant le sacrifice d'autrui ? D'où vient ce partage ? La loi en pays khmer est-elle devenue celle des poissons qui veut que l'un dévore l'autre ?

— Mais c'est ça la lutte des classes ! reprit-il avec ferveur. C'est pour supprimer cette injustice ! Ne vois-tu pas que le paysan khmer est comme un esclave qui travaille sans relâche pour nourrir une bande de fainéants corrompus ? Si la Révolution exige de lui un effort encore plus rude, au moins sera-t-il respecté pour son travail. Son effort de production, sa lutte pour le développement du pays lui seront bénéfiques. Il fera deux récoltes de riz par an. C'est lui qui en profitera, et il sera ainsi le seul maître de son bonheur et de sa destinée.

— Deux récoltes par an ? m'étonnai-je. Mais avec une seule récolte et un rendement courant de huit quintaux à la campagne, non seulement tout le monde mange à sa faim, mais encore le pays exporte un des meilleurs riz au monde... Excuse-moi, camarade, mais il serait plus intelligent d'alterner les cultures, pour renouveler le sol et planter, par exemple, des arachides, des haricots, ou mieux, sur les terres de décrue, du manioc et du maïs qui se vendent bien plus cher... Quant au destin des paysans, je peux t'assurer que ceux que j'ai connus dans mon village auraient voulu que rien ne change. Ils perpétuaient des traditions qui ne s'étaient guère altérées depuis des siècles, et que les Français avaient su conserver, mais c'est peut-être ce que tu nous reproches... N'est-ce pas cette originalité de votre culture villageoise, cette ancienneté de vos rites et de vos coutumes, qui peuvent servir, mieux que tous les discours, l'intégrité nationale ? Si vous détruisez ces structures de la société paysanne, si vous imposez un modèle rationnel et étranger à votre peuple, ne risquez-vous pas de l'humilier encore plus que vos ennemis? En qui se reconnaîtra-t-il? Quels seront ses repères?

— Au contraire! s'emporta-t-il. C'est parce que nous respectons ses coutumes, parce que nous savons que le paysan est la source du vrai savoir que nous voulons le libérer de l'oppression et de l'abrutissement. Il n'est pas comme les moines paresseux qui ne savent pas faire pousser le riz. Il sait prendre en main son destin. C'est bien sur son intelligence et sur sa force de travail que nous comptons bâtir notre futur. Cette société ne conservera que ce qu'il y a de meilleur en lui et éliminera tous les restes contaminés de l'époque décadente que nous traversons, à cause des traîtres conduits par Lon Nol. Camarade, ajouta-t-il péremptoire, il vaut mieux un Cambodge peu peuplé qu'un pays plein d'incapables!

J'étais pétrifié par la rigueur irrévocable de son discours contradictoire.

—Tes idées sont pures et généreuses, camarade, mais elles font peur. Comme je te l'ai dit, je crains que votre révolution ne fasse le lit de vos pires ennemis. Ce que je vois, c'est que tu réfléchis à une méthode qui rende l'homme heureux malgré lui. Quand va-t-on cesser de faire mourir les hommes au nom de l'homme? Cette idée de l'Homme, avec un grand H, est une construction qu'on retrouve à l'origine de tant de souffrances!… L'individu est toujours seul sous la voûte du firmament, il est vain de vouloir en faire le maître du monde! Le peuple dont tu parles a-t-il son mot à dire dans tout cela? L'avez-vous jamais interrogé sur ce qu'il souhaitait?

— Mais le peuple est manipulé, jura-t-il. Il ne sait plus ce qui est bon pour lui.

— Qu'en savez-vous ? J'ai l'impression que, quoi qu'il arrive, il n'est qu'une victime de l'Histoire. Son avenir se joue complètement en dehors de lui. Que crois-tu qu'ait en tête le paysan ? Je vais te le dire ce qu'il veut, moi : se rendre lui-même en forêt pour choisir les arbres *krakoh* qui feront les piliers de sa maison ; atteler de beaux bœufs rouge et blanc à une charrette en bois de *phcek*, avec des brancards indépendants et un long timon relevé, orné d'un pompon ; entretenir ses carrés de semis et les repiquer avec tout le village, en posant des nasses pour capturer les *trai changvar* dont les pâles lueurs argentées vacillent dans l'eau des rizières ; parer sa fille pour le mariage avec des boucles d'oreilles en or et un *sampot chorapap* de soie ambre à motifs mordorés ; conduire son fils à la pagode en portant lui-même la sébile à l'épaule en tête du cortège. Et ce qu'il veut, surtout, camarade, ce sont des funérailles honorables, avec un *yogi* de renom qui mènera le deuil, et des petits-enfants qui recevront l'ordination bouddhique devant le feu de son bûcher. Car ce paysan, camarade, auquel toi et tes chefs se réfèrent sans cesse, est totalement étranger aux événements qui font la une des journaux internationaux : il est le héros dont tout le monde se moque, dans une guerre qui n'est pas la sienne.

— C'est ce que je te dis ! cria-t-il. On l'entretient dans l'abrutissement et on l'abreuve de mensonges.

— Crois-tu qu'en l'enrôlant dans l'armée nord-vietnamienne tu le rendes plus responsable de son sort ?

— De quoi parles-tu ? Tu ne vois pas que tu es entouré

de Khmers? Tu es victime toi aussi de la propagande américaine qui voit des Vietnamiens partout. En ce qui nous concerne, je peux te garantir que nous avons notre propre programme, et que nous le mettrons en place sans l'aide des Vietnamiens. Ce sont nos chefs qui l'ont élaboré et il nous conduira à la démocratie et au respect de la nation khmère. Moi, j'adhère à cette révolution-là !

— Je voudrais te croire, dis-je en soupirant, avec lassitude. Mais je ne te cache pas, en ce qui me concerne, qu'elle me fait peur ; elle réduit trop les objectifs aux moyens de production et l'homme à son tube digestif. Elle ne laisse aucune place aux rêves...

— Aux rêves ? Je croyais que c'était moi le rêveur... Allons ! Tu peux porter ce message à l'Occident. Il faut qu'il sache ce que nous préparons pour notre peuple. Nous voulons la paix et la prospérité. Ce n'est pas aux Américains de nous dire comment nous devons faire. Leur intervention est hypocrite et intéressée. Du reste, ils ne connaissent rien de nous et de nos traditions. Ce sont des brutes qui n'ont jamais eu le moindre égard pour nos coutumes et n'ont jamais respecté notre sensibilité.

La nuit s'était refermée sur nous lentement. Je me rappelle de tout. Du ciel immense et noir qui touchait nos deux têtes, de leurs profils tronqués. Toujours aussi je me souviendrai des silences : Douch baissait les yeux avec componction pour y puiser de nouvelles forces, comme un combattant harassé, dans des instants de sommeil. Nous nous affrontions avec cette complicité de deux amis qui refont le monde, oubliant le repos, le cœur chargé d'exaltation et de tristesse. Mais chez lui, derrière la langue de bois, s'installait l'effrayante réalité dont il devait actionner les leviers, et dans laquelle il s'investissait de tout son être, quoique sans plus de préparation que moi.

Quand il rouvrit les yeux à la fin de sa phrase, le dilatement trouble de ses pupilles s'altéra en effiloches soyeuses, affaiblissant la fermeté de son regard. Ainsi dans la nuit, je vis sur cet homme pétri de certitudes passer des voiles transparents qui en effritèrent la rigueur, jusqu'à le poudrer d'une douceur que je n'avais jamais soupçonnée.

Sous le feuillage ensanglanté, les frissons de l'aube se mêlèrent aux craquements des flammes qui dansaient sur les bûches. Le ciel blêmit avec le chant du coq.

8

J'appelai aussitôt mes amies pour les faire débrancher, et je les incitai à picorer jusqu'au comble de ce qu'elles purent engloutir. Stimulées par mes encouragements, elles poussèrent des gloussements précipités qui excitèrent leurs petits autour d'elles. Ma pensée se perdit dans la vision de leur égorgement proche (dès que je ne serais plus là pour les protéger), et je m'arrêtai un instant sur l'étrange inaptitude de mon esprit à se figurer le mien. Je les caressai une dernière fois, mes yeux chargés de tristesse. Lay et Son vinrent mélancoliquement s'asseoir près de moi. Nous resserrâmes ensemble les mailles de la toile des sacs troués par les coups de bec.

Autour de nous régnait une activité inhabituelle. Les prisonniers autorisés à travailler avaient tous été affectés à la préparation du festin. Deux d'entre eux étaient partis chercher des escargots de rivière. Douch avait donné son accord pour qu'un de nos gardes, connu pour son talent dans l'art de la cueillette forestière, fût chargé, à la tête d'une équipe de détenus, de rapporter des pousses fraîches qui, en ce changement de saison, sortaient de partout du sous-bois. Nous les vîmes revenir les *krama* chargés de spécialités réservées aux seuls gourmets des massifs du piémont : feuilles acides, pousses arbustives croquantes et pleines d'amertume, crosses de fougères des bas-fonds humides, inflorescences douces-amères, pousses de bambous, cœurs de palmiers... Hachée en morceaux, la volaille était déjà plongée dans l'eau, avec le cou et les pattes. Douch avait également accepté qu'on doublât le foyer. Lay me dit en riant que, chez certains meurt-de-faim du camp, la seule annonce d'une soupe de poulet avait provoqué des crampes d'estomac...

Quand tout fut prêt, j'aidai à servir les repas, veillant à une répartition équitable. J'y mettais autant de soin qu'à l'exécution d'un rituel. Les prisonniers recevaient leur part en gardant le silence, comme on perçoit une offrande, et leurs yeux s'embuaient à la montée du fumet qui s'exhalait des bols et réveillait en eux des souvenirs enfouis. Très ému moi-même, incapable de parler, je regardais un à un le visage de ces hommes que je n'avais jamais vus de près.

L'un d'eux me fit un signe des yeux. Il venait d'arriver, et j'avais obtenu qu'il puisse prendre sa nourriture dans un récipient. Il y avait encore de la révolte en lui : l'audace dont il témoignait en m'abordant sans me connaître, au nez et à la barbe des geôliers, montrait qu'il n'avait pas pris toute la mesure de ce qui lui arrivait. Penché sur les lattes, il me souffla à l'oreille :

— J'habite Phnom Penh, près de la centrale électrique,

juste à la patte-d'oie. Ma maison est la deuxième à gauche, sur la route qui mène au château d'eau. S'il te plaît, dis à ma femme que je suis en vie, que je reviendrai...

Les gardes s'amusaient entre eux. Les détenus, recueillis, absorbaient le bouillon avec des aspirations bruyantes, veillant, dans l'incommodité de leur installation, à ne pas renverser le bol ou l'assiette qu'ils tenaient à deux mains. Dépourvus de cuillers (nous mangions le riz avec les doigts), ils saisissaient les bouts de viande ou de papaye avec les dents, puis les mastiquaient longuement, tournant et retournant dans leur bouche les morceaux de poulet, jusqu'à ce qu'il n'en reste que l'os. Et ce qu'ils avalaient leur paraissait si bon qu'ils mâchaient avec des hochements de tête pensifs, tant il était finalement pitoyable d'éprouver un tel bonheur pour une soupe qu'ils auraient probablement trouvée médiocre chez eux.

La lumière dévorait la place avec une extrême netteté qui faisait mal aux yeux. Je décidai d'aller me laver. Je m'approchai de Lay et lui demandai qu'il se fasse préciser le nom et l'adresse du nouveau, et qu'il lui dise que j'irais voir sa femme. Je lus dans son visage tourmenté que l'incertitude la plus cruelle continuait à l'empêcher de respirer, comme aux premiers jours de notre arrestation. Lay n'avait aucune confiance dans ce que les Khmers rouges nous disaient. Il voyait cette mise en scène comme une immense supercherie. Des bruits effrayants, qu'il n'osait pas me rapporter, couraient dans le camp sur le sort qui m'attendait. Il doutait jusqu'au sens que les Khmers rouges donnaient au mot « libérer ». Au même moment, je ressentis fortement ma culpabilité envers mes deux compagnons, prenant tout à coup conscience que je devrais aussi rassurer leurs familles, les soutenir...

Le plein midi tombait d'aplomb sur la rivière. Je restai dans l'eau moins longtemps que d'habitude, puis m'assis au soleil pour me sécher, sur un gros caillou qui dépassait de l'eau, dont le niveau avait maintenant baissé. Douch me fit savoir par un surveillant, qui me rejoignit en courant, que nous devions y aller. Je me dépêchai de faire mes adieux à Lay et à Son, prenant le reste de savon, le bol et le *krama*, que je leur laissai. Nous nous serrâmes maladroitement la main, n'arrivant à faire passer, dans ce geste révolutionnaire, rien d'autre qu'une chaleur vide et affectée. Je fis le tour des baraques en formulant des vœux à la ronde.

Trois gardes armés attendaient avec Douch, et celui-ci tournait vers moi un visage amène.

— On va regretter le Français! fit-il en écarquillant les yeux avec entrain.

Les cigales couvraient sa voix de leurs vibrantes crécelles.

— Nous devons partir, dit-il plus fort, il faut y aller!

Mais, sous l'air enjoué, je perçus de l'embarras; mon corps aux aguets se figea. Les soldats clignaient des yeux sous le soleil. Je vis l'un d'eux tourner une cordelette de nylon dans ses doigts. Je devinai qu'on allait m'attacher, et que Douch se préparait à mes protestations, sans parvenir à masquer sa crainte d'avoir à m'affronter devant les surveillants. Bien décidé à ne pas me laisser faire, je pivotai sur mes talons et partis théâtralement me réfugier dans les ombrages de la bambouseraie. Comme l'animal aux abois décèle chez son adversaire la moindre hésitation, j'avais immédiatement trouvé dans la gêne de Douch un encouragement à refuser qu'on m'entrave.

— La veille, tu retires mes chaînes; le lendemain, tu me les remets! lui criai-je en revenant sur mes pas. Cette liberté vers laquelle tu veux me conduire est-elle donc si terrible qu'il faille me lier les bras?

En vérité, je croyais à sa sincérité et, contrairement à Lay, l'hypothèse d'un traquenard m'apparaissait maintenant peu crédible. Mais son trouble était l'indice d'une faiblesse dont, instinctivement, je voulais profiter.

— Que vas-tu chercher! fit-il sur un ton qui montrait de l'impatience. Il s'agit d'une simple formalité, d'une procédure habituelle, et rien d'autre.

— C'est toi qui décides des règles ici! m'entêtai-je. Camarade, me nouer les bras, aujourd'hui, ne rime à rien.

Douch prit un air contrarié et fit quelques pas sans rien dire.

— Il n'est pas en mon pouvoir de céder sur les questions qui touchent à la sécurité, répondit-il finalement. Les directives sont très strictes et s'imposent d'autant plus, aujourd'hui, que tu retournes en territoire ennemi. Ton départ n'est possible qu'à ce prix, camarade : il faut te ligoter et te bander les yeux.

Douch me vit blêmir sans distinguer s'il s'agissait d'une réaction de peur ou de colère. Il s'avança cependant avec détermination et me passa le bandeau autour de la tête. Pris de vitesse, je restai sans voix et sans mouvement.

Je pensai tout de suite à me détourner pour que Lay ne voie pas la scène. On m'attacha les bras dans le dos sans serrer. Les gardes se mirent en marche, faisant cliqueter leurs armes. Mes pensées se bousculèrent, sans plus pénétrer le champ de ma conscience. Mon sang se figea dans mes veines...

La pression du bandeau sur mon nez fit surgir le souvenir des mottes herbeuses dont j'avais, trois mois plus tôt, senti se répandre la fraîcheur humide sur mes pieds. Je me retrouvai suspendu à l'acier des culasses... Saurai-je jamais pourquoi, ce jour-là, les percuteurs n'avaient pas brûlé l'amorce?

Au milieu du champ, mes épaules s'étaient courbées, mon corps avait fléchi, traversé d'ondes nerveuses. D'infimes tensions des muscles avaient vibré dans mon cerveau. Je me préparais à l'impact. Comme en pension, à la Malgrange, quand, sur le point de recevoir une gifle du père Hochard, j'attendais, crispé, qu'il m'envoie dans la figure le plat de sa main. J'ignore combien de temps cela avait duré. Mais une poigne énergique, presque brutale, m'avait soudainement poussé à travers champ, jusqu'à la berme d'une route de terre dont j'eus le plus grand mal à gravir la pente glissante. Des larmes avaient jailli de mes paupières. J'avais tenté d'articuler quelques mots et m'étais mis à tousser à petit bruit, sans parvenir à éclaircir ma voix. Puis on m'avait planté sur la route. J'étais resté debout, instable, solitaire, vaincu, terrassé. Des gens parlaient autour de moi avec indifférence. J'entrevoyais leurs pieds par-dessous le bandeau. Je compris qu'on allait partir. Il y avait eu un long moment d'indécision. J'en avais profité pour demander à uriner; plusieurs personnes avaient laborieusement défait mes liens. J'avais fait quelques pas sans savoir de quel côté me tourner. Je les avais interrogées, à l'aveugle :

— Où allez-vous m'emmener? Que va-t-il m'arriver?

Après un temps de silence, la voix forte d'un adolescent à mes côtés m'avait répliqué « *At oy té!* », sur le ton qu'on prend pour dire : « Tais-toi! » La pluie avait commencé à tomber. J'avais frissonné aux premières gouttes froides qui avaient coulé dans mon dos jusqu'aux jambes. Puis on m'avait fait avancer. Une main calleuse et moite, dont le contact m'avait déplu, s'était refermée sur mon coude, sans plus me lâcher; au fil des kilomètres, elle s'était adoucie, jusqu'à devenir un lien de sympathie, subtil, silencieux, entre moi et l'homme dont je dépendais sur ces voies escarpées.

Dans l'après-midi, le peloton armé qui m'accompagnait s'était inopinément arrêté. Des sautes de vent chaud très brutales couchaient la pluie dans le sous-bois refermé sur nous. Immobile au milieu des flaques, les sens aux aguets, le regard tourné vers l'intérieur comme celui d'un fakir, j'avais entendu le chuchotement de mes gardes et, sur l'argile bourbeuse de la piste, le chuintement de pas qui n'étaient pas les leurs. La présence d'une rumeur sourde m'avait fait tressaillir, comme une énorme palpitation de vie autour de nous, au-dessus de nos têtes, partout, proche, lointaine. Mêlée aux bourrasques qui soulevaient les senteurs sauvages de la terre et des bois, une forte odeur d'huile de vidange et de moteur était montée jusqu'à mes narines. Alors nous avions continué notre chemin, au milieu d'une multitude de soldats au bivouac, plongée dans le silence. Par-dessous mon bandeau, de part et d'autre de la piste que nous longions, j'avais entrevu furtivement les éléments d'une division motorisée nord-vietnamienne, dont les hommes en uniforme vert se taisaient à notre passage, laissant seulement échapper par instants quelques bruits fortuits, aussitôt étouffés, le « toc » d'une clef à molette sur la fonte d'un châssis, le « boum » d'une crosse contre un bidon... Le bandeau sur les yeux, ce jour-là, m'avait sauvé la vie...

Pareille concentration de forces armées dissimulées en pleine brousse représentait une prouesse logistique, et montrait à quel point la détermination du Vietnam était arrêtée. Mais la machine de guerre communiste avait d'autres atouts, plus dangereux encore pour le commandement américain que ce rassemblement dont les B 52 ou les F 111 ne feraient qu'une bouchée. Quelques jours auparavant, le lendemain de mon arrestation, sur la piste qu'on m'avait fait suivre jusqu'au village de Ta Mok, notre petit groupe avait croisé, au sortir d'un *veal*, quelques éléments d'un dispositif militaire beaucoup plus impressionnant : une unité de cyclistes, espacés les uns des autres d'une cinquantaine de mètres, en file le long de sentes à peine marquées sous les arbres. C'était le fer de lance de toutes les offensives. Silencieux, mobiles, indécelables, ces hommes d'âge mûr — ils avaient entre quarante et cinquante ans — semblaient imperfectibles. Les actions rapides, le camouflage, l'attente entre les opérations, constituaient leur quotidien depuis des décennies. Ils portaient tout sur eux : kalachnikov dans le dos, ficelé avec soin pour ne pas tourner ou basculer, chargeurs et grenades accrochés aux bretelles, sac de riz sur le ventre, minuscule réchaud, allumettes et ustensiles divers (bouts de ficelle, fils de fer trouvés en chemin…) dans une musette, photos porno (reçues officiellement) dans la poche de la chemise, le tout protégé sous une pèlerine à capuche en nylon. Chaque vélo, dont le guidon rouillé et la fourche arrière étaient armés de plaques soudées et de fer à béton, transportait un mortier ou un B 40 maintenu au cadre par des élastiques ou du vieux fil électrique ; les munitions étaient fixées sur le porte-bagages à l'aide des chambres à air de rechange, à côté du hamac réglementaire pour la nuit. Celui-ci était pourvu d'une toile de tente imperméable qui permettait de dormir sous la pluie… Chacun de ces combattants était un modèle d'adaptation, de simplicité, d'efficacité : puissance d'attaque, invulnérabilité, coût pour ainsi dire nul. Des professionnels, sans illusions, sans audace, sans autre projet que l'action du lendemain — leurs femmes et leurs enfants restaient un souvenir cher mais lointain —, qui apportaient une réponse fascinante à l'engagement extravagant de l'Oncle Sam dans la région. C'était le formidable pied de nez de l'URSS, qui tirait les fils de ces marionnettes sacrifiées, aux contradictions de l'Occident. Peut-on, sans frémir, se rappeler le pathétique duel Kissinger contre Lê Duc Tho ? Le premier, la main sur le cœur, s'appuyait sur la presse, l'opinion, la parole donnée ; l'autre,

187

faisant le V de la victoire, était prêt à tout pour ne rien perdre (sauf des centaines de milliers de soldats dont personne ne se souciait...).

Si les jeunes gens qui me conduisaient n'avaient pas été à cent lieues des axes de la propagande antiaméricaine jouant sur la naïveté des nations les plus riches, ou si on les avait seulement interrogés sur les péripéties qui avaient marqué notre parcours, les chefs khmers rouges n'auraient jamais pris le risque de laisser partir le témoin de preuves aussi édifiantes de la présence nord-vietnamienne et de son organisation de guerre en territoire cambodgien.

Cela dit, les Lacouture avaient encore de belles années devant eux, car on ne change pas facilement un courant de pensée, si peu fondé soit-il...

— Je vais te guider moi-même, *at oy té*... Avance, camarade !

Douch me parlait, doucement, presque à l'oreille. Ses mains bougeaient sur mon bras gauche, ponctuant légèrement les mots qu'il prononçait. Notre petit groupe se mit en branle. Je me mis à mon tour en mouvement, d'un pied hésitant. Mon cicérone commença d'une voix aiguë, presque exaltée, à retracer pour moi chaque inégalité du sol, me déplaçant dans un sens, m'orientant dans un autre, me freinant devant les obstacles, stoppant le temps qu'on les dégage. Petit à petit, nous parvînmes à régler la coordination de nos pas, et je me laissai guider mollement, m'abandonnant à ses directives, avec une confiance d'aveugle. Je parvins à cet état où, me déplaçant sans voir, je me sentais tout proche de l'esprit des choses, et leur présence me devenait nettement distincte, sans plus être extérieure à moi.

Nous empruntâmes le chemin que tant d'autres avaient déjà suivi pour leur malheur...

Douch était excité. Il avait dû prévoir lui-même chaque détail de mon retour, en anticiper toutes les difficultés, attendre la réponse des postes éloignés, s'assurer des relais de mon acheminement et du contrôle des routes jusqu'à Oudong... Et, ce que j'ignorais encore, son zèle l'avait poussé à organiser un repas d'adieu réunissant les chefs khmers rouges de la région Sud-Ouest. Obtenue de haute lutte, il me semblait que ma libération devenait pour lui une sorte de succès personnel, qui impulsait sa marche dans la carrière révolutionnaire.

Nous marchâmes ainsi de longues heures. Sous sa conduite, je me livrai à grandes enjambées au destin qui m'entraînait dans les fraîcheurs humides d'une forêt dont me parvenaient le bruissement des insectes et le chant des oiseaux. Devant moi, j'entendais le pas précipité du garde qui ouvrait le chemin. Parfois, comme un long tentacule préhensible, la pousse tendre et épineuse d'un rotin m'arrêtait brusquement en se collant contre ma chemise. Nous transpirions. Douch respirait très fort par le nez. Cette proximité, le contact de son bras sur le mien, ma totale dépendance physique, donnaient une consistance nouvelle et indéfinissable à notre camaraderie, sur laquelle, non sans surprise, je revenais, pour en constater l'indéniable réalité, depuis plusieurs semaines. Douch, en vue de m'éviter de tomber, mettait une grande tension à ne pas se laisser distraire du chemin sur lequel, maintenant, je posais mes pas en toute franchise.

— Ah!

Je trébuchai soudain lourdement. Un cri élevé jaillit de sa poitrine. Ses mains crispées s'agrippèrent pour me soutenir, mais mon poids l'entraîna et nous tombâmes ensemble, moi de tout mon long, le front sur une souche. Je ne me fis aucun mal, mais l'intensité de son tressaillement, l'anxiété avec laquelle il me releva et s'enquit de ma bosse, me témoignèrent que Douch avait, dans notre rapport, dépassé les données brutes de la cordialité, pour y mettre comme une tension de l'âme, une sympathie élargie au-delà de la fraternité de circonstance qui était née entre nous...

À l'autre bout de mon horizon masqué, de faibles aboiements, qui en éveillaient d'autres encore plus faibles à cette distance, me parvinrent aux oreilles. L'écho familier de la voix des chiens retentissant au loin me fit éprouver du soulagement. La présence de ces bonnes bêtes qu'on est habitué à voir rôder autour des maisons, les oreilles cassées mais la queue dressée en tire-bouchon, emplit mon cœur d'un sentiment immédiat de sécurité : le chien jaune n'aboie qu'en période de paix, quand le village s'est engourdi dans la routine des heures et qu'à côté de lui vivent tranquillement un homme, une femme, des enfants.

Douch m'arrêta et retira mon bandeau. La nuit venait. J'ouvris les yeux sans peine. Un fin brouillard sur la ligne rose des montagnes irisait le dernier tiers d'un soleil stratifié comme les facettes d'un cristal, enfoncé dans une triple fissure blanche dessinée sur les couches d'or du ciel. Nous nous trouvions au milieu d'un taillis de défriche, contre le fossé d'accotement d'une route en latérite. De l'autre côté, noyée dans la lueur crépusculaire entre chien et loup, se profilait en noir la façade de quelques maisons fermées, construites à même le sol. Un coq de pagode fit jaillir devant nous son hululement sauvage. Douch m'indiqua d'un signe des yeux que nous étions arrivés, et mes liens furent défaits. Pénétrant sur un large terre-plein, près duquel poussaient quelques vieux manguiers, je vis une porte et des fenêtres d'où filtrait avec parcimonie une clarté blafarde.

Une forte ménagère, le buste serré dans un chemisier de dentelle beige à manches courtes, nous aperçut la première. Elle sortit précipitamment, se retournant devant la porte pour mettre ses claquettes, et courut de l'autre côté de la maison en nous faisant de la tête des signes de bienvenue. Elle reparut au bout d'un instant et nous invita à la suivre. Le sourire de cette femme était si sincère, si courtois, qu'il effaçait toute crainte. Cependant, je ne comprenais pas où elle nous amenait ; de son côté, Douch restait silencieux. Derrière l'angle du bâtiment, j'avisai alors, par l'embrasure d'une porte grande ouverte, une dizaine de Khmers rouges, en pyjama noir, casquette et *krama*, qui se mettaient en rang, le long de la cloison, pour nous accueillir. Douch me poussa devant lui et j'entrai dans la pièce, sans me laisser interloquer. Au moment où je me présentais, le chef placé à l'entrée ordonna in extremis à l'un de ses camarades en bout de file de se rapprocher de lui, cependant que tous resserraient le rang et riaient avec des airs d'enfant de chœur pris en faute. Je secouai longuement la main que le premier me tendit, puis successivement celle des autres, figeant autant que possible la face de mon visage dans une expression de joie spontanée, cherchant tout à la fois, comme chacun de mes hôtes, à allonger la tête vers l'avant, à ouvrir la bouche sur les dents du haut, et à baisser les oreilles.

Au milieu d'une nuée de phalènes et d'insectes bourdonnants, qui faisaient d'imperceptibles grignotis en tombant sur les assiettes de la table déjà mise, on entendait souffler le pétrole dans le manchon en tungstène de la lampe accrochée au plafond.

Nous restâmes un moment à nous complimenter mutuellement, avec des basculements du tronc, puis on me mit en bout de table, et tout le monde prit place. Douch était assis plus loin à ma droite, sérieux ; la lumière artificielle le faisait paraître encore plus jeune, sans contrefaire l'ingénuité de son sourire tendu qui tranchait sur l'assurance bon enfant des autres. Tous ces hommes, dont au moins la moitié avaient penché avec indifférence pour ma mort, mettaient dans leurs yeux posés sur moi une curiosité inlassable ; ils hochaient la tête avec une ardeur bienveillante.

La femme traversa la pièce courbée en deux, puis revint après un moment, tenant précipitamment une bassine émaillée remplie d'un bouillon brûlant. Derrière elle, une fille en pantalon apporta le riz. J'étais dévoré par la faim.

Pour des raisons qui m'échappent aujourd'hui, je n'avais pas touché au déjeuner offert à mes codétenus, peut-être parce que, dans tous les cas — qu'on me tue ou qu'on me libère —, mon ventre pouvait bien patienter. La marinade qu'on posa sous mon nez m'arracha aussitôt l'estomac et m'ouvrit un appétit pantagruélique. J'aurais mangé les contenus avec leurs contenants.

Je humai en riant la soupe, d'où s'exhalait le fumet de la volaille bouillie, avec des effluves enivrants d'aromates imprégnés d'odeurs citronnées : du *kroch nam ngao,* un des plats chinois réservés au Cambodge pour les jours de fête. Mon préféré ! pour le citron confit dans la saumure et macéré à chaud, qui donne au poulet un goût de venaison… J'ingurgitai tout, sous l'œil ravi de mes hôtes, y compris le limon flétri et décomposé qui ne se consomme pas.

Quand ma faim parut apaisée, l'un des chefs toussa discrètement et le silence se fit. Le visage de celui qui allait parler, d'abord tout contrit de maladresse, hésita entre l'illumination soudaine et la gravité. Je me souviens que, pendant qu'il remuait le buste et que ses mains faisaient bouger la cuillère et l'assiette devant lui, son expression s'empreignit alternativement de joie, de stupéfaction, de doute et de regret. Mais cette mobilité du visage n'avait plus de mystères pour moi, car Douch (qui recopiait ses maîtres) m'avait déjà fait sur le sien la démonstration de la manière dont s'y peignaient, dans le maquis cambodgien, les signes de l'autorité : un subtil sandwich d'exaltation, intercalée entre une couche de naïveté et une autre de malice, pouvant atteindre l'inexpressivité absolue.

— Camarades aînés, *mit bâng*, aujourd'hui est un grand jour! commença-t-il, en baissant le ton sur les dernières syllabes.

Quelques secondes, sa figure changea subrepticement, et il se tourna vers Douch avec vivacité : « Il parle khmer? Il peut comprendre? » s'assura-t-il en aparté; immédiatement rassuré, il reprit son attitude de componction.

— Hum! Nous célébrons la libération du camarade... Bî-zot (il hésita sur la prononciation de mon nom), de nationalité française. Au nom de l'Angkar chéri, de tous les frères révolutionnaires qui composent la force armée du peuple ayant pour mission de libérer et de protéger la nation bien-aimée, qu'il me soit permis, en cet instant solennel, d'exprimer des regrets sincères pour l'inconfort qui aura marqué son séjour parmi nous. Mais le Kampuchea glorieux est en lutte contre la guerre oppressive et injuste de l'agresseur capitaliste! Sa captivité était donc inévitable et légitime. Aujourd'hui, grâce aux sursauts persévérants et généreux de l'Angkar, et comme une preuve de l'amitié entre nos deux peuples, nous éprouvons l'immense joie d'y mettre un terme, et de dire : « Retourne chez toi, camarade, va rejoindre ta famille. » *Bane!* C'est ainsi. Il est temps de me tourner maintenant vers lui et de demander, au nom de l'Angkar, s'il a des désirs particuliers à exprimer.

Laissant passer un silence, posant devant moi un regard aussi vide que possible, j'appuyai mes deux mains sur les genoux et pris à mon tour la parole :

— À tous les grands-pères ici présents...

S'excusant de m'interrompre, l'un des convives se leva

pour actionner au-dessus de nous la pompe de la lampe à incandescence, dont la lumière commençait à faiblir.

— À tous les grands-pères ici présents, repris-je, je dis un grand merci! En particulier pour cette soupe au citron dont je garderai un inoubliable souvenir... *(rires)*. C'est le premier bon moment qui m'échoit depuis trois mois! Grand-père aîné, eh bien, puisque tu m'en donnes l'occasion, j'ai quelque chose à demander, en effet. Premièrement. Je laisse derrière moi deux amis qui sont chers à mon cœur. Je demande instamment et respectueusement à l'Angkar qu'il leur soit accordé un régime normal, car ils ne sont coupables d'aucune faute. J'ai remis au camarade Douch l'argent qui me restait. Je formule la demande que cette somme aille pour moitié à l'Angkar, et pour l'autre à mes deux collaborateurs. Deuxièmement. Mon travail consiste à étudier les traditions bouddhiques. Mais, aujourd'hui, la plupart des routes sont coupées et une grande partie du pays khmer est indépendante. Je ne peux plus me déplacer, sauf à risquer de me faire prendre à nouveau... C'est pourquoi je demande une autorisation de circulation en zone libre, afin de poursuivre mes recherches dans les villages reculés. À Phnom Penh, toutes les anciennes coutumes sont déjà transformées. Tout a changé! On ne sait plus où est l'est, où est l'ouest. Dans des domaines et à des niveaux différents, camarades, mes motivations et les vôtres ont des points communs... Mais mon but, à moi, est seulement de faire ressortir le génie des Khmers dans l'histoire religieuse de l'Asie du Sud-Est. Ce but est légitime, dans tous les cas. Il n'est en rien contraire aux illustres aspirations de l'Angkar ! Je demande à l'Angkar de considérer ma demande avec bienveillance. C'est ainsi. Merci.

Le camarade numéro un saisit à nouveau la cuiller dans ses doigts, et bougea le buste à plusieurs reprises pour indiquer qu'il reprenait la parole, quoiqu'il restât silencieux, posant son regard tour à tour sur ses voisins, comme pour leur montrer son embarras et les consulter. Plus un chef est haut placé dans la hiérarchie, moins ses opinions sont discutées. Faisant fi de toute fierté, il lui revient alors de donner, à chaque occasion, des signes d'hésitation et de balancement, comme preuve de sa modestie et de ses dispositions à assumer un pouvoir issu tout entier de la volonté collective...

— Pour la première question, je dis qu'il n'y a aucune difficulté, articula-t-il finalement. Le camarade Douch, ici présent, veillera lui-même à ce que les deux personnes ne soient plus traitées comme des prisonniers.

Il se tourna pour interroger Douch du regard, qui confirma son accord total en opinant fermement de la casquette.

— En ce qui concerne la seconde demande, poursuivit-il, nous ne pouvons pas répondre tout de suite... Chaque chose en son temps. Aujourd'hui, nous autorisons le camarade français à quitter la zone libre. Nous n'avions pas imaginé qu'il faudrait aussi l'autoriser à revenir... hein ? Cette requête n'est pas habituelle ! Hein ? N'est-ce pas ?

Son visage enjoué tournait dans tous les sens, puis se ternit au bout d'un moment, et il continua sur un ton nasillard, à peine audible :

— Pour l'instant, nous ne pouvons que lui recommander d'être patient et d'attendre que la victoire éclatante du Front uni national du Kampuchea sur les impérialistes d'Amérique et leur clique (tapement instinctif du pied), grâce à la grande et vaste solidarité des peuples frères, unis en une seule chair, amène l'indépendance, la paix, la neutralité, l'intégrité territoriale et la démocratie. Alors, le camarade... Bizot pourra aller dans les villages à son aise! Hein? Mais douterait-il de cette victoire qu'il veuille poursuivre ses recherches sans attendre?

La balle était dans mon camp et les regards sur moi.

— Que puis-je répondre, camarade? demandai-je en riant. Je...

Ma réplique ne le satisfit point. Il m'interrompit sèchement, toujours souriant, mais sans plus me regarder, les yeux grands et fixes :

— Qui va gagner? Hein! Est-ce que ce sont les Lon Nol? Je demande si, à l'inverse, le camarade... ici présent pronostique une victoire des forces armées populaires, qui sont en trois parties, à savoir, les troupes Chhlop du village, les troupes Damban du district et les troupes Sruoch de la province. Grâce à leur esprit révolutionnaire et patriotique, grâce à leur amour et à leur respect du peuple, à leur haine de l'ennemi, elles osent frapper et vaincre n'importe quel adversaire! Elles forcent l'admiration du monde entier, en luttant contre toutes les manœuvres et agressions des impérialistes américains. Vont-elles donc réussir ou non à renverser la dictature de leurs valets, avec Lon Nol-Sirik Matak en tête? Voilà ma question!

La dernière phrase avait été prononcée avec irritation, et prolongée par une série de petits rires arrogants. Puis, le buste renversé sur le dossier de la chaise, les mains croisées sur la poitrine, il regarda ses compagnons d'un air jovial et satisfait, passant indistinctement de l'un à l'autre en bougeant nerveusement les sourcils. Je me sentis accablé de confusion et le rouge me monta au front.

— Camarade, répondis-je avec gêne. Je voudrais d'abord m'excuser auprès de tous les grands-pères ici présents et demander : suis-je autorisé à parler franchement ? Le grand grand-père me questionne. Attend-il de moi que je m'exprime sans crainte, selon mon cœur ?

— Que le camarade parle ! répondit-il en prenant ses voisins à témoin. *At oy té !* Nous sommes entre amis, hein !

Douch avait les coudes posés sur la table et restait la tête figée entre les deux épaules, sans regard et sans voix.

— Eh bien, camarade... je dirai ceci : à mes yeux, le courage des Khmers est sans égal, dans un camp comme dans l'autre. Mais les soldats recrutés par Lon Nol sont transformés en GI ! Ils sont mal entraînés aux conditions d'une guerre de position et de harcèlement... En fait, ils évitent par-dessus tout de quitter la route et de s'aventurer dans la rizière, pour ne pas salir leurs beaux rangers qu'ils ont ordre d'avoir toujours bien lustrés !

Ma boutade détendit l'atmosphère, et je vis Douch reprendre sa respiration, au milieu des rires et des approbations.

— En outre, poursuivis-je, si leurs avions mitrailleurs font un bruit effrayant, ils sont inoffensifs. Ils volent trop haut, par peur de s'exposer en volant trop bas... Quant aux canons, ils servent seulement à tuer des civils dans les villages !... Pourtant, camarade, j'ai peur pour le Cambodge. Peur, car, à chaque victoire d'un camp contre l'autre, ce sont toujours des Khmers qui meurent. Peur aussi, parce que les frères vietnamiens qui soutiennent la guérilla cambodgienne seront tentés de ne plus jamais partir... Je pose la question : l'indépendance du Kampuchea n'est-elle pas fragile, au regard de ses voisins vietnamien et chinois ?

Le Khmer rouge m'avait écouté sans sourciller, quoique distrait, en apparence. Il répondit aussitôt :

— Les frères qui entrent au service des agresseurs impérialistes pour se retourner contre leurs propres frères sont des traîtres qu'il faut combattre et éliminer. Pour ce qui est des troupes vietnamiennes, ça ne dépend que de nous, hein ! Elles resteront aussi longtemps que nous le leur demanderons, et pas plus. Quant au petit Kampuchea face à ses grands voisins, eh bien, je réponds ceci : il existe des modèles édifiants, dont nous pouvons nous inspirer, comme, par exemple, l'Albanie. Le succès éclatant de la République populaire d'Albanie montre qu'un minuscule pays peut parvenir à imposer au monde entier son autonomie et son indépendance, quand ses dirigeants représentent réellement la nation et le peuple, et qu'ils érigent à l'intérieur de ses frontières le droit de la liberté et de la démocratie.

Puis, avec un air de tomber de la lune, il se tourna vers moi et demanda, sur un ton courtois :

— Le camarade a-t-il d'autres désirs à exprimer ?

— Non, répondis-je avec empressement, soulagé de voir que nous changions de terrain.

— *Bane...*

Une myriade d'insectes virevoltaient autour de nous, les plus gros tombant sur la table. Le grand chef posa avec curiosité son regard sur un hanneton retourné, qui vrombissait en faisant briller l'éclat métallique de ses élytres grands ouverts, puis releva la tête avec vivacité. Allongeant le menton, il pinça dans son cou un poil de barbe entre deux ongles et l'arracha brusquement.

— Nous avons, quant à nous, quelque chose à demander, lâcha-t-il finalement, tout en frottant distraitement du bout des doigts l'endroit où il avait tiré. Est-ce possible ? Hein ?... Pouvons-nous lui confier une affaire ? Toutefois : le camarade doit se sentir libre de refuser ! C'est capital !

— Bien sûr ! répliquai-je immédiatement, ne sachant pas ce qui allait encore me tomber sur la tête. *Bane !* D'avance, je suis d'accord...

De ses yeux minuscules, au fond des poches gonflées sous l'arc tendu de ses paupières, le Khmer rouge me fixa d'une façon théâtrale.

— ... *At oy té !* répétai-je en riant timidement.

— Eh là ! Le camarade est déjà d'accord, sans même savoir ce que nous voulons !

Prenant ses compagnons à témoin, il s'amusait en répétant à la ronde : « Hein ? Ça alors, hein ! », avec l'air de dire : «Voilà un consentement bien téméraire ! »... Puis il expliqua :

— Nous avons pensé confier des documents au camarade... Bizot, afin qu'il les remette à son pays. Car il est très difficile pour les maquisards de transmettre quoi que ce soit à Phnom Penh. Nous y avons beaucoup d'amis, qui soutiennent notre révolution en vue d'une victoire définitive contre l'agresseur fasciste et raciste, mais il est dangereux pour eux d'acheminer des documents confidentiels vers une ambassade. Ils n'osent pas. Est-ce que le camarade ici présent pourrait se charger d'une telle mission?

— Oui. *Bane. At oy té!*

— Ah! s'étonna-t-il alors, comment peut-il être si sûr? Ne risque-t-il pas d'être fouillé?

De fait, ce que me demandait le Khmer rouge revenait à me faire traverser le front avec un camion chargé d'explosifs.

Puis il insinua, l'air de dire « n'aurait-il pas finalement des accointances avec la CIA pour être si confiant? », avec un sourire inexprimable qui allongeait le voile bridé de ses yeux :

— D'où vient cette absence de crainte?

— Je ne sais pas, rétorquai-je. Mais il ne faut pas trop m'interroger et me poser de questions... Pour l'instant, c'est le camarade aîné qui me fait peur! Je veux bien transmettre aux autorités françaises des documents, dans la mesure où ils ne sont pas trop volumineux, bien sûr; il faudrait que je puisse les dissimuler sur moi... Je pense, j'espère! que je ne serai pas fouillé. Voilà! C'est tout.

Je croisai le regard de Douch, posé sur moi avec fierté.

Le chef, tout absorbé par son jeu, avait fait apparaître, entre ses sourcils, un pli léger qui révélait une agitation forte dans les pensées. Finalement, sans se tourner, il tendit sa main vers l'homme qui était à sa droite, et celui-ci y déposa une enveloppe qu'il me remit. Elle renfermait une pochette contenant des photos et un fascicule d'une trentaine de pages en khmer, intitulé : *Programme politique du Front uni national du Kampuchea*. Les photos montraient des soldats khmers rouges au garde-à-vous, avec différents types d'armements modernes, ainsi que plusieurs portraits de hauts responsables, dont ceux des camarades Hou Youn et Hu Nim, ministres du GRUNK et chefs de la résistance, que la propagande adverse disait avoir été assassinés par leurs propres frères communistes, mais qui étaient en fait bien vivants, me dit-on. Je mis le paquet dans ma chemise.

Une ambiance de fin de repas tomba sur la table. Nous nous regardions les uns les autres, hochant la tête avec approbation. Mes hôtes fumaient et se curaient les dents. Un des voisins du chef se pencha sur la table pour s'enquérir aimablement :

— Les objets personnels du camarade sont-ils tous bien rentrés en sa possession ?

Je m'empressai de le rassurer, mais Douch intervint en riant :

— Oui, mais le camarade Mok est très fâché... maintenant il n'a plus de montre !

La pique fit s'esclaffer tout le monde, à commencer par Ta Mok lui-même, que je n'avais pas identifié. Il remua sur sa chaise, avec un rire bon enfant, qui découvrait ses caries.

Un homme parut dans l'embrasure de la porte, légèrement incliné, les mains croisées au niveau du bas-ventre, sans rien dire. Douch se dressa à moitié sur sa chaise, avec un air interrogateur. Le chef se retourna et lança :

— Ça y est, hein ? La voiture est prête ? Bon. Allez ! Il faut y aller, me dit-il.

Douch sortit aussitôt. Je serrai la main de tout le monde. Un break 404 blanc attendait devant la porte, éclairé par la lune. La lueur argentée qui tombait de son cercle nu et pâle, accroché dans une région du ciel d'où descendait, à cette heure de la nuit, l'humidité glaciale de l'hiver, dessinait des zones d'ombre douce dans les clairs-obscurs qui baignaient la place. Les étoiles étincelaient. Les pauvres contours en gris, qui se dressaient autour de nous sur le sol, apparaissaient misérables. Des arbres à l'abandon érigeaient le profil dénudé de leurs branches.

Le véhicule n'avait ni lumière ni pare-brise, et son côté droit était défoncé sur toute la longueur de la caisse. Le chauffeur attendait debout de l'autre côté, retenant la seule porte qui s'ouvrît encore. Douch s'y engouffra le premier et me fit asseoir à côté de lui, sur le siège arrière, dont les ressorts défoncés nous maintenaient à peine au-dessus du plancher. Prenant place sur le plastique taché, s'offrirent spontanément à moi, comme au travers d'un rêve, les images atroces du désespoir des derniers occupants de ce pauvre taxi, au moment où il avait été saisi sur la route, probablement au cours d'une embuscade. Un homme armé monta à l'avant et sortit sa tête par le toit ouvrant. Les chefs khmers rouges étaient regroupés devant la porte du restaurant. Ils agitèrent leur main en signe d'adieu, quand la voiture démarra.

Nous nous engageâmes, cahin-caha, sur la piste défoncée. L'absence totale d'amortisseurs rendait notre progression laborieuse, mais le conducteur connaissait bien la route et naviguait en zigzaguant entre le fossé et la rizière.

— Es-tu rassuré, maintenant? questionna Douch.

— Oui, répliquai-je. Merci, camarade. Je te dois la vie.

Nous étions tous les deux accrochés au dossier de la banquette avant, ballottés et bringuebalés en tous sens.

— Je n'ai fait qu'agir en accord avec ma conscience, se défendit-il, et dans une complète certitude.

— Camarade, m'exclamai-je, comment peux-tu en être si sûr?

— Il fut possible de contrôler ce que tu disais, grâce à la présence de Lay et Son que je pus interroger longuement et séparément... De toute façon, à mon modeste niveau, je n'ai fait que donner un avis, en tentant d'influer sur la décision finale, certes.

La Peugeot s'arrêta, plantée dans une ornière, les roues arrière dans le vide. Nous descendîmes, autant pour pousser que pour alléger le châssis.

— Comme je te l'ai dit, lui rappelai-je, je vais essayer de faire parvenir jusqu'à toi des médicaments. Je ne sais pas encore comment, mais ça devrait être possible... À qui dois-je les adresser? Au camarade Douch, tout simplement? Je ne connais même pas ton nom complet...

— Tu peux le faire précéder des initiales S. M. [1], si tu veux, répliqua-t-il.

— Puis-je te faire parvenir quelque chose d'autre dont tu aurais besoin ? N'hésite pas, camarade, c'est le moins que je puisse faire.

Douch réfléchit longuement et finit par me dire, avec les yeux d'un enfant qui écrit au Père Noël :

— La collection complète du *Capital* de Marx, mais c'est sans doute trop volumineux et trop cher…

Nous arrivâmes dans un village vide, où des hommes nous attendaient sur le bord de la piste. L'un d'eux s'approcha en hésitant, et dirigea sur nous le faisceau usé d'une lampe électrique. Le chauffeur descendit de voiture.

— Nous sommes arrivés, me dit Douch. Tu vas maintenant continuer seul. Des guides vont se relayer pour te conduire d'étape en étape, jusqu'à Oudong. Bonne chance, camarade !

Nous nous donnâmes une accolade fraternelle, et nos chemins se séparèrent.

---

1. En fait, S.M. sont les initiales de *sama mit*, « camarade de même rang », « camarade compagnon ».

9

Gérard Serre manifestait naturellement les qualités du diplomate circonspect. Il avait été nommé chargé d'affaires au Cambodge, après le rappel de l'ambassadeur Dauge à Paris, à la suite de la chute de Sihanouk en 1970. Son épouse, Charlotte, était une femme agréable et élégante. Je ne connaissais encore ni l'un ni l'autre. Pressé de me débarrasser de l'enveloppe que les Khmers rouges m'avaient confiée, et que je gardais anxieusement sur moi depuis la veille, je décidai d'aller sonner, sans attendre, au portail de la somptueuse villa coloniale qu'ils occupaient, face au Phnom.

J'avais marché toute la nuit. Le dernier Khmer rouge du relais mis en place pour me guider sur les pistes m'avait laissé finir seul et franchir, au lever de l'aurore, le poste avancé des lignes gouvernementales, sous le regard ébahi des sentinelles, qui me laissèrent passer sans réagir, à plat ventre dans leurs fortins de terre. Je m'étais aussitôt engouffré dans un bus bondé, et j'avais franchi sans encombre les deux barrages routiers qu'il fallait traverser pour entrer dans la capitale. Des soldats étaient montés et avaient fouillé tous les sacs, sans rien me demander, quoique, au vu de ma barbe, de mes cheveux longs et de mes vêtements usés, ils eussent à plusieurs reprises jeté sur moi des regards suspicieux… Puis j'avais marché dans la ville avec une lenteur extrême, mesurant les mètres, respirant profondément entre chaque pas, sachant le moment unique, jouissant le plus longuement possible du retour à la vie. Je regardais les gens se déplacer dans la rue. Mon cœur bondissait. Je vivais en un temps nouveau, surtout par les distances dont j'avais gardé un souvenir différent. À certains endroits, par exemple en traversant l'esplanade du Palais royal où je me promenais souvent avec Hélène, le passé venait s'insérer dans le présent à la façon d'un labyrinthe. Arrivé devant ma maison, j'étais resté immobile, guettant, du trottoir d'en face, les signes de vie qui pouvaient en émaner à travers les fenêtres ou la porte, retrouvant des bruits familiers. J'avais contemplé la terrasse à colonnes de l'entrée où j'aimais m'asseoir pour lire. Quant aux arbres du jardin, dont je me rappelais encore nettement les contours, j'avais remarqué au premier coup d'œil que le petit latanier qui avait tant de mal à partir érigeait une palme nouvelle et que déjà l'érythrine élaborait au bout de ses branches dénudées son incomparable incarnat. Lorsque, m'ayant aperçu, depuis le balcon, de ses yeux perçants, une des filles avait tout à coup donné l'alerte, après une longue hésitation qui lui avait fait froncer comiquement les sourcils. J'entrai par la petite porte latérale, que le jasmin en fleur repoussait de ses molles ramilles, et il me sembla que je n'avais jamais senti si puissamment, si profondément son parfum. Submergée par l'émotion, la mère d'Hélène était tombée en syncope. Hélène ne m'avait pas reconnu ; elle avait eu peur et s'était mise à pleurer.

J'avais aux pieds les « claquettes », dont pendant tout ce temps j'avais pris un soin infini. La plante de mes pieds immobiles s'étant couverte d'une peau si fragile, tous les scénarios d'évasion que j'avais secrètement fomentés, et qui m'avaient donné le courage de survivre, s'étaient appuyés sur leur existence. Elles étaient devenues talismaniques. C'est à elles que je m'étais accroché éperdument pour résister aux flots tourbillonnants du désespoir. J'avais juré de les garder toujours si j'en réchappais. Aussi ma stupéfaction fut sans limite quand je découvris que, dans la confusion des embrassements et des larmes de mon retour, elles avaient disparu. Par un étonnant hasard, Jean Boulbet, l'ethnologue, mais aussi le collègue très distrait, était à la maison ce jour-là, et s'apprêtait à rentrer chez lui à Battambang : il les avait enfilées par distraction et s'en était allé. Il n'avait pas un instant soupçonné dans le caoutchouc la détresse de mes pleurs, l'affolement de ma solitude, l'immensité de ma terreur...

Absorbé par les effusions auxquelles, après une si longue séparation, nous nous étions tous abandonnés, je n'avais encore rien mangé, lorsqu'en début d'après-midi j'entrai chez le chargé d'affaires. J'étais accompagné de Bruno Dagens, le collègue de l'EFEO qui s'était occupé de prévenir ma mère, et qui, sans faille, avec Michel Brunet, avait pris soin de ma famille pendant mon absence. Au milieu d'un beau jardin, les escaliers de la villa montaient sous un péristyle que cachait en partie le pourpre vif d'un massif de bougainvillées.

En ce lendemain de Noël, M. Serre était encore à table avec son épouse, et notre visite impromptue les surprit au dessert. Interloquée par ma libération, à laquelle, à vrai dire, plus personne ne croyait, autant que par mon apparition-surprise chez elle, alors que j'avais encore sur la peau des restes de ma captivité, sa femme s'empressa auprès de moi, me regardant avec compassion, insistant avec la plus grande gentillesse pour que nous nous asseyions et que nous prenions le café avec eux. Je déclinai immédiatement le café, arguant de mon ventre vide. Honteuse et confuse, elle se précipita à la cuisine, s'accusant à haute voix de toutes les négligences, et revint désolée de ne pouvoir me proposer que les restes de leur repas. L'idée me parut splendide et je me mis à table, dans la belle salle à manger d'un bleu très pâle, à laquelle on accédait en passant par deux colonnes galbées, dont les chapiteaux de feuilles de palme formaient d'élégantes volutes sur le plafond haut. Le bèp m'apporta des couverts, puis les restes délicieux d'un potage de légumes et d'un canard à l'orange, assez copieux pour

210

rassasier l'ensemble de mes ex-compagnons de chaînes, restés à Omleang...

On me servit le potage. Il était froid. J'en éprouvai un tel désappointement que je réagis en me jetant promptement sur le canard, repoussant l'assiette creuse sur le côté, sans la finir. Cette scène éhontée me fait maintenant rougir mais, sur le coup, je ne vis rien d'anormal à refuser une soupe qu'on n'avait pas pris la peine de réchauffer. D'ailleurs, ma réponse à l'interrogation gênée de Mme Serre fut directe :

— Non, c'est froid ; mais le canard est très bon.

Je n'étais pas vraiment vexé, mais dépité par la désinvolture du cuisinier qui n'avait pas eu conscience de l'impact que cette négligence pouvait avoir : elle touchait au rapport sacré que j'avais appris à entretenir avec la nourriture, pendant ma détention. À cet instant solennel de ma reprise de contact avec l'existence, le repas s'était hissé pour moi au rang d'une divinité dont je ne voulais pas expédier l'office. J'y avais trop douloureusement sacrifié pendant des mois, pour me contenter aujourd'hui d'engloutir indifféremment une soupe froide, comme si cela n'avait aucune importance, comme on le fait habituellement dans les vies normales, en en plaisantant avec courtoisie.

Mon réflexe, presque grossier à l'égard de mes hôtes, qui n'avaient envie que de me faire plaisir, provoque la réflexion. Au-delà de la simple impolitesse dont je fus l'auteur, et que la maîtresse de maison eut l'élégance de ne pas relever, il faut lire le mécanisme paradoxal qui fait de l'homme, après certaines privations, un être exigeant, sophistiqué à l'extrême, peu disposé à gaspiller ses compétences vitales, sa capacité à être heureux dans les gestes les plus simples, entêté dans son aspiration à une véritable qualité de l'existence qu'il devra mener désormais dans la conscience de l'éphémère, selon des règles nouvelles, non formulées, mais qui se manifestent dans ce type de situations.

Je me souviens en particulier d'un épisode qui surviendra cinq ans plus tard, en 1976, lorsque, après la prise de Phnom Penh et l'exode de tous les étrangers hors du pays, j'étais allé m'installer dans le nord-est de la Thaïlande, où je rencontrais assez régulièrement quelques-unes des personnes, bénévoles pour la plupart, qui venaient en aide aux réfugiés khmers du camp de Khap Chhoeung. Fuyant les affreuses tueries des Khmers rouges sur lesquelles l'Occident continuait doctement à fermer les yeux, des paysans débouchaient sur le plateau de Korat, par troupeaux de vingt ou trente, les mâles devant, les femelles avec les petits derrière. Leurs pieds nus exhibaient des griffes pleines de terre. Le souffle hâtif et saccadé, le cuir écorché par les épines et les branches, dépourvus d'expression, prêts à repartir dans la seconde, ils surgissaient d'une forêt qu'ils avaient dû traverser à la course pendant les derniers kilomètres. Ils avaient miraculeusement échappé aux guetteurs qui les avaient pris en chasse à la frontière, les obligeant dans leur fuite à abandonner, çà et là, un blessé, un baluchon, un enfant qu'ils ne pouvaient plus porter...

Un jour, une dizaine de ces fugitifs exsangues repoussèrent le riz qu'on avait apporté dès leur arrivée au camp, sous prétexte qu'il n'était pas bon! C'était du riz des secours américains, tout à fait consommable, mais sans goût. Les témoins de cette scène, des permanents d'une ONG qui travaillaient sur place — capables, eux, d'avaler courageusement « n'importe quoi » —, butaient totalement devant le sens d'une telle attitude, d'autant plus incompréhensible qu'elle était le fait de gens qu'ils ne pouvaient pas suspecter de caprice. À l'époque, je ne sus pas leur dire qu'il faut être rassasié et serein pour manger sa soupe froide... Depuis l'homo sapiens, pour les crève-faim de tout poil, le besoin de bien manger est une nécessité biologique, un lien d'exigence à la vie. Grâce à Dieu, aujourd'hui, je peux à nouveau consommer des aliments mal préparés ou que je n'aime pas.

Mme Serre avait le goût des belles toilettes. Quelques années plus tard, en 1975, après cette première rencontre au cours de laquelle j'avais remis le terrible paquet à son mari, au moment de l'entrée des maquisards dans Phnom Penh et de leur victoire sur les gouvernementaux, j'allais m'en rendre compte avec émerveillement, et en faire profiter une jeune Vietnamienne...

Le 17 avril 1975, les premiers Khmers rouges pénétrèrent dans la capitale par le nord, longeant des avenues immobiles. La veille au soir, le nouveau vice-Premier ministre, Son Excellence Hou Hong, nommé pour remplacer Long Boret, avait annoncé à plusieurs reprises, sur les ondes de Radio-Phnom Penh, la reddition de l'armée. Une fois lancé, l'ordre était irrévocable. Les défenseurs de la ville, armés pour tenir des mois, avaient été immédiatement atteints à la source même de leur force.

Je me souviens que ce choix d'un accès par le nord, qui faisait passer les vainqueurs devant notre ambassade, réjouissait le consul nommé en charge des affaires. C'était, selon lui, un signe évident des révolutionnaires à notre endroit, reconnaissants des positions soutenues par la France en leur faveur. L'interprétation qui avait cours chez nous à l'époque était celle d'un soulèvement populaire orchestré par les Khmers rouges contre l'intervention américaine au Cambodge. La complexité de la situation cambodgienne, l'ignorance et l'incompréhension de l'Occident face à ce pays atypique que ses représentants les plus illustres semblaient trahir, enfin l'idéologie dominante encline à prendre la défense des opprimés, tout concourait à ce que l'on interprète les faits à la lumière des événements du Vietnam. La plus grande confusion cependant régnait dans les esprits. Il me revient par exemple que, le lendemain, alors que la file ininterrompue des maquisards pénétrant dans la ville se tortillait, hésitante, devant le portail, un des responsables marchant sur le côté avait harangué ses hommes de cette façon (je me tenais juste derrière la grille avec l'un des gendarmes) :

—Attention! C'est l'ambassade d'Amérique : il ne faut pas toucher aux pneus des voitures dans la cour...

Dans les rues de la capitale, les véhicules abandonnés en tous sens étaient déjantés par les arrivants qui découpaient le caoutchouc pour fabriquer de nouvelles sandales (dites « Hô Chi Minh ») et remplacer sur-le-champ leurs semelles usées. Les soldats khmers rouges, tous très jeunes, avançaient sans aucun plan des lieux, demandaient leur chemin et acceptaient avec pusillanimité l'eau et les mets que des citadins leur offraient au passage. Ni eux ni les chefs qui suivaient n'avaient imaginé entrer dans Phnom Penh sans des pertes énormes ni de longs mois de siège. D'autres arrivaient maintenant par les différentes voies d'accès de la capitale, et tous se rencontraient au centre, sans consignes précises, ne sachant où se rendre. Les habitants les regardaient, perplexes, et parlaient avec eux. Ils découvraient des enfants, équipés d'un matériel si rudimentaire que les soldats de Lon Nol, très entraînés, suréquipés, et qui avaient reçu l'ordre de se rendre, en riaient et pleuraient tout à la fois. La cohue provoquée par le rassemblement des Khmers rouges se heurta, en sens inverse dans les rues, au départ des paysans réfugiés qui n'attendaient que ce moment pour regagner leurs villages. Au même instant, ordre était donné à tous les habitants de quitter la ville avant « les bombardements américains »... C'était la méthode communiste du mensonge délibéré, auquel personne ne croit, mais que tout le monde accepte. Des soldats en noir se frayaient un passage dans la multitude, assis dans des voitures réquisitionnées avec leur conducteur, répercutant au haut-parleur l'ordre impérieux d'évacuer. En aval des longues avenues ombragées de Phnom Penh se formaient d'immenses encombrements. La foule s'amassait devant des barrages improvisés où il fallait abandonner tout véhicule et ne garder avec soi que ce qu'on pouvait porter sur les routes.

Quelques jours plus tôt, du haut de la cathédrale, on avait vu brûler les environs. À distance d'une petite étape à pied, au nord de Tuol Kok, résonnait le feu des artilleries, lentes accumulations d'éclatements, propres à inspirer la peur. D'épaisses taches de fumée se dissipaient lentement dans le ciel. Le bruit des combats arrivait avec un temps de décalage. Au loin, des hommes se poursuivaient, comme pour s'achever au poignard. De part et d'autre, les combattants avaient perdu toute mesure. Ils se considéraient à peine entre eux comme des êtres humains, et leurs cadavres, qu'on rapportait du front, étaient déchirés des blessures que seule une rage aveugle porte à l'ennemi déjà mort. Certains de ces corps appartenaient peut-être à des hommes du même village, quand ce n'était pas de la même maison, que celui qui les avait mutilés, sans les reconnaître. Chaque famille, dans les zones libérées, avait dû donner un fils vivant à la Révolution; de son côté, l'armée du général Lon Nol assurant à toute recrue une solde suffisante pour compenser le manque à gagner dû au départ des deux fils, le frère se retrouvait armé contre son frère... À la faveur des incursions de commandos, les habitants des villages brièvement occupés étaient enlevés.

Nul n'en revenait; et ce que nous entendions rapporter sur leur destin nous remplissait le cœur d'effroi.

À Phnom Penh, plus de deux millions de réfugiés campés sur les trottoirs épluchaient, depuis des mois, l'écorce des grands kokis centenaires, plantés au bord des rues, pour cuire chiens et chats à même l'asphalte. Les chars à touche-touche des divisions d'élite, encore intactes, formaient plusieurs ceintures infranchissables...

Une centaine de roquettes tombaient tous les jours sur la ville. La veille, on avait compté plus de deux cents morts. Deux d'entre elles, coup sur coup, avaient atteint l'hippodrome où se pressait une foule dense. Après l'explosion, les gens dans la rue heurtaient sans comprendre des groupes de blessés hors d'haleine, aux vêtements déchirés. Dans le même instant, devant le Palais royal, flânait une foule paisible, élégante, le long du Tonlé Sap. Telle était la constante réalité de ce conflit.

Je rejoignis moi-même l'ambassade, le 19 avril, après midi. Le campus était plein; trois mille personnes, peut-être plus, entassées partout, sous les arbres, dans les bâtiments, dans les couloirs des services, sur le parking entre les voitures et dans les voitures... Les représentants du PNUD, de l'UNICEF, de l'ONU, de la Croix-Rouge internationale s'étaient installés dans la résidence de l'ambassadeur; les correspondants de presse et le groupe des Médecins sans frontières occupaient les salles de réception; la communauté française campait dans les vastes locaux du

Centre culturel ; les agents du poste avec leur famille, de même que les consuls honoraires d'Espagne, d'Italie, de Belgique, s'étaient réfugiés dans la chancellerie. Quant à la multitude des Cambodgiens, des Vietnamiens, des Chinois, etc., elle s'était approprié les dépendances du campus, la totalité du parc et chaque espace sous les auvents.

J'avais téléphoné pour prévenir le chargé des affaires consulaires, Jean Dyrac, dernier responsable des lieux, et demander que les gendarmes qui contrôlaient l'accès du périmètre si convoité soient avertis de mon arrivée. De l'École, j'apercevais une telle concentration de véhicules abandonnés devant le portail de l'ambassade que je n'étais pas certain de pouvoir y accéder.

Ma volonté avait été de tenir jusqu'au bout le poste de l'EFEO, où je m'étais barricadé seul, fier comme un capitaine qui ne se décide pas à abandonner son bateau. Avi, le chien, avait aboyé toute la nuit, alors que des Khmers rouges incendiaient en face de chez nous la maison de Bernard Prunières, le conseiller culturel, qui avait dû, deux mois plus tôt, comme la plupart des autres fonctionnaires, quitter de force la place assiégée. Des bandes de rôdeurs escaladaient les tôles du jardin pour piller la villa de l'École qu'ils croyaient vide. Depuis la veille, un corps égorgé bloquait le portail de l'entrée principale...

Hélène était en France. Je l'avais confiée aux derniers coopérants qui avaient reçu l'ordre de partir. Sa mère, les filles de la maison, le personnel de l'École et leur famille, les boys de Prunières, quelques voisins, tous s'étaient regroupés dans le bâtiment de l'EFEO et avaient finalement décidé de prendre la route ensemble, craignant d'attirer l'attention des hordes khmères rouges qui se concentraient dans les rues, ordonnant à la population, dans des porte-voix, d'évacuer la ville.

Le matin même du 17 avril, vers huit heures, Son Excellence Hou Hong, ministre d'État chargé des Cultes, faisant office de Premier ministre, m'avait téléphoné pour demander, sans y croire, l'asile politique à l'EFEO, arguant que le poste, sur un terrain français, bénéficiait de l'extraterritorialité. C'était l'ancien gouverneur de Siemreap, un homme d'une grande honnêteté de caractère, avec lequel j'avais lié amitié, au fil des années. Ce passionné de philologie pouvait rester des heures, debout dans une cour de pagode, à chercher une référence dans un manuscrit, sans voir le jour tomber... Nous passions ensemble de longs moments à travailler sur les textes. La confiance qu'il me témoigna fut un bien précieux qui compte encore pour moi aujourd'hui.

Hou Hong arriva un peu plus tard, conduit dans une 403 noire, et la mère d'Hélène l'accueillit, au milieu du chaos, avec tout le respect dû à son rang. Il s'installa dans la bibliothèque. Mais lui aussi prit finalement le parti de s'en aller, en me laissant un sac :

— *Lok* Bizot ! Voilà... Dans ce sac : les objets que je tiens de mon père, de mon grand-père, etc., depuis Angkor. Ce sont les statuettes en bronze, en or, les cornes, les *khuc*, les défenses, les mires, les poignards, les conques, les boîtes..., tout ce que tu as déjà vu sur mon autel, à la maison, à Siemreap. Aujourd'hui, mes fils sont en fuite et marchent vers leur destin... Paix à leur âme ! Conserve ces précieuses reliques pour moi, si tu le peux. Et s'il m'arrive ce que je crains, garde-les pour toi... si tu le peux !

Je fis un bout de chemin avec lui, au milieu de la cohue intense des réfugiés qui se pressaient pour fuir.

— Ne reste pas avec moi plus longtemps... me dit-il, c'est dangereux. Rentre, maintenant !

Hou Hong fut massacré au kilomètre 6, sur le bas-côté de la route, au premier barrage où il s'était présenté, sans cacher son identité.

Quelques mois plus tard, dans la banlieue de Bangkok, alors que je partageais une maison vide avec Boulbet, je reçus la visite de Dufieux, un ancien du Cambodge parti avant les événements, qui savait où la femme de Hou Hong habitait, en France. Je lui remis immédiatement, non sans éprouver une certaine hésitation en mon for intérieur, les quelques objets du précieux héritage que j'avais réussi à sortir du pays, avec d'autres affaires, dans l'unique valise autorisée. Or, au cours des jours qui suivirent, nous fûmes cambriolés par des voyous thaïs qui emmenèrent le peu que nous possédions encore...

À l'aube du 19 avril, une dizaine de soldats avaient défoncé le portail de l'EFEO à coups de crosse. La maison de l'École était la seule du quartier à être encore intacte. L'âpre rumeur de la nuit pleine d'ombres m'avait tenu éveillé, dans un recoin de l'entrée de la villa. Le chien aux aguets n'avait pas cessé de gronder. Explosions lointaines, échos impossibles à identifier, grincements de vélos ou de cyclopousses, murmures entrecoupés de râles, coups de feu sporadiques, injures vociférées, roulements sourds de jeeps, frottements sur les murs, éclats de voix dans la rue, raclements de roues de charrette... avaient fait surgir au tréfonds de moi-même des évocations terrifiantes qui obnubilaient encore ma pensée, quand je me précipitai pour ouvrir, avant qu'ils ne massacrent tout.

Ils envahirent aussitôt le jardin et les dépendances, puis pénétrèrent dans la maison, sans s'occuper de ma présence. C'étaient de vrais Khmers rouges, en pyjama noir et *krama*, avec une casquette verte qui allongeait leur visage; de vrais campagnards, sans morgue au front, mais à l'expression obtuse, et maintenant incapables de surmonter le sentiment de dégoût qui faisait bondir leur cœur à la vue d'un « valet des impérialistes ». Ils regardaient tout, ouvrant les placards, entrant dans les chambres, saisissant au passage un bibelot qu'ils retournaient dans leurs mains, avec un rire intrigué et innocent. L'un d'eux avisa, dans un coin du salon, le beau xylophone que j'avais ramené de Srah Srang, mon village, et sur lequel j'aimais à tapoter tous les soirs. Portant sa cigarette à la bouche, il la pinça dans ses lèvres en grimaçant, puis emprunta à son voisin un second kalachnikov; ce faisant, il s'agenouilla devant l'instrument, cala les crosses dans ses aisselles, et, s'aidant des tubes de canon comme de deux mailloches, il percuta les lames à grands coups d'œilleton, les faisant éclater en morceaux dans la pièce.

Pendant ce temps, une camionnette était venue se garer

à l'intérieur de la cour de l'École. D'autres maquisards, qui ne connaissaient pas les premiers — je les vis se renifler, sur le qui-vive —, entrèrent dans la bibliothèque et commencèrent à vider les rayonnages, jetant les livres par paquets dans la benne. Les collections du premier étage furent lancées des fenêtres. Regorgeant des précieux ouvrages que nous avions volontairement gardés à Phnom Penh, dans le souci de témoigner de notre attachement aux générations khmères du futur — parce qu'il était dans l'air du temps de nourrir la conviction que les intellectuels d'un pays auraient toujours besoin, communistes ou non, d'une collection d'ouvrages rares, traitant de leur propre histoire et de leur propre culture[1] —, la camionnette fit plusieurs voyages. Empêtrée dans ses contradictions, la France comprit trop tard que les Khmers rouges, qui ignoraient l'art de la laine, ne sauraient pas qu'il fallait tondre le mouton, au lieu de l'écorcher vif. Tous ces livres de l'École, laborieusement réunis et indexés par plusieurs générations de savants, furent brûlés avec d'autres, dans un pathétique autodafé qui n'excita qu'une poignée d'adolescents...

Avec les livres du premier avait été lancée, sur l'herbe du jardin, une poupée d'Hélène. Un des soldats la vit tomber, s'en empara à deux mains, et shoota dans ma direc-

---

1. Pourtant, le 12 avril, l'ambassade me transmit un télégramme de Paris, signé Jean Filliozat, le directeur de l'École, m'enjoignant, un peu tard..., de mettre en caisse tous les livres pour les faire partir en France.

tion. Je me tenais depuis une heure, tout pantois, debout sur les escaliers, et jusque-là je n'avais rien dit. Mais, devant la provocation, le hurlement d'une bête blessée sortit de ma poitrine. Sans savoir ce que je faisais, je chargeai le Khmer rouge médusé; le temps s'évanouit, et, au milieu de ma course furieuse, je cherchai une échappatoire. Arrivé sur lui, mes deux mains enserrèrent ses épaules pour le déplacer latéralement, avec précaution mais en démultipliant la force de ma poussée, et, les yeux pleins de fureur, je lui criai à la face :

— Camarade cadet! de quelle révolution te fais-tu ici le messager? Oserais-tu dire que c'est au nom de l'Angkar, et pour édifier un Kampuchea démocratique et prospère, que tu foules ainsi du pied le matériau si prisé du peuple travailleur et progressiste? Par cette insupportable arrogance, crois-tu servir la communauté et te rendre utile au peuple? Non? Eh bien, camarade, alors, circule! Ne piétine pas davantage les palmiers à sucre que j'ai plantés l'année dernière, en pensant aux enfants et aux petits-enfants que tu auras un jour! Ils leur procureront du sucre, du vin de palme, des fruits pour faire des friandises ou des médicaments, des fibres pour tisser, des écorces pour le travail de la vannerie, des piliers pour élever leurs maisons et des palmes pour les couvrir, des nattes, des cloisons, des solives, des lames de plancher, des pirogues... Sors! Ne reste pas là!

Pétrifié, le teint virant au gris, le Khmer que je semonçais se pencha et découvrit entre ses jambes la pointe fraîche des palmes d'un *borassus* qui sortait de la terre.

— Si tu te moques d'avoir des enfants! poursuivis-je, pense alors aux frères qui sont autour de toi, camarade, eux se sentent concernés!

Abasourdi par mon discours caricaturant le ton haché des chefs communistes, le soldat regagna l'allée. Ses compagnons, stupéfaits, avaient assisté à la scène sans bouger. Soulagé d'avoir enfin parlé mais, soucieux de conserver l'avantage de la surprise, je m'esquivai, fermant la porte derrière moi.

10

Les gendarmes m'attendaient de l'autre côté du portail.
Ils ouvrirent la grille aussitôt et je garai la voiture dans un
coin. J'avais bien fait de téléphoner. Il avait fallu dégager
l'entrée en déplaçant plusieurs voitures qui en bloquaient
l'accès. Dehors, une jeep pleine de soldats en armes stationnait sur le trottoir. J'arrivai au moment précis où la
première rencontre du responsable français avec des chefs
khmers rouges commençait. La réunion avait lieu dans une
salle du rez-de-chaussée de la chancellerie. Un agent du
poste vint à ma rencontre et m'invita à aller me joindre aux
personnes (journalistes, planteurs, missionnaires, consuls
honoraires, représentants d'institutions internationales,
délégués d'organisations non gouvernementales, responsables des Nations unies, enseignants, hommes d'affaires,
directeurs de société, etc.) qui se pressaient librement autour
de la table des négociations. Six représentants y étaient
assis : quatre Khmers rouges, le consul et un ancien prêtre
qui leur servait de traducteur. Il faisait dans la pièce, basse

de plafond, une chaleur accablante. Les directives du vice-président du « commandement du front Nord de Phnom Penh, chargé des étrangers » étaient énoncées d'une voix à peine audible, obligeant la nombreuse assistance à un silence total : premièrement, sur instruction du GRUNK, le commandement du front Nord s'efforcerait d'assurer la protection de l'ambassade de France, dont le site et tout le matériel devaient être considérés comme « butin de guerre » ; deuxièmement, seuls les détenteurs d'un passeport étranger étaient autorisés à demeurer dans l'ambassade et les Khmers entrés illégalement avaient ordre d'en sortir ; troisièmement, aucun étranger ne devait plus quitter l'enceinte protégée ; quatrièmement, ces instructions ne devaient être transgressées sous aucun prétexte ; cinquièmement, d'autres instructions suivraient. En fait, rien n'était prévu. L'état-major révolutionnaire était pris à l'improviste. Le problème de notre présence lui était tombé dessus comme une pierre de la lune.

Je m'approchai quand Jean Dyrac exprima à son tour la demande française, issue, dans l'immédiat, des nécessités de la situation. Le péril qui semblait menacer notre communauté hétéroclite, même si l'on ne pouvait exclure qu'il en cachât d'autres plus graves, surgissait, à ses yeux, du surpeuplement de notre campus : absence de boissons potables, absence de vivres, absence d'hygiène. Aussi, il demanda d'urgence des médicaments, de l'eau et de la nourriture. Et pour faire comprendre que nous n'avions pas de revendications déplacées, Dyrac précisa : « Du riz et du poisson sec suffiront ! » L'interprète traduisit littéralement les mots du consul, et nous vîmes alors le visage des Khmers rouges se fermer : la bouche raidie par un sourire contraint, ils demeurèrent silencieux ; ils butaient sur quelque chose. Un ange passa.

— Le peuple khmer, commença l'un des quatre, sous la direction de ses chefs historiques, est disposé à tous les sacrifices pour satisfaire les besoins exprimés par la respectable communauté étrangère. Cependant, il n'est pas encore arrivé au bout de la marche glorieuse qui doit le conduire vers la victoire finale contre les agresseurs américains et la clique Lon Nol-Sirik Matak à leur solde. Il livre depuis des siècles des combats acharnés contre l'occupant colonialiste et ses valets qui ont multiplié les manœuvres pour saper ouvertement les secteurs de l'économie. Aujourd'hui, il redresse la tête. Mais ses moyens restent très modestes. Il n'est donc pas sûr qu'il puisse répondre entièrement à la demande en trois points formulée par le représentant français, au nom de la communauté étrangère.

Le militaire qui débitait son chapelet de phrases toutes faites, se trouvait à côté d'un autre qui ne disait rien. C'était sur celui-là, cependant, que tous les regards se portaient : un Chinois osseux et sec, à la figure patibulaire, ornée de deux yeux en fente, reculés dans leurs orbites, et surmontés de sourcils presque invisibles à cause des stigmates de la petite vérole qui recouvraient d'une sorte de semoule grise son visage rose marbré. Il était effrayant ; un pur personnage de série noire. Nous devions le revoir une fois, puis plus jamais.

Une atmosphère de tension figea la salle. Pouvait-on, pourtant, imaginer mesures plus légitimes que notre modeste requête ? Dyrac ne comprenait pas, mais ressentait fortement le malaise. L'interprète, gêné lui aussi, répéta plus lentement les paroles du consul, insistant encore sur le poisson sec. Le malentendu s'éclaircit incontinent : il ne traduisait pas « poisson sec », mais « poisson fumé » ; d'une certaine manière, la demande était aussi déplacée que si nous avions réclamé du saumon fumé à des gens qui étaient au pain sec et à l'eau depuis des années ! Si n'importe quel poisson peut être mis à sécher au soleil, le *trai ngiet*, en revanche, était devenu une denrée rare. Il s'agissait d'une spécialité recherchée du Grand Lac, qui concernait seulement une ou deux variétés de poisson fort coûteuses et demandait une préparation compliquée.

— Camarade ! dis-je à haute voix et sans réfléchir plus avant. Il suffira que le poisson soit « sec », ou consommable de n'importe quelle autre manière. Cette question est sans importance !

Les Khmers rouges se tournèrent dans ma direction, presque soulagés, donnant de larges signes d'approbation. Jean Rémy, m'apercevant, me demanda d'approcher.

— Bizot ! lança Dyrac, venez vous asseoir avec nous.

Embarrassé d'être intervenu de manière impromptue, sans qu'on me l'eût demandé, je faisais mon possible pour laisser parler l'interprète. J'eus beau faire, nos interlocuteurs ne s'adressaient plus qu'à moi. Mon intervention, émanant d'un élan instinctif, avait été peu courtoise. L'homme connaissait parfaitement la langue khmère, et ce type de confusion était banal, sinon inévitable sous la pression des circonstances. Pourtant, je lui avais fait perdre la face. Il m'en tint personnellement rigueur. Telles furent les circonstances qui amenèrent les Khmers rouges et le consul à me désigner comme l'interprète officiel de l'ambassade et, finalement, comme la seule personne autorisée à en sortir.

Les nouvelles autorités de la ville, bien entendu, n'avaient pas de médicaments. Nous décidâmes d'utiliser le stock de l'hôpital Calmette, situé à un bloc de là, et que les médecins militaires français n'avaient toujours pas évacué. De l'eau nous fut apportée le lendemain, mais à l'aide d'un camion-citerne... qui avait contenu du mazout. Pour la nourriture, les Khmers rouges demandèrent quelques jours. En attendant, il m'incombait d'aller à la recherche des nombreuses ressources emmagasinées un peu partout dans la ville, et de ramener de quoi au moins nourrir la centaine de personnes qui, arrivées le premier jour sans provisions, n'avaient encore rien reçu...

La nuit tomba sans que je sache où j'allais dormir. Avi, un des derniers chiens du Cambodge à ne pas avoir été mangé, avait été récupéré par Jan Migot qui faisait bonne garde. Des bruits m'étaient parvenus, en effet, que ses cuisses musclées attiraient des regards brûlants de convoitise... J'allai finalement m'allonger avec lui dans le bureau du chiffre, où Michel Lorrine, le chiffreur, m'avait aimablement proposé de rester. Dehors, le défilé interminable des proscrits passait devant le portail, en sens inverse des colonnes armées qui continuaient d'affluer vers le centre.

Les combats faisaient rage près de la gare. On entendait résonner dans les graves le claquement des mitrailleuses lourdes.

Gouillon et Villevieille, les deux gendarmes de l'ambassade, indéfectibles, étaient à leur poste, se relayant jour et nuit. Comme ils ne parlaient pas khmer, nous étions convenus, entre tous ceux qui connaissaient la langue, d'une permanence nocturne pour leur prêter main-forte. François Ponchaud, un missionnaire que je voyais souvent passer à toute vitesse dans les rues sur un vélo de course, demeura les premiers jours constamment au portail, tant nous étions tous submergés.

La consigne était de ne plus laisser entrer personne, sauf les étrangers munis d'un passeport. Selon toute vraisemblance, en effet, les Khmers rouges, qui nous avaient tout de suite demandé de dresser la liste des étrangers réfugiés dans nos murs, jetteraient alors tous les autres sur la route. Il était à craindre que le sort de ces pauvres gens, en quelque sorte hors peloton, qui avaient tenté de se soustraire au diktat révolutionnaire en demandant asile à la France alors qu'elle n'était pas en mesure de le leur donner, fût encore bien pire que celui des autres Khmers. L'appréhension qui les avait poussés vers l'ambassade était une preuve accablante de leur défiance à l'égard du nouveau régime et donc de leur « culpabilité ». Beaucoup le comprirent tout de suite et résolurent de quitter la capitale sur-le-champ ; plus de deux mille personnes s'esquivèrent ainsi, sans demander leur reste.

Mais cette décision de ne plus accorder protection aux

Khmers, même s'ils étaient nombreux à le demander, en se plantant devant le portail, les doigts dans le grillage, jusqu'à ce que des Khmers rouges les en chassent, procédait aussi d'un autre calcul : nous voulions le plus longtemps possible gérer nos affaires à huis clos ; en d'autres termes, nous refusions tout contrôle policier khmer rouge, au portail et intra-muros ; et même nous voulions barrer l'accès du périmètre à tout soldat en armes. Bien entendu, les vainqueurs de Phnom Penh n'avaient signé aucune capitulation avec la France, et le régime d'extraterritorialité restait pour eux une fiction dont nous tentâmes vaguement d'expliquer l'existence juridique. Cette volonté d'isolement de notre part, disons, d'autonomie, n'avait donc de sens qu'avec leur concours. En réalité, elle était insoutenable, et je me demande encore comment nous parvînmes à l'imposer au début, et à en maintenir le simulacre ensuite, jusqu'au 6 mai.

Nous eûmes, en particulier, le plus grand mal à contenir la fureur des guerriers qui menaçaient de défoncer le portail au bazooka (comme à l'ambassade de Russie) pour entrer. Je devais alors courir de l'autre côté de la rue, demander de l'aide au camarade Nhem, le « vice-président » du front Nord de la ville, chargé des étrangers, qui avait assisté à la première réunion. L'homme, d'apparence débonnaire, pouvait avoir des colères terribles. Cela se lisait dans ses yeux petits et froids, toujours en opposition avec sa mine joviale. Il émettait en permanence ce contraste autour de lui, comme un signe qu'il fallait saisir, et personne ne s'y trompait.

Quand j'allais ainsi tirer la sonnette d'alarme à sa porte, je le regardais sortir de l'ambassade de Corée du Sud, où il avait installé ses quartiers, devant chez nous, et traverser le boulevard Monivong d'un pas nonchalant. D'un coup d'œil distrait, il mesurait le danger, s'approchait du gradé rendu fou par notre obstination, et posait sur lui, sans l'enfoncer, la pointe de son regard acéré et impénétrable. Il l'entraînait hors de la scène, le prenant par le bras ou gardant sa main dans la sienne, puis, au bout d'un moment, l'autre le quittait et continuait sa route en emmenant ses hommes, sans mot dire. Cet ancien professeur de la région de Battambang, doté de tous les pouvoir sur nous, se montra compréhensif jusqu'au bout. Pendant les vingt-deux jours où nous dépendîmes, heure par heure, de son bon vouloir, je ne saurais faire le compte des difficultés de toutes sortes qui furent réglées grâce à lui. À chacune de mes incessantes demandes, il hochait silencieusement la tête de droite à gauche comme s'il se refusait quelque chose, puis, sauf une ou deux fois, il donnait son accord, en me signant un bout de papier indiquant la consigne.

Cette période d'histoire de la France, si peu glorieuse soit-elle, bénéficia d'une autre circonstance heureuse : la nomination du consul Jean Dyrac, quelques mois plus tôt, à la tête du poste. Ancien résistant, arrêté et torturé par la police française obéissant aux ordres de la Gestapo (la « Brigades des anges » de Lyon), il fut instinctivement amené à prendre conscience du poids terrible de ses responsabilités ; il eut d'emblée une approche humble de la situation et créa autour de lui une cellule de réflexion, chargée de l'aider à décider sur tout, de manière collégiale. Les hommes qui composèrent par hasard cette assemblée n'étaient pas spécialement avertis, mais on est toujours mieux avisé quand on pense à plusieurs. Cette circonspection lui fut reprochée par certains comme un manque d'aptitude au commandement. Nous fûmes nombreux à penser, cependant, que toute attitude inverse aurait pu aisément transformer notre radeau de fortune en un champ de carnage.

Les médecins et le personnel de l'hôpital Calmette arrivèrent dans la soirée. Ils furent installés dans les salles de réception de la résidence, transformées en dispensaire, à la place des correspondants de presse qui furent déplacés dans les logements de l'ambassadeur. Lorsque j'entrai dans la grande pièce, pour parler un peu avec eux, Bernard Piquart, un chirurgien de mon âge, arrivé au Cambodge depuis peu, souffla entre ses dents :

— Chut ! on nous espionne...

Praticien déjà éminent et respecté en dépit de sa jeunesse, avec une bonne tête de chahuteur, le nouveau venu était malheureusement conscient de sa supériorité, au point qu'il en faisait un complexe. Nous nous étions croisés quelques mois plus tôt dans un cocktail, au moment où il était en train d'expliquer, sur un ton gouailleur, qu'il ne pouvait pas, lui, « professeur agrégé », avoir été envoyé de Paris pour succéder au docteur Lepelletier, son prédécesseur, dès lors que celui-là ne l'était pas. La précision, blessante et injuste pour celui dont il ne voulait pas avoir pris la place, était franchement ridicule dans le contexte de la situation. Je m'étais aventuré à dire qu'une telle précaution de sa part était à son honneur, car un chirurgien comme Lepelletier (c'est lui que j'étais allé réveiller pour sauver Bernard-Philippe Groslier, le conservateur d'Angkor, lardé de coups de poignard par un cambrioleur) ne se remplaçait pas, en effet, si facilement... Quelques jours après ce petit incident de la résidence, Piquart m'intercepta devant la chancellerie. Je vis ses yeux trembler, puis rougir, et sa bouche se serrer pour tenter de retenir les sanglots qui lui secouèrent brusquement les épaules.

— Je suis un con! souffla-t-il. Tout ce drame... ce malheur... autour de nous... Je me retrouve à poil. J'ai dû abandonner les internes cambodgiens du service... C'était comme des enfants pour moi. Je suis un lâche! Je ne pourrai plus me regarder dans une glace! Si nous en réchappons, ma vie recommencera de zéro. Excuse-moi pour l'autre jour... Je ne suis pas fier de moi.

La force des regrets de Piquart, suscités par les événements que nous étions en train de vivre, remua le couteau dans la plaie. C'est un fait que le spectacle de cette mort collective donnait à chacun de nous l'impression de renaître. Sa confession me ramenait à l'esprit ce que j'avais dit moimême quatre ans avant : « Si j'en réchappe, je ne serai plus le même homme. » Malheureusement — je le lui dis —, je devais avouer qu'avec le temps l'alchimie attendue ne s'était pas opérée... Quoi qu'il en soit, sa sincérité me toucha, et nous sympathisâmes. Nous eûmes quelques occasions de reparler ensemble, avant qu'il ne devienne mon coéquipier dans le dernier convoi.

Au lever du jour, je quittai la pièce climatisée du chiffre

où j'avais eu froid. Je fis quelques pas dehors, le long de la galerie tournante du premier étage qui donnait sur le patio tapissé de sacs de sable. Il faisait déjà chaud et je sentis l'humidité chargée d'odeurs se coller sur ma peau. J'allai voir Dyrac dans son bureau pour lui dire que je voulais tout de suite me rendre à l'EFEO et ramener au moins les sacs de riz que j'y avais entreposés sous l'escalier. Je le trouvai avec sa femme, déjà en conversation avec le médecin-colonel Henri Revil et le proviseur du lycée Descartes, Alexis Maurin, deux hommes dont l'opinion comptait toujours dans ses décisions. Avec eux se tenait Carlos Ripol, consul honoraire d'Espagne, déserteur de la Légion étrangère sous Franco, qui exerçait illégalement la médecine à Phnom Penh, et à qui j'avais amené un jour la grand-mère d'Hélène, dont l'enfant mongolien qu'elle avait mis au monde était tombé malade. «Vous ne me faites pas payer? » lui avais-je alors demandé, surpris. « Je ne fais pas payer les Cambodgiens », m'avait-il répondu. L'homme fut toujours d'un conseil excellent, plein de bon sens, lorsqu'il lui arriva de se mêler à nos discussions.

La villa de l'École avait été pillée par les rôdeurs, saccagée par les soldats, remuée de fond en comble... Les machines à coudre étaient cassées, les armoires défoncées, les sarongs, les chemisiers, les coussins, jetés sur le sol, les matelas retournés, les céramiques khmères dans la vitrine, volées. Les *sampot* en soie avaient également disparu. Des flaques d'urine inondaient le carrelage de la salle à manger. Dans la salle de bains du premier, le bidet était rempli à moitié d'excréments. D'autres déjections souillaient le sol entre les rayonnages vides de la bibliothèque... Ébranlé jusqu'au fond de moi, je sortis la jeep du garage et en chargeai rapidement la remorque, méditant sur cette âpreté de l'homme à saisir toutes les occasions de gain, et sur son attrait instinctif à souiller et à violer.

Soudain, en quittant l'École, de l'autre côté de la rue, à l'ombre du grand flamboyant qui, avant tous les autres — le plus précoce de la ville, orgueil des conseillers successifs —, érigeait son extraordinaire incendie de flammes rouges sur le ciel, mes yeux tombèrent sur les dindes de Prunières. Les ocelles en quinconce de leurs plumages bariolés dessinaient des écailles de bronze sur les dos bossus qui se balançaient dans les herbes hautes. Je décidai illico de m'en emparer pour les faire rôtir.

Je stoppai la jeep au milieu de la rue, à côté de lits métalliques que les familles des blessés chassés de l'hôpital Preah Khet Mealea avaient abandonnés, leurs roulettes ayant fini par céder. Des piétons longeaient les trottoirs, tirant ou portant de gros paquets mal ficelés, accompagnés d'enfants qui les suivaient sans me quitter des yeux. Je pénétrai par la grille grande ouverte, n'osant pas entrer dans la villa dont les murs noircis fumaient encore. Les quatre dindes picoraient sur une nappe de détritus recouverte de verdure en touffes. J'avançai droit dans leur direction, et bondis sur la première qui lança des glougloutements affolés, battant le sol de ses ailes dorées, perdant ses plumes, projetant des graviers. Je la tenais d'une main, lorsque mon attention fut attirée par les piétinements sonores d'un peaurouge en costume de guerre qui dansait devant moi, en se rengorgeant : la tête rasée et enduite de peinture bleue jusqu'au cou, le bec orné de grappes rouges, un dindon en transe faisait claquer de coups secs l'éventail de sa queue. Il fit résonner quelques battements d'un tam-tam caché sous les bosselages farouches de son extravagante armure de kératine, et me chargea sauvagement. Ébranlé par sa bravoure, j'eus toutes les peines du monde à trouver en moi suffisamment d'énergie pour lui tordre le cou, dans un corps à corps douloureux, qui m'arracha des larmes.

Je rentrai avec les grands oiseaux ficelés tant bien que mal dans la jeep. Lorsque, au milieu du boulevard, j'avisai une énorme truie japonaise, les mamelles battantes entre de superbes cuissots, qui zigzaguait en grognant dans la foule, à quelques centaines de mètres de l'ambassade. Je fis ouvrir rapidement le portail, et nous la poussâmes à plusieurs dans l'enceinte, où elle fut immédiatement abattue d'un coup de masse.

À côté de la guérite des gendarmes m'attendait un homme d'environ soixante ans, qui portait haut une belle tête au front dégagé, et que des cheveux cendrés entouraient en ondulant sur les côtés. Le col amidonné de sa chemise de ville était ouvert sur un cou mal rasé.

— Monsieur, me dit-il, je suis Marcel Riner, directeur des Brasseries générales de l'Indochine. J'ai quitté mon bureau pour venir directement ici, les mains vides. Ma maison est à cinq minutes, à peine. Serait-il possible que vous m'y déposiez lors d'une de vos sorties, le temps de ramasser quelques affaires ?

Je notais sa demande sur le carnet que je gardais sur

moi, et où j'écrivais tout ce qu'on me disait, lorsque Nhem me fit appeler. Je m'excusai et traversai la rue.

— Les traîtres de la clique fasciste et raciste qui sont cachés dans l'ambassade doivent se rendre immédiatement! me dit Nhem, dès mon entrée dans le hall sombre et frais où il avait installé une table. Un camion viendra les prendre à onze heures.

— ?

— Sirik Matak, et les autres valets!... Tous doivent se constituer prisonniers. Aucun mal ne leur sera fait, mais ils doivent se rendre!

— J'ignore de quoi parle le camarade! affirmai-je de bonne foi. Nous n'avons pas ces gens-là chez nous!

Nhem me tendit la liste qu'il avait devant lui. Interloqué, je lus le nom d'une quinzaine de personnalités du dernier gouvernement de Long Boret, dont ceux de Khy-Taing Lim, ministre des Finances, de Loeung Nal, ministre de la Santé, etc.; il y avait aussi celui d'une des femmes de Sihanouk, la princesse Manivane.

— Je vais transmettre la demande, dis-je sur un ton dubitatif. Mais je suis sûr qu'il s'agit d'une erreur.

Je traversai le boulevard et la cour au pas de course et entrai dans le bureau de Dyrac. Je l'interrompis en posant devant lui la liste du Khmer rouge.

— Ils disent que ces gens sont ici et qu'ils doivent se rendre! lançai-je en écarquillant des yeux interrogateurs.

— Bon sang! fit-il aussitôt. Comment l'ont-ils appris?

Son visage devint écarlate. Les autres, qui discutaient avec lui au moment de mon intrusion, baissèrent la tête.

— Impossible ! Impossible ! répéta-t-il, sur un ton définitif, en me regardant. Allons, c'est une ambassade, merde ! On ne va tout de même pas les leur livrer. Ils nous ont demandé l'asile politique ! Et puis, d'ailleurs, cette liste est fausse. Celui-là, celui-là, celui-là, fit-il en passant son doigt sur la feuille, je ne les ai pas vus ! Ils ne sont pas ici !

— Alors ? interrogeai-je.

— Alors, c'est non !

— D'accord. Mais ça va péter, en face !

Je ne croyais pas un seul instant qu'à partir du moment où c'était vrai, nous pourrions les garder. En même temps, il était normal de refuser. Je sortis du bureau et retraversai le boulevard.

— Camarade ! dis-je dès mon arrivée, de manière aussi ferme que possible. Camarade, ces personnes bénéficient du « droit d'asile » (en français), c'est-à-dire qu'elles sont maintenant sous la protection de la France. En outre, la moitié de cette liste est fausse.

Surpris par mon intrusion, Nhem m'écouta d'abord calmement.

— Le camarade ne m'a pas compris, répondit-il ensuite, sur un ton tranquille.

Puis il appuya ses deux mains sur la table, en pliant les coudes :

— Ou ils sortent, ou nous entrons !

En prononçant le dernier mot, il tapa son crayon sur le bureau et me regarda fixement. Sa bouche se fronça. Un tremblement des pommettes en souleva les coins en une sorte de sourire instable. Puis il se leva, muet, fit quelques pas, et ajouta, en martelant les mots :

— Que le camarade rapporte bien clairement ceci : si, à onze heures, ils ne sont pas sortis, nous irons les déloger nous-mêmes. Nous savons où ils sont !

— … Puis-je garantir qu'ils auront la vie sauve ? demandai-je, comme pour chercher un argument à la faiblesse qui me gagnait, malgré moi…

— Bien sûr ! Ils seront jugés équitablement.

Je ressortis, dans la lumière éblouissante du boulevard. Je vis au passage des Khmers rouges occupés à remorquer les véhicules abandonnés le long de l'ambassade. Au sud, un barrage provisoire faisait bifurquer le flot des réfugiés vers une perpendiculaire. Le consul m'attendait derrière le portail, avec Maurin.

— C'est hors de question ! leur lâchai-je. Il se fout qu'on soit sur un terrain français ! Il ne veut même pas en discuter… D'ailleurs, ici, ce n'est plus une ambassade, mais un centre de regroupement international. Dans moins d'une demi-heure, dis-je en regardant ma montre, ils viennent les prendre. Vous avez vu dans le boulevard ? Ils nettoient tout !

Tout en m'écoutant, Dyrac avait fait demi-tour vers la chancellerie. Nous montâmes dans son bureau où cinq ou six personnes étaient déjà assises. Il prit place sur son siège, et me fit répéter la réponse de Nhem. Une discussion s'ensuivit. En gros, sur le principe, tout le monde était d'accord pour refuser qu'on livre des hommes qui avaient demandé asile à la France. En même temps, chacun savait bien que nous n'avions pas les moyens d'imposer quoi que ce soit… Ne pouvant tergiverser pendant des semaines, une décision fut prise. Celle d'aller trouver les intéressés et de leur soumettre le problème individuellement. Si certains excluaient l'idée de sortir d'eux-mêmes, on verrait…

— Bon! fit Dyrac. Bizot, venez avec moi. Nous allons trouver Sirik Matak.

Maurin, Revil, Rémy, etc., se chargèrent des autres personnalités, dont beaucoup se trouvaient dans la chancellerie. Quelques-unes d'entre elles envisagèrent de s'échapper par l'arrière, mais elles en furent dissuadées par les gardes khmers rouges qui avaient établi autour de l'ambassade une surveillance assez rigoureuse pour en protéger les accès. Finalement, aussi étrange que cela puisse paraître, aucune ne tenta d'échapper à son sort. Chacune pensait qu'en faisant acte de bonne volonté, un peu de clémence lui serait peut-être accordée…

Je suivis le consul. Nous aperçûmes en sortant plusieurs camions bâchés garés en éventail, dont un était chargé de soldats. Une jeep stationnait juste devant le portail que Migot et les gendarmes gardaient fermé. De part et d'autre, le boulevard et la cour étaient vides. Nhem avait eu l'occasion de protester contre des journalistes qui le photographiaient dans son PC, par-dessus le mur de clôture, et il avait demandé que nous lui remettions tous les appareils de photo, avec les pellicules. Ne voulant pas risquer qu'une nouvelle provocation de ce type se produisît, des mesures très strictes avaient été prises pour qu'aucun correspondant de presse ne soit présent au moment où arriveraient les Khmers rouges.

Nous prîmes par la galerie qui donnait accès, sous un grand escalier, aux salles des services culturels, et nous nous arrêtâmes devant la porte d'un petit local, juste avant des toilettes bouchées qui dégageaient une odeur pestilentielle. Le consul frappa quelques coups répétés, selon un code convenu, après quoi une clef joua dans la serrure et la porte s'entrouvrit. Nous entrâmes.

Dans la demi-pénombre d'une espèce de bureau encombré de meubles entassés contre les murs, le prince Sirik Matak se tenait debout derrière une table ; avec lui, deux jeunes militaires en treillis, rangers et maillot de corps, faisaient fonction d'aides de camp. Dyrac, entré le premier, fut dans l'incapacité d'articuler un mot. Sirik Matak nous fixait des yeux. Son regard intense sourdait d'épais sourcils broussailleux. Dans son visage, dont les fortes mâchoires étaient posées sur un long cou d'oiseau, rien de crispé ; seulement une interrogation. Il appuyait ses mains sur un attaché-case entrouvert.

— Excellence, dis-je finalement, après avoir laissé durer un silence terrible. Les Khmers rouges sont devant le portail. Ils n'ignorent rien de votre présence ici. Ils vous réclament.

— Mais... et le droit d'asile !

Je me tus pour laisser la parole à Dyrac, qui ne répondit pas.

— C'est une notion qu'ils refusent de reconnaître, articulai-je péniblement. Ils ont néanmoins promis, pour vous, comme pour les autres personnalités du gouvernement dans l'ambassade, pareillement sommées de se rendre, la mise en place d'un procès équitable. Si vous n'acceptez pas de vous livrer vous-mêmes, ils sont décidés à venir vous chercher...

— Je sais ce qu'il me reste à faire, répondit le prince, avec détermination.

Alors, il souleva le couvercle de son attaché-case, et je prévins son geste. D'un mouvement rapide, je tournai la clef dans la serrure de la porte que l'officier d'ordonnance avait refermée derrière nous. Mais au lieu du revolver, que ses mots et l'éclair dans ses yeux avaient laissé pressentir à un instinct aux abois, il sortit un pantalon, soigneusement plié. Sirik Matak était en caleçon. Il enfila le bas d'une tenue beige dont il portait déjà sur lui le haut. Les deux militaires qui l'accompagnaient s'habillèrent en même temps. Dyrac fit observer qu'ils n'étaient pas sur la liste et que rien ne s'opposait à ce qu'ils restent cachés ; mais ils exprimèrent fièrement la volonté d'accompagner leur chef jusqu'au bout. Le prince se tourna un instant dans leur direction, et je vis des larmes jaillir de ses paupières.

Nous sortîmes dans la lumière crue. Le portail était déjà ouvert et il s'était mis à pleuvoir. J'aperçus la fille de Sihanouk monter difficilement dans un des camions avec son mari et ses enfants. À la vue de Sirik Matak, les Khmers rouges à côté de la jeep se tournèrent vers nous. Je reconnus le Chinois vérolé de la première heure. Il s'avança à la rencontre du prince, les bras ouverts, le visage grêlé souriant, comme s'il le connaissait, ce qui était peu probable. Après s'être longuement serré la main, chacun tenant celle de l'autre dans les siennes — Sirik Matak riait lui aussi, mais dans ses yeux se lisait une terreur que n'effaçait pas l'accueil surprenant du Chinois —, ils se donnèrent l'accolade ; plusieurs fois, changeant théâtralement de côté. Puis le Chinois, qui était manifestement le grand maître de la délégation, l'entraîna vers la jeep, comme on fait d'un ami. Les trois soldats armés descendus remontèrent à l'arrière, où venait de prendre place la princesse Manivane. Le Chinois invita Sirik Matak à s'asseoir devant, tendant son bras gauche pour le laisser passer. Par courtoisie, le prince n'en fit rien et pria son hôte d'aller le premier. De plus en plus souriant, le Chinois insista, puis, finalement, remerciant son invité de marque, monta dans la jeep. Sirik Matak suivit, mais il restait peu de place sur le siège ; il s'assit, tant bien que mal, sur une fesse. Dyrac et moi, tout interdits, observions la comédie. La jeep avança de quelques mètres, puis stoppa. Le Chinois fit descendre Sirik Matak, trop inconfortablement installé. S'adressant à lui en l'appelant « frère aîné » *(bâng)*, il insista pour qu'il passe au milieu. Le prince fit semblant de refuser, mais comprenant que son hôte craignait, sans vouloir le dire, qu'il profitât de sa situation extérieure pour tenter de fuir le véhicule en marche, il obtempéra de bonne grâce et se poussa contre le chauffeur. Le Chinois s'introduisit à son tour, comme il put. Sirik Matak mit son bras sur son épaule et le serra cordialement contre lui, pour qu'« il ne tombe pas dans un virage ». Tout le monde riait. La jeep redémarra. Le prince nous fit ses adieux du bout de la main sans lâcher l'épaule du Chinois. Après le barrage, la voiture s'enfonça dans la foule.

Du doigt, je montrai au consul des banderoles accrochées sur le boulevard. On pouvait y lire : « À mort le traître Sirik Matak. »

L'amabilité heureuse du Chinois n'avait pas eu pour but de susciter la reconnaissance de sa victime ; elle remplaçait seulement le prosaïque *At oy té !* des bourreaux de la forêt d'Omleang...

II

D'épais coups de pinceau d'encre sombre interceptèrent
le soleil, faisant monter dans l'air lourd des flèches électriques, qui zigzaguèrent en grondant sur le lavis du ciel.
Un vent tournant agita les pendeloques vernissées du grand
banian des services culturels, avec un bruit de froissement
cartonneux. Des bidons tombèrent d'un banc, des casse-
roles d'un réchaud, fouettés par la queue d'une tornade
qui souleva du sol des paquets de poussière, de feuilles et
de sachets vides, avant de s'engouffrer entre les murs des
bâtiments.

Je me dirigeais vers la chancellerie en plissant les yeux,
lorsqu'un des gendarmes me fit des signes d'aussi loin qu'il
me vit. Me voyant bifurquer dans sa direction, il revint précipitamment sur ses pas. Nhem était posté devant le portail, avec trois officiers khmers rouges et un groupe de soldats en armes.

— Ouvre, camarade ! me lança-t-il à travers la grille,

sur un ton qui ne souffrait aucune réplique. Nous venons inspecter les lieux.

Décontenancé par leur armement — aucun Khmer rouge n'avait encore franchi l'entrée de notre ambassade avec un fusil —, je le plantai là sans répondre et m'enfuis en courant prévenir le consul. J'avais peur que, parmi les militaires qui étaient venus se cacher derrière nos murs, et en dépit des précautions que nous avions prises, certains aient laissé leur arme en évidence à côté d'eux. Dyrac dépêcha aussitôt quelqu'un pour prévenir les responsables de secteur d'un contrôle imminent, puis nous nous précipitâmes à plusieurs pour accueillir ceux que nous nous obstinions à considérer comme des hôtes, non sans tenter — mais en vain — de les dissuader d'entrer avec leurs armes...

Nhem semblait nerveux. Les hommes qui l'escortaient ne faisaient pas partie de ceux qui étaient avec lui d'ordinaire. Ils répondaient aux ordres des trois autres chefs qui arboraient, la casquette chinoise plantée jusqu'aux oreilles, un colt 45 à la ceinture. Dyrac se mit en devoir de montrer d'abord les salles du rez-de-chaussée de la chancellerie, où nous avions entreposé les quelques sacs de ravitaillement qui nous avaient été livrés. Mais les Khmers rouges se dirigèrent d'eux-mêmes, sans autre considération, vers le parc où s'amassait la foule des réfugiés, et notamment les Khmers entrés illégalement. Notre groupe longea le grand mur aveugle de la face nord des services culturels pour déboucher sur la multitude compacte de plus d'un millier de personnes, entassées sous les arbres, qui emplissaient les allées, pêle-mêle avec les sacs, les toiles,

les vélos, les cartons, formant devant nous un immense encombrement de gens accroupis ou couchés sur le sol. Les révolutionnaires en noir se faufilèrent sans hésiter dans la cohue craintive, la mine patibulaire, les sourcils descendus et froncés, provoquant immédiatement une bousculade, et débusquant quelques femmes en sarong qui s'enfuirent, en poussant des cris, effrayées à la vue des fusils qu'ils brandissaient.

— Halte! vociféra l'un des soldats. Halte!

Les fuyardes se figèrent instantanément, mais l'une d'entre elles, éperdue, trébuchant contre les nattes et les paniers, continua sa course affolée dans la confusion.

— Halte! rugit un deuxième garde, épaulant dans sa direction, les yeux enflammés.

Des ordres et des cris sauvages fusèrent de partout. Tout alla très vite. La femme en fit détaler d'autres qui s'enfuirent en tous sens. Un mouvement de panique s'amorça autour de nous. Les soldats armèrent leurs fusils en hurlant. Je me précipitai sur Nhem, le sommant de réagir. Berger et Rémy tentèrent de s'interposer. Je me souviens particulièrement du regard de Mgr Ramousse, l'évêque de Phnom Penh, qui croisa le mien dans l'affolement collectif : pris de peur, il s'était vivement redressé, sous le tamarinier où il avait installé une chaise...

— *Ban hay* ! lança Nhem d'un seul coup, avec une voix de tête qui résonna étrangement dans le registre aigu. Ça suffit!

Le vice-président du front Nord s'avança et tapa rageusement du plat de la main sur l'arme d'un de ses hommes tendue à sa portée. Son visage dépourvu d'expression devint subitement froid. Il resta quelques instants silencieux, à rouler les yeux autour de lui, la respiration haletante.

— Tous les Asiatiques doivent impérativement quitter le campus! cria-t-il subitement. Les femmes séparément des hommes. Les femmes seront regroupées dans le stade!

Sur ces mots définitifs, il tourna les talons. Son corps frémissait. La fureur le défigurait. Je crois qu'il aurait tué quiconque l'eût contredit. Je m'empressai sur ses talons.

— Camarade, avançai-je avec un ton insistant, il y a peut-être deux mille personnes ici! Un départ précipité risque d'entraîner un chaos épouvantable... Laisse-nous le temps de le préparer. Il n'y a pas non plus que des Khmers! Nous n'avons pas fini de dresser la liste de ceux qui sont détenteurs d'un passeport. Ce travail ne sera probablement pas achevé aujourd'hui... Camarade...

Suivi des jeunes guerriers qui avaient si vite perdu leur sang-froid, Nhem passa le portail sans me répondre et, d'un pas rapide, regagna ses quartiers. Le drame que nous venions d'éviter de justesse — à un rien près, cette visite anodine aurait pu dégénérer en boucherie — avait instantanément mis au jour une violence si terrible, si prompte à éclater, que j'en fus entièrement découragé. Je craignis un moment que nous n'ayons obtenu qu'un répit inutile, comme si cette première partie de la tragédie que nous vivions annonçait déjà la conclusion catastrophique de la dernière.

Je retournai machinalement chez les Khmers qui montraient des figures épouvantées. Des femmes pleuraient nerveusement dans les bras de leurs voisines. Les pères s'activaient dans les rangs de la foule, exerçant leur rôle de « soutien psychologique », comme le leur avait demandé Dyrac, et je tentai de me joindre à leurs efforts. Une chape de torpeur tomba sur le parc, sans apporter d'apaisement à ses occupants. C'est à ce moment que beaucoup de ceux qui avaient hésité à partir le premier jour décidèrent de faire leurs bagages sur-le-champ et de quitter l'ambassade, par petits groupes discrets.

De loin, j'aperçus le père Venet et lui fis un signe amical.
— Non ! ça ne va pas, cria-t-il, le sourcil froncé. J'ai mal à la tête. Il va pleuvoir. Tant mieux ! On crève...

Le père Félix, un des quatre bénédictins de la congrégation de Subiaco, chassé du grand séminaire de la presqu'île de Chrouy Changvar par les envahisseurs, poursuivait, indifférent, sa promenade tranquille, récitant ses prières, parmi les corps entassés, qui croupissaient à nouveau dans leur inertie stagnante. Binette et tringle de fer en main, il inspectait le sol à la recherche des étrons et des papiers pourris, qui fourmillaient au pied des haies, entre les nattes, au bord des allées, partout. Dès la pointe du jour et jusqu'à la nuit, on voyait, à chaque mètre, la silhouette de son costume noir et de sa barbe blanche se pencher avec attention, et, d'un geste alerte, enterrer le déchet fétide.

Il restait de nombreux Français en ville, probablement bloqués chez eux, ou n'osant pas sortir. Migot en avait dressé une liste. Le consul me demanda de tenter de les joindre et de les ramener. Nhem nous accorda un minibus et un garde armé, muni d'un ordre de mission. J'obtins également que Devaux, un Français débrouillard et actif qui venait de nous rejoindre, prenne le volant.

Nous gagnâmes aussitôt les embouteillages du centre-ville. C'était un coup d'œil incroyable que le spectacle de cette foule impatiente se pressant autour de l'enceinte du marché, inondant la place entière, se déversant dans les rues environnantes, avec des cyclos, des voitures, des carrioles en tous sens, au milieu de chars et de camions militaires abandonnés qui bloquaient la circulation. Autour de nous bourdonnait la rumeur confuse, immense, de la multitude en marche, qui recouvrait le klaxon de notre minibus. Dans l'impossibilité d'avancer, nous bifurquâmes sur la route de Potchendong, vers l'université où, d'après ma liste, se trouvaient encore des professeurs français. L'avenue, bordée de maigres flamboyants en fleur, semblait délaissée par la masse des fuyards. On nous avertit qu'elle était fermée plus haut. L'aéroport, encerclé, tenait toujours.

Dans les allées du campus abandonné, je croisai des étudiants qui passaient précipitamment, portant leurs affaires dans des boîtes. Ils m'indiquèrent l'aile réservée aux logements des enseignants, et je m'y engouffrai en appelant, dans les galeries vides, le nom de ceux que je devais ramener.

— Oui, qu'est-ce qu'il y a ? cria une voix venant des étages.

Penché sur la rampe des escaliers, un homme jeune, les cheveux coupés à la brosse, me regardait du troisième.

— Martinie, c'est vous? demandai-je en levant la tête. Je viens vous chercher! Venez, dépêchez-vous! Prenez vos affaires. Nous allons vous conduire à l'ambassade.

— Ah, mais je ne bouge pas! me répondit-il. C'est hors de question!

— Quoi? Vous voulez vraiment rester? dis-je en esquissant un sourire incrédule.

— Bien sûr! fit-il, non sans provocation. Ça fait trop longtemps que j'attends ce jour béni pour partir maintenant! Je veux participer, comme tout le monde, à la liesse de la libération... C'est la fête!

Ce n'était ni le lieu ni le moment de discuter :

— Vous êtes libre! Y a-t-il d'autres Français?

— Oui, appartement n° 9. Mais ils ne partiront pas non plus, me dit-il, avec un rictus goguenard.

Le vent s'engouffrait dans les galeries ouvertes, faisant voltiger des flots de poussière, propageant jusqu'à nous les atroces résonances du chaos funeste qui montaient de la ville.

Je toquai plusieurs fois au numéro 9, avant qu'une voix féminine ne me réponde, sur un ton chantant :

— Oui! j'arrive...

Une main vint appuyer sur la clenche et ouvrir la porte. La jeune femme devant moi parut en tablier, une assiette et un torchon à la main, et m'accueillit gentiment.

— Excusez-moi, dit-elle, avec un charmant sourire, on n'entend rien de la cuisine. Mais entrez, vous voulez voir mon mari? Jérôme!... Asseyez-vous, je vous en prie. Je vais l'avertir.

— Non! protestai-je. Je ne m'assois pas. Je venais vous chercher. J'ai instruction de vous ramener à l'ambassade... pour votre sécurité.

— Ah, vraiment? C'est tellement gentil à vous... Jérôme? Que fait-il? s'excusa-t-elle avec gêne. Il n'entend pas. Je vais le chercher. Asseyez-vous donc, s'il vous plaît.

L'appartement était clair et propre. De la musique classique sortait de la pièce du fond. Un grand barbu arriva, en short, la pipe au bec, et me salua cordialement.

— Je vous sers quelque chose, déclara sa femme. Que prendrez-vous?

— Non! me récriai-je, étouffant l'indignation que faisait naître en moi leur aveuglement sur ce qui se passait autour de nous. Je dois partir. Suivez-moi, si vous le voulez. Mais tout de suite! Je n'ai pas une seconde à perdre. D'autres attendent...

Ils choisirent de rester et se montrèrent confus que je me sois dérangé pour rien. Je les quittai en courant, fulminant contre leur candeur, furieux d'avoir gâché un temps si précieux pour des gens qui applaudissaient à l'invasion, aux incendies, aux pillages, aux meurtres, bref, à tout ce qui profondément m'écœurait.

Nous retournâmes dans l'énorme cohue des rues de la capitale, et nous eûmes toutes les peines du monde à nous frayer un passage à travers la mêlée, d'abord jusqu'au Bassac, d'où nous pûmes secourir un jeune couple dont la femme avait été violée pendant plusieurs nuits, puis, jusqu'au quartier du Musée national, où quatre Français attendaient anxieusement. L'un d'eux, René Laporte, marié en France, vivait avec une Cambodgienne qu'il hésitait à emmener avec lui. Elle s'accrochait, effrayée, et nous dûmes les sommer de prendre une décision. Nous ramenâmes aussi d'Harcour, dont l'épouse était la secrétaire de l'ambassadeur Louis Dauge. Elle était à Bangkok, en proie à la plus grande inquiétude, et le Département avait envoyé un télégramme au sujet de son mari.

À chaque carrefour, il fallait parlementer avec des Khmers rouges qui voulaient confisquer notre voiture, prendre nos montres, fouiller les valises, et notre garde avait le plus grand mal à se faire reconnaître. Un moment, la discussion avec une troupe de guérilleros excités, tous très jeunes, devint si vive qu'elle dégénéra en une violente altercation entre les deux responsables, et poussa notre accompagnateur à mettre l'autre en joue, forçant immédiatement les compagnons de ce dernier à armer leurs fusils dans notre direction... Le drame ne fut évité que par le sang-froid du garde qui resta stoïque et sut leur montrer sa détermination à tirer le premier. C'était un drôle de bonhomme, plutôt jeune, maigre, de complexion sombre, avec des cheveux crépus, presque laineux comme chez certains Malais, et un regard de roquet. Il savait d'instinct, dans des moments comme ceux-là, que tout se jouait à la dernière seconde.

Nous reprîmes notre lente progression dans la foule contenue de toute part. Je me rappelle, les larmes affleurant le bord de mes yeux, du petit garçon, dont le crâne bien rasé, comme les ascètes *rishi* des bas-reliefs d'Angkor, gardait trois touffes de cheveux qu'on avait laissés croître sur ses tempes et sur sa fontanelle. Il était mûr pour les rites de la « tonte de la houppe ». J'en fis la photo, par réflexe, me trompant de circonstance. L'enfant me sourit longtemps, en se retournant, poursuivant son chemin. Devant lui, sa mère fendait la masse qui l'enserrait.

Mais le pire, ce furent les regards. Autour de nous, mille yeux mobiles, étincelants comme dans un ciel d'apocalypse, qui tous pendant au moins une seconde, c'est-à-dire le temps d'arrêter sur nous leur vol incertain, enfonçaient le trou de leurs noires pupilles dans nos yeux, y déposant une parcelle de leur peur.

Nous arrivâmes à l'ambassade au moment où lâchait le plafond bas du ciel. Des bourrasques de pluie, chargées d'une forte odeur de terre et portées par le vent, se déversèrent sur nos corps couverts de sueur. Je sortis du minibus en courant. Avi, qui guettait mon retour, sauta autour de moi. Jaillissant des gouttières, des trombes d'eau déferlaient dans le patio carré de la chancellerie. Plusieurs corps pleins de savon s'y trémoussaient déjà, avec des cris de gorge. Je quittai mes vêtements pour m'y précipiter, m'élançant dans la longue chicane que formait, en son milieu, le mur des sacs de sable. Nue, Romanie cheminait dans le passage étroit, pour sortir. « Madame le proviseur », comme disait sérieusement son mari, M. Maurin, s'adossa contre les sacs pour me laisser passer ; je fis de même. Or, la largeur insuffisante du boyau imposait le frottement. Nous nous regardâmes un instant, puis nous nous retournâmes, pour un croisement plus décent.

Subitement gagnés par une excitation hystérique, nous sautions tous comme des cabris. Avi, lui aussi dégoulinant de savon, me lacérait le dos de coups de griffes. Nous nous élançâmes tous deux hors de la chancellerie, traversant la cour, détalant sous la pluie, passant à toute vitesse dans les allées, entre les voitures, par-dessus les chaises, au milieu des caisses, applaudis par des centaines de faces hilares qui s'abritaient sous des cartons, progressant par bonds jusqu'à la résidence, où la nombreuse population anglo-saxonne se mit à crier, en scandant « Streaking ! Streaking ! », sur notre passage...

J'étais propre et rasé quand un gendarme me demanda au portail. De l'autre côté du grillage, un septuagénaire se tenait debout, un peu raide, arborant sa décoration de chevalier de la Légion d'honneur. Un défilé ininterrompu de pauvres gens, portant leurs ballots d'effets misérables, ou poussant leurs objets familiers, avec les enfants, les vieillards, entassés sur des carrioles, maintenant trempés par la pluie, s'égrenait derrière lui dans le boulevard. Des Khmers rouges se retournaient sur le vieil homme en passant. Une brosse blanche et drue recouvrait son front, et ses joues, flétries autour des yeux, mollement arrondies, tombaient sur des lèvres encore fermes, donnant à ses traits — sans qu'on sache dire pourquoi — une allure de noblesse.

— Je suis le prince Sisowath, me dit-il. J'ai l'honneur de demander l'asile politique à la France.

Je sentis mon sang se retirer et le malaise me gagna.

— Excellence, dis-je en m'adressant respectueusement à lui, avez-vous un passeport français?

— Évidemment non! me répondit-il.

Je lui demandai instamment de patienter et courus chez Dyrac, qui manifesta son impuissance, avec un énervement d'autant plus vif qu'elle lui paraissait, dans ce cas précis, encore plus odieuse :

— Pas de passeport, pas de clef. N'est-ce pas? Que voulez-vous...

Je regagnai rapidement le portail.

— Les Khmers rouges ne vous autoriseront pas à rester, affirmai-je au prince, sans avoir retrouvé mon haleine. Ils ne reconnaissent pas le droit d'asile. Ils viendront vous chercher.

— Très bien! fit-il, en poussant sa voix, avec une pointe de dépit.

Il tourna les talons et je le vis s'éloigner, sans se retourner, puis disparaître dans la pitoyable cohorte de l'exode.

À l'encombrement des vagabonds qui avançaient sur le boulevard, en files serrées, se mêlaient maintenant les citadins qui avaient attendu le dernier moment pour prendre la route, espérant peut-être, les premiers jours passés — et les bombardements américains ne s'étant pas produits — que d'autres directives viendraient neutraliser les ordres d'évacuation forcée.

On vit apparaître des jeunes filles en sarongs propres,

des vendeuses de marché, des couturières, des employées de toutes sortes, dont la bouche était maculée des traces du rouge à lèvres qu'elles avaient dû rapidement essuyer, sous les injures des révolutionnaires pleins de dégoût, qui voyaient en elles des prostituées. Elles avaient cassé leurs ongles vernis sur le bord du trottoir. Profonde était la haine qui brûlait contre leur beauté dans le cœur des jeunes maquisards.

Une grosse Mercedes aux vitres fumées stoppa devant le portail. Les réfugiés chargés de sacs, dans un réflexe machinal, s'écartaient devant elle pour lui laisser le passage. La porte arrière s'ouvrit, une jeune femme élégante en sortit. Claquant ses hauts talons sur la chaussée, à la barbe des Khmers rouges qui passaient devant nous, elle se précipita vers moi en tenant dans ses bras un nourrisson bien langé, de quelques mois à peine.

— Je suis madame Long Boret, souffla-t-elle en français. Laissez-moi vite entrer ! S'il vous plaît !

Le gendarme, à côté de moi, emplit ses poumons, ferma les yeux et gonfla les joues. Le bruit courait, parmi les réfugiés, que son mari, rentré précipitamment de Bali pour tenter de négocier avec les chefs communistes, avait été roué de coups chez lui et jeté dans le puits du jardin.

Je n'oublierai jamais qu'elle portait un pantalon-fuseau noir et un chemisier sombre à manches courtes, que son visage était blanc, que ses yeux cernés, aux paupières obliques légèrement fardées, étaient frappés de terreur. Elle passa un instant ses longs doigts manucurés dans la claire-voie du portail.

259

— Madame! lui demandai-je, presque en pleurant déjà, avez-vous un passeport?

Jetant des regards affolés autour d'elle, la poitrine haletante, perdant son souffle, ne s'attendant nullement à ma question, elle arrondit ses yeux épouvantés sur moi, en agitant négativement la tête.

— Sans passeport étranger, les Khmers rouges vous chasseront, articulai-je d'un trait, sans oser réfléchir.

Des maquisards poussiéreux s'étaient approchés. L'un d'entre eux tournait autour de la voiture, dont les portes se trouvaient bloquées de l'intérieur. Il donna un coup de crosse dans une vitre qui résista. Le chauffeur, livide, ouvrit lentement sa portière. Sa tenue kaki était pleine d'un sang noir qui coulait de son cou.

— Alors, sauvez au moins mon enfant! cria-t-elle, d'une voix implorante.

Je n'oublierai jamais que son cri se prolongea en une plainte déchirante, et qu'il s'acheva comme un râle, en trillant dans les harmoniques.

— Non! Ne faites pas cela... pressentis-je en élevant la voix, la suppliant à mon tour.

La jeune femme aux abois prit son bébé à deux mains, puis le souleva devant elle à bout de bras, ne sachant trop comment faire, pivota en hésitant sur le côté, et, dans un mouvement de rotation du buste, légèrement penchée, elle s'apprêta à me le lancer, par-dessus le portail.

— Sauvez-le, je vous en prie! gémit-elle. Tenez, attrapez!

— NON!

Je sentis mon corps se tétaniser et mon cœur devenir de pierre. Le gendarme tourna les talons, estomaqué. Mes deux mains se plaquèrent sur mes yeux. Et je demeurai quelques instants ainsi, sans bouger, dans le noir, au garde-à-vous. J'entendis des soldats interpeller le chauffeur, puis le claquement d'une portière. Je baissai les bras au moment où la Mercedes démarrait en trombe, emportant Mme Long Boret et son nouveau-né vers leur terrible destin.

Je m'appliquai à retrouver mon souffle, tournant en rond dans la cour, pantelant, frissonnant, quand Piquart et Larègle (le pharmacien de Calmette), accompagnés de deux journalistes, vinrent de conserve m'inviter au méchoui qu'ils organisaient en commun, à la résidence, à vingt heures.

— Il n'y aura pas de carton d'invitation! prévinrent-ils, pleins de bonne humeur. Tenue libre. Et sois à l'heure!

Sur ces entrefaites, Dyrac m'appela pour me dire l'urgence qu'il y avait à partir en chasse de nourriture. Rémy m'expliqua où se trouvait le dépôt de riz des planteurs et comment y accéder. D'autres me donnèrent aussi plusieurs adresses, et je notai toutes ces indications sur mon carnet. Nous étions dans le bureau qu'occupait Ripol avec sa famille. Il y avait plein de monde : un des gendarmes, Mme Dyrac, Revil, le père Ponchaud, le père Berger, Fournier des Corats (l'intendant de Calmette), Cagnat (l'adjoint consulaire), Goueffon (le directeur de l'Institut Pasteur), Jules Maire (le consul honoraire de Belgique), Espuy (du bureau d'ordre), Zink (le radio militaire). Depuis ce matin, me dit-on, le capitaine Ermini et

Migot n'étaient plus les bienvenus à la chancellerie. Je découvris qu'il y avait des clans au sein du poste. Nous devions éviter de leur livrer des informations, parce qu'ils ne travaillaient pas seulement pour les Affaires extérieures... Mais Migot était un ami et je n'avais pas à entrer dans ces considérations sibyllines. Quelqu'un déboucha une bouteille de Rémy Martin, qui fut saluée par des exclamations de surprise. J'appris qu'elle provenait du déménagement des Serre, dont les caisses bloquées étaient revenues de Kompong Som, et que le transitaire Piquart avait entreposées dans les réserves du bureau d'ordre. Nous remplîmes nos gobelets de « gnac-soda », et trinquâmes, sans trop savoir à quoi. Les premières gorgées du mélange sans glace me tournèrent la tête. Certains tentèrent quelques blagues, mais le cœur n'y était pas. Je sortis prendre l'air.

La pluie avait apporté un peu de fraîcheur. Sous le ciel uniforme et gris qu'enténébrait doucement l'approche du crépuscule, des oreillards, dont on ne voyait que les mouvements d'ailes, se laissaient tomber des grands kokis, au-dessus des insectes tournant dans l'éclairage des réverbères. Une tristesse lugubre montait du boulevard, que des ombres longeaient et habitaient encore. Assis sur le seuil de sa porte, Nhem les regardait passer.

J'ouvris le portail et fis quelques pas sur l'asphalte humide, sujet à un malaise que je ne savais plus définir.

— Le camarade Bizot est triste ! lança Nhem en riant. Il pense à sa famille, sur la route !

Je souris sans répondre. Du trottoir, je lui demandai de

m'autoriser à faire un saut chez moi, pour passer des vêtements propres.

Les deux battants du portique de l'EFEO étaient largement ouverts. Le grand *Dipterocarpus* planté par Boulbet dressait mélancoliquement son plumage dans la nuit,
vaguement éclairé du boulevard par en dessous. Sur les
tons pastel des carreaux de l'entrée, dont le rythme des
motifs blanc et jaune alternait avec celui d'autres figures
symétriques qui ressortaient en deux nuances de bleu, les
traces noires d'un foyer éteint par des jets d'urine. Je montai
au premier, sans m'arrêter sur le chaos de chaises cassées,
de buffets renversés, de sous-verres brisés, qui régnait en
bas. Du fatras de vêtements, de draps, de taies, de linge de
toutes sortes qui encombrait le sol de la chambre, je sortis
une chemise et un short. Dans la salle de bains devant moi,
je notai, avec stupéfaction, que le bidet, à demi plein hier,
débordait maintenant d'excréments... Je m'enfuis au plus
vite, tournant dans ma tête l'exploit immonde, mais qui
tenait du prodige, méditant sur les étonnants mécanismes
qui pouvaient offrir un sens à pareil entêtement...

Nhem vint à ma rencontre et nous remontâmes le boulevard ensemble, sans un mot, regardant nos pas, les mains
dans les poches, le cœur gros, comme de vieux amis qui
n'ont plus besoin de parler pour se dire les choses. Il me
sembla que nous englobions les événements présents
dans une même idée : la peine, la souffrance gisant au
fond de l'être. Nous nous séparâmes silencieusement
devant le portail, avec le sentiment que ces quelques
minutes, bizarrement, avaient compté plus qu'une longue

discussion. Nous ne nous connaissions pas. Mais la proximité de nos pas dans la nuit avait fait circuler des pensées communes, introduisant dans notre relation une sorte de confiance, qui jouerait sur les événements ultérieurs.

J'étais déjà debout quand la clarté du jour s'étendit dans le ciel, une lividité bleuâtre, pluvieuse, moite, mais enfin moins morbide que la nuit. J'apportai sans attendre le programme de ma journée à Nhem pour qu'il l'avalise. Je notais tout soigneusement sur une feuille, comme il me l'avait demandé : courses en ville (riz, conserves…) ; visite au cimetière (pour Migot) ; recherche d'un détenteur de passeport français blessé et caché chez lui (près du marché) ; récupération d'une cantine dans l'appartement Benoliel (derrière la mission technique), etc. Il voulait être tenu au courant de chacun de mes déplacements et discuter de leur opportunité avec moi. Exceptionnellement, il accepta que quelqu'un m'accompagnât, pour m'aider à sortir les sacs de riz, mais refusa la visite au cimetière dont la raison lui échappait.

Quittant l'ambassade avec la jeep, je m'arrêtai à la hauteur du directeur des Brasseries générales de l'Indochine, qui se tenait, comme chaque matin, près de la guérite des gendarmes et guettait mon regard.

— Allez, montez, on y va !

Il sauta à côté de moi, avec reconnaissance.

— Je vous conduis chez vous et vous reprends d'ici une heure. Vous avez largement le temps de faire une valise. Je ne monterai pas. Je donnerai un coup de klaxon d'en bas pour vous dire de descendre.

Je le laissai devant chez lui et repartis aussitôt, en quête de ravitaillement. Les petites rues étaient vides, sauf, par-ci, par-là, quelques silhouettes fantômes. Soudain, je freinai, passant par hasard devant chez Negroni. Negroni avait été recruté sur place comme chef de chantier à la Conservation d'Angkor. Un soir, chez Boulbet, cet homme affable et discret nous avait révélé, les larmes aux yeux, son histoire : il avait été enrôlé dans la Milice, à Nancy, pendant la guerre, et s'était sauvé en Indochine à la Libération. Marié, beaucoup plus tard, avec une Vietnamienne, il était père d'un fils, Charles, qui avait maintenant sept ou huit ans. Quand il disait « mon Charles », il avait tout dit. Tous trois avaient la nationalité française. Je m'étais occupé de ses papiers pour sa maigre retraite. Or, il n'avait pas rejoint l'ambassade. Je décidai, pour en avoir le cœur net, de jeter un coup d'œil à l'appartement qu'il occupait gratuitement avec sa famille, dans un ensemble de bâtiments gérés par les sœurs du couvent des Filles de Marie. Ne me souvenant plus très bien où il habitait, je m'aventurai au hasard dans un dédale de cours, de murs clos, de petits paliers, ouvrant des portes, criant son nom en vain. Des poules, des canards au plumage métallique, courraient dans les encadrements déserts. Au passage, je reconnus entre toutes l'odeur d'un samrong *(Sterculia foetida)* : l'arbre érigeait ses hautes branches défeuillées au milieu d'un petit jardin, et ses fleurs d'ocre rouge, accumulées sur le sol avec la coque grenue des fruits, répandaient leurs effluves nauséabondes. Je remarquai que dans la solitude complète, coupé d'aucune présence, on ne tarde pas à éprouver un sentiment de peur.

En traversant une grande pièce, une sorte de salle commune ou de dortoir, j'aperçus une silhouette sous une moustiquaire. Une vieille religieuse, française selon toute apparence, encore vivante, y était allongée, immobile, sur un matelas qui sentait l'urine. Ses yeux me sourirent. Je lui dis doucement que j'allais l'emmener à l'ambassade, où l'on prendrait soin d'elle, et me penchai pour la soulever. Mais elle voulait rester et m'arrêta d'un geste qui remua à peine sa main décharnée. Son visage demeurait impassible. Elle ne me répondit pas non plus quand je lui demandai son nom.

Je repris ma course et passai, après le Phnom, devant le grand immeuble ocre de la Banque nationale du Cambodge. Des dizaines de milliers de coupures de cinq cents riels jonchaient la chaussée et les trottoirs, encombrés de sacs de sable et de fils barbelés. Ce qui représentait, hier encore, une immense fortune, s'envolait devant moi, billets éphémères qui, en quelques heures, avaient perdu toute leur valeur. J'en venais maintenant à regarder ce monde détruit, ces avenues à l'abandon, comme un spectacle, et à en rire.

Je glissai en silence dans un immense foyer de mort, dont la vue prolongée me saisit si violemment qu'il me vint à l'esprit que le panorama de tant de destructions ne tarderait pas à m'arracher à mon fragile équilibre. Pas un enfant, pas un être vivant. Cette brusque interruption de la vie, dans le noyau même de ce qui avait été le grand centre commercial du delta du Mékong, dans cette cité réputée pour son activité composite, sa population bigarrée, ses mœurs cosmopolites, me parut à la fois si incroyable et si simple que surgit en moi la vision d'un monde mort, déserté à la suite de je ne sais quel cataclysme, et dont j'étais sans le savoir le dernier survivant... Je m'abîmai dans les boyaux de ce ventre vide en fermant les yeux, comme dans les images d'une bande dessinée futuriste, et je ne nie point que ces sombres errances m'aient donné quelque forme de jouissance.

Les Khmers rouges semblaient contrôler le centre. Ils dressaient des barrages aux carrefours, vociférant contre les retardataires qui couraient encore dans les rues, prélevant au passage une dîme sur chacun d'eux. Ils arrêtèrent la jeep. Je dus montrer mon laissez-passer, tout en expliquant où je me rendais. J'allai d'abord chez Jules Maire, qui représentait les Laboratoires pharmaceutiques Roussel, et dont lui-même m'avait vanté l'abondance des provisions conservées dans son garage, ainsi que la qualité de sa cave. Mais je devais aussi entrer dans les maisons, défonçant les portes à coups de pied, pénétrant dans les cuisines, regardant les tableaux aux murs, accédant à l'intimité des chambres ; photos d'enfants, tiroirs ouverts, lingeries, sous-vêtements, bibelots, souvenirs, pouvant tout prendre, ou tout laisser... Parfois, je surprenais un rôdeur qui bourrait son sac. Forçant la porte de l'une d'elles, je me trouvai devant un grand chien, un bâtard de doberman et de berger allemand, enfermé depuis plusieurs jours, qui me regarda d'un œil inquiétant. Je m'empressai de passer dans une autre pièce et le laissai s'enfuir. Dans la salle à manger, un repas était servi avec les verres encore pleins sur des nappes brodées. À côté des bouteilles ouvertes, les reliefs d'un poulet étaient restés dans le plat et sentaient mauvais.

Finalement, la remorque et l'arrière de la jeep remplis de sacs de riz, de boîtes de conserve, de paquets de pâtes, de lentilles, de sucre, de sel et de bouteilles de vin, je m'en retournai reprendre mon directeur des Brasseries chez lui. Il ne répondit pas à mes appels. Attirés par les petits coups de klaxon que je donnais, comme nous en étions convenus, des Khmers rouges s'approchèrent et posèrent des questions. Je fis semblant de partir, pour revenir ensuite. Toujours personne. N'osant plus klaxonner, j'entrai en hâte dans la maison, en appelant, effrayé à l'idée qu'il lui fût arrivé quelque chose. Les pièces du rez-de-chaussée étaient dans un état de désordre indescriptible. Passant devant la cuisine, j'aperçus contre l'évier un magnifique chat angora dont la fourrure grise luisait de reflets argentés ; je m'en approchai rapidement pour le voir de plus près et une odeur de pourriture pénétra mes narines. Je trouvai finalement le directeur au premier, assis sur son lit, prostré, la tête tombante. À mon entrée dans la chambre, il leva lentement, sans réagir, des yeux inertes sur moi. À côté de lui, une valise ouverte restée vide. Je pris pour lui quelques affaires de toilette et des vêtements de rechange.

Nous rentrâmes à l'ambassade, et j'allai trouver Migot au consulat.

— Je pense que ce sera possible, lui dis-je, mais pas aujourd'hui.

Sa femme Monique était à ses côtés, occupée comme lui à établir des listes. Ils avaient, quelques semaines plus tôt, perdu leur fille cadette dans un terrible accident et souhaitaient retourner au cimetière, une dernière fois. Ancien parachutiste, officier de la Légion étrangère, professeur de géographie, il dirigeait l'Alliance française de Phnom Penh. Avec un physique d'athlète et un tempérament robuste, l'homme était un cube. En plus de cela, il avait une doctrine : son anticommunisme farouche ; une obsession : celle d'être toujours le premier à sortir son portefeuille pour offrir le repas ou la tournée ; un souci : celui de rendre service à tout le monde ; un credo : le travail ; une passion : celle du vin. Bref, un mélange détonant. Mais Migot avait encore autre chose : deux soleils pétillants, vers lesquels convergeaient toutes les rides de son visage boucané à la cigarette. Et, par la lumière de ces deux astres mobiles qu'il plantait sur vous dès la première poignée de main du matin, il vous faisait oublier les disputes de la veille.

— Ça ne fait rien, vieux ! assura-t-il. Ne t'en fais pas... Tiens, le gendarme ! C'est pour toi.

Un camion bâché stationnait devant le portail, et trois Khmers rouges demandaient qu'on reçoive huit étrangers qui s'étaient présentés à eux sur la route. Le gendarme voulait que je vérifie leurs passeports avant de les laisser entrer.

Je sortis pour regarder par-dessus la ridelle et reconnus des Indiens, qui baragouinaient le khmer. Par chance, tous avaient des passeports, que l'un d'eux me remit. En fait, il s'agissait de Pakistanais, et j'examinai ostensiblement leurs papiers, pour bien montrer aux Khmers rouges que nous ne faisions pas n'importe quoi. L'un des titres de voyage était d'une autre couleur et correspondait à une ressortissante du Sud-Vietnam, dont la photo mal collée, de toute évidence, était rapportée. Je me hissais sur la pointe des pieds pour à nouveau regarder sous la bâche. Deux yeux luisants me fixaient du fond de la benne.

— O.K. ! Ça va ! *Bane*, fis-je aux Khmers rouges.

En même temps je fis signe au gendarme d'ouvrir. Les Pakistanais, un à un, se laissèrent tomber sur la chaussée, et la fille émergea de la pénombre. Elle avait passé vingt ans. Le tissu sale et cartonné de son sarong à fleurs était noir du sang séché de ses règles. Je gardai les passeports et les fis entrer dans l'ambassade.

Nhem traversa la rue, tenant à la main un sauf-conduit à couverture marron.

— Qu'est-ce que c'est comme passeport ? me demanda-t-il. Ce Chinois est là depuis une heure et parle un peu la langue khmère. Mais il affirme ne pas être chinois...

Je suivis Nhem, tout en examinant le document. Il s'agissait d'un commerçant qui faisait des affaires à Phnom Penh. L'homme était dans tous ses états.

— I am a citizen of Singapore ! répétait-il, en montrant du doigt sa poitrine.

— Ah! fis-je à Nhem, il habite Singapour. C'est un Malais!

— Non! Non! faisait le malheureux. Singapore! Singapore!

Ignorant, moi comme Nhem, que Singapour était devenue une république indépendante..., nous n'y comprenions plus rien. Quoi qu'il en fût, j'emmenai le Chinois, contristé, à l'ambassade de France, où m'attendaient, au milieu de la cour, les Pakistanais et la Vietnamienne, pour qu'une place leur fût attribuée. Il fallait les rattacher à une équipe de sorte qu'ils entrent dans le décompte des vivres. On décida de les mettre avec les Indiens de Phnom Penh, regroupés dans le secteur nord-ouest du campus.

Mais la Vietnamienne rechignait à les suivre. Elle s'approcha de moi pour m'expliquer, à demi-mot, qu'elle ne voulait pas rester plus longtemps avec ces hommes qui l'importunaient depuis deux jours. Je vis qu'elle tremblait en sollicitant mon aide. Elle semblait perdue, fragile, et des larmes perlaient à ses yeux. Ses lèvres charnues s'ouvraient sur l'éclat lumineux de ses dents. Des mèches raides tombaient de sa chevelure poisseuse sur les bords d'un visage ovale dont les traits avaient gardé tout le charme de la jeunesse. Mais, en parlant, une petite grimace relevait les ailes de son nez, comme si l'on avait tiré sur un fil, et donnait soudain à sa physionomie une expression d'audace et de détermination qui la vieillissait. Surtout, c'étaient ses yeux enfoncés, d'un noir sombre, dont la dureté surprenait le plus. Et je vis son regard qui cherchait à entrer dans le mien.

— Bon ! Elle ne veut pas rester avec les Pakistanais, expliquai-je au gendarme. Je vais m'occuper d'elle. Quant au Chinois, puisqu'il parle anglais, on va lui trouver une place près de la résidence.

Venet et Ponchaud, en grande discussion, marchaient dans notre direction. L'expulsion inévitable des soldats du FULRO, le Front uni de libération des races opprimées, les inquiétait. Ces hommes, qui menaient depuis des décennies une guérilla anti-vietnamienne dans la zone montagneuse des trois frontières, étaient entrés dans l'ambassade et refusaient d'en sortir. Accompagnés de M. Y Ban, le fondateur de leur mouvement, et du colonel « Paul » qui les commandait, ils étaient arrivés dès le matin du premier jour et avaient justement aménagé leur territoire à côté de celui des Indiens. Nous demandâmes aux deux missionnaires d'accompagner les nouveaux arrivants à l'autre bout du campus.

— Toi, tu vas te mettre là en attendant, dis-je à la Vietnamienne. Viens !

Je pris par le couloir des services culturels et envisageai de lui trouver une place dans un des cagibis du rez-de-chaussée ; mais ils étaient tous fermés. Nous passâmes alors devant le recoin qui donnait sur le passage des toilettes bouchées. Je m'y engageai et me retournai. La fille était sur moi. Sa bouche s'entrouvrit et ses lèvres semblèrent s'adoucir dans un sourire à la fois dédaigneux et provocateur. Alors elle se plaqua contre le mur, en allongeant son cou. Puis, soudain, son visage prit une expression tragique. Tout devint confus et s'entrechoqua dans mon cerveau. Je me pressai brutalement contre elle. Un cri vite réprimé sortit de sa poitrine, telle une bourrasque qui emplit mes sens. D'un geste sauvage, elle dégagea mon sexe du short. Ses yeux mi-clos se révulsèrent, couvrant pudiquement son regard d'une gaze d'argent.

Je traversai rapidement la cour jusqu'à la chancellerie où je m'enquis de trouver du shampooing. Personne n'en avait.

— Qu'est-ce que tu veux faire avec ça? me demanda Lorrine surpris.

— T'occupe! lui fis-je, en clignant des deux yeux.

Finalement, j'obtins ce que je voulais auprès de Romanie, qui me laissa aussi son savon parfumé. J'allai, sans attendre, installer la Vietnamienne dans le bureau de Prunières, dont on m'avait remis les clefs dès le premier jour. J'y avais d'ailleurs déjà passé une nuit, sur le large plateau de la table en palissandre. Le coussin carré en mousse du fauteuil, que j'avais utilisé comme oreiller, était encore là où je l'avais laissé. J'indiquai à la fille, qui ne disait rien, le petit cabinet de toilette attenant, avec le robinet d'eau qui sortait du mur, et la laissai seule.

J'allai trouver Espuy.

— Où est le déménagement des Serre? lui demandai-je.

— Au sous-sol. Mais il n'y a plus rien, fit-il, narquois. J'ai remonté tout ce qui était intéressant… Il n'y avait d'ailleurs pas grand-chose, que du cognac. Du bon, il est vrai! J'ai ouvert toutes les caisses. Il ne reste plus que des livres, quelques babioles, et des vêtements de femme.

— Justement! m'exclamai-je.

Mais Charlotte n'avait laissé à Phnom Penh que des toilettes de soirée. Je fouillai dans les malles abandonnées, parmi les robes élégantes, avec ou sans manches, dont certaines, très habillées, longues pour la plupart, rouges, vertes, unies ou à dessins, en crêpe de Chine ou de soie, légères comme des voiles, ne couvraient que le buste. D'autres, courtes, en broderie de coton, ou en tissu imprimé de taches multicolores, étaient coupées, inversement, pour laisser voir les jambes. Émerveillé, incapable de choisir, je pris finalement un tissu lamé d'argent, assez simple, sans remarquer, d'ailleurs, que le décolleté, largement creusé sur la nuque, découvrait aussi une épaule.

La Vietnamienne s'était enfermée dans la salle d'eau, attendant pour sortir que le sarong et la chemise souillés, qu'elle avait immédiatement lavés, soient secs. Je lui fis savoir, à travers la porte, que je posais une robe pour elle sur le bureau, et ressortis.

— Bizot! On vous cherche, me dit le gendarme. Le gars d'en face vous réclame.

Je reconnus, debout derrière le portail, le « Malais » qui nous avait escortés à l'université. Nous traversâmes ensemble. Nhem était en conciliabule avec quelques-uns des Khmers rouges qu'il me semblait avoir déjà croisés dans son entourage. Il me fit asseoir dans un des fauteuils post-Arts déco du salon en skaï, marbré rouge et noir, qu'il avait choisi et fait installer dans un coin de l'antre sombre devenu son refuge. Le Malais se joignit à nous, avec un autre que je ne connaissais pas et qui, de beaucoup, était le plus âgé de nous tous.

— Tous les Khmers doivent sortir maintenant ou seront exécutés sur place ! attaqua Nhem, d'une voix ferme, sans préambule.

Je ne répondis pas, restant devant eux penaud et décontenancé, malgré moi. C'était vrai que les jours passaient et que les réfugiés étaient toujours là, dans l'ambassade, quoique beaucoup moins nombreux qu'au premier jour — plus d'un millier s'étaient évaporés un par un sans qu'on s'en rende compte — et cela en dépit des sommations formelles que nous avions reçues de les faire tous partir. J'eus le pressentiment que le personnage qui assistait à l'entretien était venu pour avertir Nhem de l'impatience du commandement khmer rouge. Je le voyais dans une situation critique, comme accusé de ne pas avoir su faire procéder à l'évacuation. Je n'aurais pas voulu pour tout l'or du monde que l'on changeât notre geôlier.

— Ils vont partir, camarade ! répondis-je, sur un ton confiant, pour tempérer son agressivité soudaine et tranquilliser l'autre. Mais peut-être pas ce soir ? Il est tard...

— Demain ! jura-t-il, voulant bien montrer que c'était lui qui décidait, au bout du compte.

— Camarade, fis-je, embarrassé. Je ne suis que l'interprète. Ce n'est pas à moi de répondre. Je demande à traverser le boulevard et à revenir dans quelques minutes.

— Demain ! répéta Nhem sèchement, en se levant, mais après avoir opiné à mon souhait.

J'allai donc trouver Dyrac. Or, par une singulière transmission de pensée, cette obligation insupportable, qui pesait en permanence sur nos estomacs vides, à chaque heure du jour et de la nuit, faisait précisément l'objet des discussions agitées qui enflammaient les interlocuteurs du consul, lorsque j'entrai dans son bureau. Chacun, inconsciemment, repoussait sans cesse les délais de ce départ forcé des réfugiés, arrivant même à en sous-estimer l'urgence, comme dans un acte manqué, cherchant une échappatoire dans le dérobement des jours.

— Ça tombe bien ! affirmai-je aussitôt, parce que c'est pour demain. Nhem est pris à la gorge, il ne lâchera plus... En fait, c'est assez simple : ou on rejette l'idée, ou on l'accepte. Si c'est non, je vais le leur dire. Si c'est oui, il faut le faire au plus vite. En même temps, il faut comprendre que c'est « kif-kif » pour les Khmers : dans les deux cas, ils seront évacués. À cette nuance près que dans le premier, à mon avis, cela se passera beaucoup plus mal pour eux. Et peut-être pour nous aussi, mais c'est une autre question. Allez, dis-je à Dyrac, c'est à vous de décider. Nhem attend une réponse. Je suis dans la cour.

Je m'assis dans l'entrée, la tête entre les mains, sur les marches de l'escalier en ciment vert poli, où luisaient des éclats de bauxite. Devaux et Ponchaud étaient au portail. Au-dessus d'eux, des nuages s'étiraient, mêlant leurs écharpes grises aux stries blanches d'un avion qui passait très haut dans le ciel. J'imaginai le pilote serré dans sa carlingue, dont la pensée devait être bien loin de nous, comme dans la forêt d'Omleang, quand le bruit lointain d'un moteur de camion m'arrivait aux oreilles et que j'aurais donné n'importe quoi pour pouvoir attirer l'attention du chauffeur, parce que le véhicule qu'il conduisait était pour moi devenu une Épiphanie de l'extérieur, et son bruit de moteur, une sorte de prolongement du monde libre. Puis je suivis leurs yeux qui se posaient sur toutes les combinaisons des tons du soir, observant avec eux la dégradation des couleurs, leurs modifications sous l'influence de la lumière déclinante et de l'ombre qui s'épaississait. Non seulement les couleurs, mais encore les formes semblaient se charger d'une puissance nouvelle ; je découvrais des sens secrets dans les contours qui se profilaient sur l'encadrement crépusculaire ; les voitures, les murs, les frangipaniers autour de nous étaient riches d'une substance insoupçonnée. Les choses parlent pour peu que le regard s'y porte.

Mais aussi, je vis qu'en se retournant ils lançaient derrière eux, sans insister, presque à la dérobée, des regards en direction des services culturels, où ondulait une forme argentine dans l'air encore chaud que venait tempérer la fraîcheur des ombrages du parking. La Vietnamienne s'était glissée dans le fourreau de Charlotte. Elle avançait d'un pas hésitant, sans oser attirer l'attention sur elle, à la fois gênée par sa beauté trop crue et heureuse d'être belle.

Vision irréelle, émanant pourtant d'une implacable détermination à vivre : je l'avais sentie, contre moi, capable de puiser au plus profond de l'univers, sous des nappes enfouies, l'énergie mystérieuse qui relie, depuis toujours, l'homme à l'éclat des étoiles.

Par la suite, il ne fut plus question entre nous de ces choses. Nous nous tînmes silencieux, comme sur la découverte d'un secret, enfoui à jamais. Je devais la revoir, quelques jours après notre arrivée en camion à Bangkok. Munie d'un sauf-conduit, authentique cette fois, que lui avait procuré le père Venet, elle s'apprêtait à partir pour la France. Nos regards ne se croisèrent qu'un instant.

Inopinément, l'atmosphère étouffante fut ébranlée par une effrayante explosion qui retentit du centre-ville. La secousse produite par l'air déplacé fut telle que la chancellerie sembla osciller sur ses bases.

— Eh bien ! s'exclama Dyrac qui arrivait derrière moi. Probablement une conduite de gaz... Bon. Vous pouvez lui dire que, dès demain matin, tout sera mis en œuvre pour que les réfugiés, entrés illégalement, quittent le périmètre de l'ambassade. Mais notre coopération lui sera assurée — insistez bien là-dessus — seulement s'il peut nous garantir qu'aucune mesure, à la sortie, ne sera prise à leur encontre. Ils doivent tous partir libres, sans distinction de sexe, sans aucun encadrement spécial. C'est très important. Montrez-lui que nous y tenons beaucoup.

Nhem était au milieu du boulevard, avec ses congénères, et regardait la fumée qui s'élevait en tournoyant dans le ciel. Au-dessus du découpage en gris des toits de la ville, des nuages tordaient leur étoffe lamée de stries écarlates.

J'allai à sa rencontre. Il s'était calmé. Je crois qu'il ne doutait pas un seul instant de ma réponse. Nous prîmes nonchalamment la direction de la place, et je lui rapportai, tout en marchant, les mots du consul. Autour de nous, des gens circulaient encore, contournant les barbelés qui empêchaient de passer sous le pont japonais, lequel, déchiqueté en son milieu, deux ans plus tôt, par le sabotage d'un commando nord-vietnamien, dévidait ses boyaux de fer dans le Mékong. Devant le cimetière, nous fîmes demi-tour pour rentrer.

— Camarade Nhem, regarde ! dis-je en lui montrant les pierres tombales et les croix de fer dont quelques-unes chaviraient dans les herbes folles. La fille de mes amis repose ici depuis seulement quelques jours. Sa mère voudrait y venir faire une dernière prière. C'est une faveur que je te demande personnellement.

Et je dis cela en tournant mes yeux sur lui.

— Nous verrons demain, répondit-il. Maintenant, il fait nuit.

12

— Migot, Monique, on y va!... au cimetière!

Il faisait juste jour, et j'avais seulement entrouvert la porte du service consulaire pour les appeler. Ils étaient encore allongés derrière le guichet de la longue salle, où ils passaient leurs jours et leurs nuits à faire et à refaire les listes, avec deux agents du poste, Binh et Villaréal. Ils avaient dû veiller tard, en compagnie du consul, pour fabriquer de faux passeports à ceux, parmi les Khmers, qui étaient susceptibles d'en posséder un, et donc de rester dans l'ambassade, sans trop risquer d'attirer l'attention sur eux : épouses ou maris de ressortissants français, anciens soldats, personnel de l'hôpital, enseignants... Nous devions veiller, bien entendu, à ce que les fausses identités que nous établissions aient une certaine vraisemblance, pas seulement le document lui-même mais son attribution, pour éviter de donner prise à des soupçons lorsque les vérifications auraient lieu. Nous nous étions donc entourés de beaucoup de précautions, jusqu'à la falsification compliquée des registres. Ces garanties n'étaient pas superflues, dès lors que nous ne connaissions pas le niveau des contrôles auxquels chacun de nous serait soumis. Cinquante-trois passeports et laissez-passer furent ainsi fabriqués en faveur de dix-huit jeunes Cambodgiens et Vietnamiens, d'une vingtaine de femmes et d'une quinzaine de personnes âgées.

Les Migot me suivirent en grande hâte. Le Malais nous attendait devant le portail avec deux hommes qui avaient leurs kalachnikovs sur l'épaule, comme on tient un râteau ou un balai, c'est-à-dire par le bout le plus léger. Nous traversâmes rapidement la grande place et pénétrâmes dans l'encadrement d'arbustes et de haies bouleversé par les dernières pluies, où s'alignaient des dalles de pierre à l'abandon. Le terrain était recouvert d'une végétation en friche, assez haute pour cacher jusqu'aux grilles qui entouraient certaines stèles. Dans le fond, près de la muraille, nous ne parvînmes pas à identifier tout de suite l'emplacement pourtant récent, déjà noyé dans les hautes herbes et la broussaille. Migot s'accroupit, mettant ses genoux à même la terre mouillée, pour dégager avec vigueur, sous les pots de porcelaine et les fleurs séchées, la tombe de sa fille. Ne comprenant pas ce qu'il cherchait, un des soldats se méprit sur son geste et l'imagina en train de fouiller une cache d'armes. Il prit peur et le mit aussitôt en joue en criant, et, dans la confusion, les deux autres le braquèrent aussi, Migot, dont le cœur était brisé, ne percevant pas ce qui se passait, se redressa farouchement pour les charger à main nue. Le drame fut évité de justesse, grâce peut-être, là encore, au sang-froid du Malais : il sut s'interposer à temps et faire reculer l'homme menacé qui contre-attaquait fièrement, pour aller lui-même vérifier du pied qu'il n'y avait rien dans l'herbe. J'aidai mes amis à éclaircir le renflement verdoyant qui formait une tache tendre sur la terre.

De retour à l'ambassade, nous saluâmes au passage Mlle Carrère. La vieille dame venait prendre sa place, sur la chaise qu'on lui avait attribuée, dehors, sous l'auvent à l'entrée du consulat. Elle enseignait le français depuis des années dans ce pays qu'elle ne voulait plus quitter. Elle y était connue, parce qu'elle s'enveloppait les cheveux dans une mantille de dentelle blanche, qu'elle attachait à l'arrière de la tête par des épingles et qui lui tombait sur les épaules, avec parfois quelques fleurs placées sur les tempes. Toute la journée, elle restait assise et regardait sans curiosité ce qui passait dans le champ de ses yeux fatigués.

Les missionnaires au complet, les médecins, les planteurs, tous les Français qui parlaient khmer, s'agitaient autour de ceux qui étaient venus si malencontreusement s'échouer chez nous et qui devaient maintenant repartir. La plupart se trouvaient déjà prêts et, sans surprise, se disposaient à nous quitter, même si nombre d'entre eux, aveuglés par la confiance qu'ils nous vouaient, auraient souhaité s'accrocher indéfiniment au minuscule lopin de terre française où nous leur avions laissé trouver refuge. Les médecins, avertis la veille par Revil, avaient prévu des petits sacs de médicaments, des antibiotiques, et surtout des remèdes contre la diarrhée, dont une centaine de cas était apparue depuis quelques jours. Comme une partie des

Khmers étaient entrés dans l'ambassade à la suite d'un résident, d'un expert, d'un journaliste, qui était leur voisin, leur collègue, leur ami, beaucoup de ces protecteurs impuissants, les yeux mouillés de larmes, aidaient aux derniers préparatifs.

Plusieurs centaines de personnes se retrouvèrent ainsi, en face des services culturels, devant les voitures. Elles se mirent en colonne, baluchons aux pieds. Leur départ fit s'ébranler le plus affreux des cortèges : toutes s'efforçaient de sourire. Mais c'était le sourire qu'on affecte, en se mordant les lèvres, quand on est gravement malade, par exemple, et qu'on ne veut pas donner de soucis à ceux qui nous aiment. Le plus terrible, pour nous qui restions, était de devoir leur cacher notre chagrin pour donner le change. Autour des Khmers se pressait ainsi une cohorte d'hommes qui n'avaient plus pleuré depuis longtemps, et qui étouffaient, toussaient, reniflaient, se tournaient pour reprendre de grandes respirations...

À ceux que nous expulsions s'étaient mêlés un Suisse, un Français, un Vietnamien, un Italien, un Thaïlandais, un Laotien, qui auraient pu rester, eux, mais qui ne voulaient pas abandonner leur femme, leur mari, ou leur père...

En ce dernier instant, tous essayaient d'affronter la situation dignement. Ils pressentaient la vie pénible qui allait leur échoir, mais ils étaient préparés à recommencer une nouvelle existence. Beaucoup plaisantaient pour se donner du courage, pour dédramatiser la situation, et pour minimiser aussi notre honte. Je revois Mme Despres, qui assurait le secrétariat des établissements Dumarest, remariée à un fonctionnaire cambodgien, et qui fronçait les sourcils d'un air résolu, assurant à qui voulait l'entendre que, de toute façon, elle en avait assez d'être dans un bureau, sous un climatiseur. Le couple avait regroupé ses affaires dans une brouette et semblait impatient de sortir (le mari, il est vrai, à l'origine de leur commune infortune, arborait une figure tragique). Une grande blonde italienne faisait rire en déclarant qu'il était hors de question, Khmers rouges ou pas, qu'elle laissât son homme partir à l'aventure, pour qu'il en trouve une plus jeune sur la route. Et puis cette Thaïlandaise, qui avait perdu son passeport, et qui affirmait qu'elle réussirait bien à séduire un beau révolutionnaire qui saurait la protéger… Mais au fond des yeux se lisait la frayeur qui habitait chacun d'entre eux.

Nhem se présenta au portail avec le Malais. À l'aide d'un porte-voix, il s'adressa au cortège qu'un frémissement houleux fit osciller dès qu'il entra :

— Compatriotes aînés et cadets, hommes et femmes, ouvriers, fonctionnaires, paysans ! En tant que vice-président du front Nord de la ville, je souhaite à tous la bienvenue, aux travailleurs de toutes couches et de toutes classes sociales. L'Angkar a procédé à l'examen de la grande victoire historique remportée par le peuple du Kampuchea qui a totalement défait la guerre d'agression extrêmement barbare des impérialistes américains et de leurs valets. Après cinq années et un mois de lutte vaillante, opiniâtre, résolue, au cours de laquelle, faisant preuve d'héroïsme sublime et consentant à d'immenses sacrifices, ils ont enduré des difficultés de toutes sortes. Ces difficultés n'ont pas pris fin! Nous devons encore répondre à mille et un problèmes urgents qui sont les séquelles laissées par l'impérialisme américain et ses valets. Notre économie est détruite. Les usines, rizières, champs, voies de communication, écoles, hôpitaux, maisons d'habitation, pagodes des villes ou des campagnes sont, en grande partie, anéantis. Aussi, nous devons organiser nos forces pour développer la production dans le pays tout entier en vue de résoudre les problèmes de la vie dans le présent immédiat ainsi que pour l'avenir. Camarades! la patrie chérie a besoin des efforts de chacun et vous invite à participer avec enthousiasme à la production nationale, de concert avec les cadres, depuis les ministres jusqu'aux échelons de communes et de villages, depuis les cadres supérieurs jusqu'aux combattants et combattantes, pour cultiver à la fois le riz hâtif et le riz lourd, et pratiquer la culture du bananier, des patates, du manioc, etc. C'est la raison pour laquelle je vous demande de quitter sans crainte la capitale, de rester groupés, sans tenter de retourner au centre-ville, dont l'accès est désormais interdit. Vous devrez suivre ensuite les instructions qui vous seront données sur la route, afin que l'Angkar puisse vous accueillir comme il convient. Je vous remercie!

La tirade inspirée de Nhem semblait moins destinée à rassurer les Khmers qu'à contenter les autorités françaises et l'opinion des étrangers qui s'étaient amassés dans la cour pour l'écouter. Nous notâmes avec soulagement qu'il n'était pas revenu sur l'idée de regrouper les gens en fonction du sexe. Derrière lui, sur le boulevard, il y avait toujours des Phnom-penhois qui avançaient avec des paquets accrochés à leurs épaules. Mais ils étaient de moins en moins nombreux, et il allait être plus difficile, maintenant, de s'évanouir dans la nature, comme tous nos réfugiés en formaient le projet. Cependant, du côté khmer rouge, nous ne remarquions rien qui laissât supposer la moindre disposition particulière pour les discriminer. Je crois que les révolutionnaires, pris au débotté, n'en avaient pas les moyens. Nous ouvrîmes le portail, et ceux que nous ne pouvions plus garder parce qu'ils mettaient en danger notre frêle embarcation se jetèrent à l'eau.

Nous refermions la grille en silence derrière eux, lorsqu'un minibus, muni d'une plaque d'ambassade, freina brusquement à notre hauteur. Deux jeeps, pleines d'hommes en armes, le suivaient.

—Voici d'autres étrangers! me lança un Khmer rouge en sautant de l'une d'elles.

Il vint vers moi dans sa lancée et me remit les passeports des occupants du véhicule. Il s'agissait de sept Caucasiens, « gardiens » de l'ambassade de l'URSS. Trois femmes assez fortes se tenaient à l'arrière avec des sacs à provisions sur les genoux. L'un des hommes était gravement blessé au bras. Il avait été mis dans l'obligation de briser à coups de coude les lampes et les quartz des émetteurs radio dont ils avaient la charge, surpris par l'intrusion des révolutionnaires qui avaient fait sauter la lourde porte blindée du poste soviétique au lance-roquettes. Les tubes de verre brisés lui avaient déchiré l'avant-bras. Tous semblaient dans un piteux état mais n'en affichaient pas moins un air rogue. Ils fulminaient de ce que ces sauvages, incapables de reconnaître leurs alliés, pussent traiter les Soviétiques comme des Américains... Dès leur arrivée parmi nous, ils se montrèrent si désagréables avec tout le monde que leurs mines déconfites furent, pour beaucoup, réjouissantes à voir.

Restaient encore dans l'enceinte quelque cent cinquante commandos du FULRO qui, selon les traditions de la guerre dans ces pays, ne se déplaçaient pas sans leurs armes, sans leurs femmes, sans leurs enfants. La jeune épouse de l'un d'eux, désireuse de mettre au monde, sans plus attendre, l'enfant qu'elle portait, était parvenue à accoucher un peu avant terme, grâce à un médecin vietnamien, le docteur Xual Let, à la fois gourou catholique, maître de kung-fu et rebouteux caodaïste. Il la délivra in extremis au petit matin, par des manipulations et des prières adressées à Jésus, de sorte qu'elle laissât derrière elle le fils qu'elle aimait plus que tout, et qu'il eût des chances de survivre. Les Lorrine, qui étaient sans enfants, avaient accepté de l'adopter.

Ces hommes aguerris et cuirassés, qui ne balançaient jamais un instant — le pendant des cyclistes nord-vietnamiens, avec peut-être le panache en plus (tous provenaient de tribus où les hommes se parent fièrement de coiffures, de peignes, de colliers, de perles, de plumes, pour séduire les femmes comme pour aller à la guerre) —, n'obéissaient qu'à leur chef. Or, le colonel I Boun Sour, alias Paul, qui les commandait, ne pouvait cacher que ses dents claquaient, que la peur avait transi son âme et ôté tout mouvement à ses bras.

Marié à une Française, il était devenu avec la guerre un play-boy grassement payé par les Américains, qui préféraient l'encourager à mener une vie de noctambule fortuné à Phnom Penh (alors que ses hommes étaient au front), plutôt que de risquer qu'il se ralliât à l'ennemi, s'ils avaient menacé de lui couper les vivres. L'homme était encore jeune, couvert d'épais cheveux noirs séparés par une raie, et son visage clair d'Asiatique conjuguait, presque trop parfaitement, l'agrément de beaux yeux sombres et la fraîcheur des traits. Par chance, il était grand et musclé. Sur le plan du tempérament, c'était un pur produit des écoles catholiques de Ban Me Touot : une créature mal dans sa peau, à la fois cultivée et artificielle.

C'était la première fois, je crois, que j'étais le témoin d'une aussi pitoyable prostration. Tout avait lâché en lui : la tête et les viscères. Assis dans l'herbe, n'éprouvant plus de honte, tétanisé, il lui était impossible de se lever. Une sueur de malade perlait sur son front. À l'idée de partir sur la route, il éprouvait ce que ressentent ceux qui sont sujets au vertige, quand on les pousse au bord des pentes d'un trou abrupt.

Eh bien, ce poltron fasciné par les strass, qui avait juré trop vite devant son public de boîte de nuit, pressé qu'il était d'imiter le courage, de « rester avec ses hommes jusqu'au bout » — et qui n'avait pas fui, en effet, alors qu'il en avait eu le loisir avant qu'il ne soit trop tard —, demeurait la seule référence pour plus de cent baroudeurs équipés jusqu'aux dents (leurs armes étaient enterrées sous eux dans des toiles graissées), prêts à tout pour lui et à rien sans lui! Il était clair qu'ils ne bougeraient pas d'un iota et attendraient les Khmers rouges de pied ferme.

Alors se tint un étrange conciliabule de gens accroupis autour de l'homme qui restait sourd-muet.

— Paul, allez, voyons! il faut que tu te décides! lui disait un des pères à la barbiche blanche qui semblait le connaître depuis l'enfance. Réfléchis, bon sang! En t'obstinant, tu assassines tes hommes, et tu ne te laisses, à toi, aucune chance non plus...

— Paul! poursuivait un autre, te représentes-tu bien ce que cela veut dire de rester, hein? Pour tous les gens qui sont autour de toi?

— Mon colonel, intervenait quelqu'un de l'ambassade, le temps presse!

— Putain! S'ils arrivaient maintenant, faisait un autre en aparté.

— Là, répondait un quatrième, on parle de massacre! S'ils entrent, poursuivait-il, tes hommes vont leur tirer dessus. Et alors, je préfère ne pas imaginer le carnage...

— Paul! reprenait le premier. C'est vrai! La gravité de la situation ne peut pas t'échapper, merde! Réagis! Tire-toi avec tes hommes tout de suite, nom d'un chien! Et dehors, vous vous disperserez incognito...

Le père qui lui soufflait ces exhortations à l'oreille laissa aller doucement son front dégarni sur la tête du jeune officier supérieur, et nous vîmes quelques sanglots silencieux lui secouer les épaules.

— Mon petit Paul, reprit-il en se ressaisissant, c'est ce qu'il faut que tu fasses…

Les grosses gouttes d'une pluie espacée se mirent à tomber une à une, si bien que l'on n'entendit plus que le bruit qu'elles faisaient en rebondissant des cartons dépliés sur l'herbe. Brusquement, le colonel se releva, s'ébroua, regarda alentour, comme un homme qui revient de l'autre monde.

— Tu as quelque chose à boire? Un petit verre de cognac? demanda-t-il au vieux missionnaire.

— Eh! du cognac! Qui est-ce qui a du cognac? Un petit verre! demandèrent à la fois cinq personnes, en se retournant vivement sur les gens qui attendaient sans comprendre.

Un journaliste apporta en courant un verre à cognac en cristal, rempli d'une fine de couleur orangée. I Boun Sour tira sur la veste de son treillis pour la remettre en place, ajusta ses cheveux et sa mine, prit le verre entre deux doigts, le garda un instant à la hauteur de ses yeux, et l'avala d'un coup sec. Ses joues et sa bouche se plissèrent dans une grimace qui pouvait traduire le plaisir un peu fort que son gosier avait éprouvé, et qui lui avait immédiatement rougi les yeux, ou, aussi bien, la détermination dont il voulait maintenant montrer qu'il était habité. Il fit quelques pas en avant, se retourna sur les soldats déjà en rang qui attendaient ses ordres, et lança d'une voix ferme :

— Allez, les gars! On y va!

S'il y eut jamais des moments d'émotion au cours des heures que nous étions en train de vivre, la leçon de courage que nous donna Paul fut certainement celui qui nous arracha le plus de larmes.

Le vent déplaça la masse sombre qui avait survolé la ville en s'égouttant sur nous, dégageant subitement le ciel qui ressemblait à un grand voile bleu piqué de paillettes argentées. L'espace libéré ouvrit un grand vide au milieu du parc que nous n'osions plus regarder. Sur l'herbe aplatie et couverte de rebuts, père Félix entreprit sans attendre son travail minutieux.

Il restait désormais un peu plus d'un millier de réfugiés, parmi lesquels sept cents ressortissants français, dont un quart environ d'origine métropolitaine. Les autres étaient détenteurs de passeports étrangers, correspondant à plus de vingt-six nationalités. L'exil des derniers Khmers fut l'occasion d'appliquer un certain nombre de décisions ou d'aménagements que nous avions reportés, comme le rationnement des vivres, le stockage du ravitaillement dans la chambre forte de la paierie, la destruction de toutes les bouteilles d'alcool provenant des réserves de la résidence pour couper court aux abus (sauf un lot confié au dispensaire), le partage des corvées de nettoyage (jusque-là, seul Migot balayait la cour tous les matins), l'abattage des chiens errants du campus, le creusement de feuillées, l'organisation de rondes nocturnes, etc.

De son côté, Nhem trouva opportun de nous mettre aussitôt sous sa sujétion. Dans un premier temps, il demanda qu'on déposât pêle-mêle, devant le portail, toutes les armes que nous pouvions détenir dans le campus, ainsi que les appareils photo, les caméras, et les rouleaux de pellicules, impressionnées ou non. Si nous nous étions déjà débarrassés de l'armement du FULRO en l'enfouissant au fond d'un puits sans eau, foré dès le premier jour à la pioche, il restait encore beaucoup de revolvers. Quant au second volet de la consigne, il tomba comme la foudre sur les quinze reporters-photographes qui s'étaient réfugiés chez nous, avec leur pactole d'images sur la « libération de Phnom Penh », et auquel certains semblaient attribuer encore plus de valeur qu'à leur propre vie…

Sur ces entrefaites, j'aidai Ponchaud et Rémy à répartir les vivres, et en particulier les cigarettes dont les Khmers rouges nous avaient livré plusieurs lots de cartouches. Puis ce fut la distribution du déjeuner qui avait lieu, plus ou moins au même moment, dans les différents secteurs. Le service du repas était l'occasion de fréquentes disputes entre les réfugiés, tous affamés et mécontents de leur sort. En quelques jours, notre campus devint le bouillon de culture de tous les instincts primaires : vol, jalousie, égoïsme, agressivité… Il ressurgit des querelles de clans et de familles dont nul n'aurait su dire l'origine. J'avais déjà passé mon enfance en pension, confronté à la méchanceté des camarades de mon âge. Ce fut pour moi l'occasion de découvrir ce qu'était une communauté d'adultes pris au piège : un corps de moutons butés, qui amplifie chaque difficulté, complique chaque problème, et qui, revendiquant le droit de vivre, reçoit comme un dû, et en grommelant, les avantages acquis pour lui par l'initiative de quelques-uns... Dans les sections, on retrouvait toujours les mêmes rares personnes, en effet, pour prendre les décisions nécessaires.

Mais notre troupeau comprenait encore une autre catégorie de personnes, dont la révélation fut pour moi une leçon aussi forte qu'inutile : celles qui réclament les choses sans jamais se laisser éconduire, quelle que soit la légitimité de leur demande. Renvoyées, elles insistent ; repoussées, elles tiennent bon ; chassées, elles reviennent à la charge, ne se rebutant jamais, polies, entêtées, insouciantes du mépris qu'elles peuvent inspirer, oubliant tout amour-propre et toute pudeur. Celles-ci obtinrent tout ce qu'elles voulurent, du faux papier à la brosse à dents, jusqu'à l'antiquité oubliée sur le buffet... et cela, évidemment, au détriment de celles qui, avec dignité, ne demandaient rien, n'osant pas, face au drame qui se jouait, perturber la collectivité en exprimant des désirs personnels...

Au milieu de la cour, une centaine de réfugiés se tenaient debout, en rang, une gamelle ou une assiette à la main. Devaux, armé d'un quart d'aluminium, puisait dans un seau de fer-blanc étamé qui fumait sur un petit brasero de terre cuite. Il servait à chacun une mesure de bouillon, qui répandait une odeur d'huile chaude. Dans la file qui serpentait jusqu'aux arcades du service culturel, je reconnus Albert Spaccesi, le propriétaire du Café de Paris, « le meilleur restaurant d'Asie du Sud-Est », comme il aimait à le proclamer lui-même... Le pauvre homme, torse nu, faisait pitié : ses grosses jambes variqueuses sortaient d'un énorme caleçon de laine. Sur son ventre et dans le dos apparaissaient les larges cicatrices encore roses d'une opération qu'il avait subie en France. Je l'entendais, de sa voix de fausset, expliquer à ses voisins qu'on lui avait retiré plus de quarante kilos de graisse... et à chaque pas il gémissait, en étouffant des sanglots, sur la fortune qu'il avait investie dans son beau restaurant « où venaient le général de Gaulle et le prince Sihanouk », maintenant perdu à jamais. Il n'avait plus rien.

— Regarde, c'est Borella ! me dit Rémy en indiquant des yeux un homme d'une quarantaine d'années qui attendait son tour calmement, appuyé contre la mosaïque bleue du mur, une jambe repliée sous lui.

— Borella ?

— Mais si ! tu le connais. Dominique Borella. Il vient juste d'arriver. C'est lui qui tenait l'aéroport de Potchentong, investi depuis une semaine, et toujours imprenable... Les Khmers rouges en avaient un besoin si urgent, sans doute pour y faire atterrir des Chinois, qu'ils ont négocié sa sortie sans conditions, avec tous ses hommes, cette nuit. Les mecs se sont évanouis dans la nature, et Borella est arrivé ici ce matin, discrètement, en entrant par-derrière. C'est incroyable, n'est-ce pas ?

Je posai avidement mes yeux sur celui que les Khmers avaient baptisé *sok sa*, « cheveux blancs », et dont j'avais, bien sûr, entendu parler. Doué d'un physique à la Robert Redford, ses cheveux roux viraient, en effet, au blond filasse. La peau oxydée de son visage encore jeune avait la couleur intraduisible de certaines feuilles mortes, brûlées par l'automne. Au fond des paupières empennées de blanc, étincelait le bleu faïence de ses yeux.

Borella « le mercenaire », c'était donc lui ! Croisé de l'anticommunisme, venu au Cambodge pour se battre au côté des républicains. Son professionnalisme et son courage avaient fait de lui un mythe. Les hommes du bataillon de parachutistes qu'il commandait le tenaient pour invulnérable et lui vouaient une obéissance aveugle. Avec un sens inné de la stratégie, il savait tout du maniement des armes et des pratiques du close-combat. En outre, alors que lui-même refusait d'être payé, les soldats sous ses ordres étaient les seuls du Cambodge à toujours recevoir leur solde ponctuellement. Pendant l'épisode de l'ambassade, cet homme de légende se porta volontaire pour toutes sortes de corvées et trouva mille moyens de se rendre discrètement utile.

Dyrac m'envoya arranger une rencontre avec Nhem au plus vite. Il voulait l'entretenir d'un certain nombre de propositions urgentes concernant notre situation. En premier lieu, tout le monde avait faim et nous voulions être mieux ravitaillés. Mes sorties n'y suffisaient évidemment pas. Nous en étions à deux louches de riz par personne et par jour. Nous avions également besoin de désinfectants puissants, comme la chaux ou le crésyl, ainsi que de nattes, de moustiquaires, de seaux, de marmites, de lessiveuses… Ensuite, l'aéroport étant désormais accessible, les instructions de Paris, que nous continuions à recevoir — classées par Berger qui campait devant le télex —, étaient d'obtenir des Khmers rouges le droit d'atterrissage d'un gros-porteur français. Le ministère des Affaires extérieures avait créé une cellule de crise qui maintenait nuit et jour avec nous des relais radio via Bangkok, Saigon, Singapour, etc. L'avion serait chargé de médicaments et de vivres et pourrait évacuer une partie de la communauté étrangère, à commencer par les enfants, les femmes et les malades. Enfin, le consul voulait aussi demander à Nhem des nouvelles concernant nos compatriotes dispersés dans tout le pays (environ deux cents selon les registres d'immatriculation), en particulier à Battambang et à Pailin.

Le « président », comme disait le consul, nous reçut dans ses quartiers, en fin de journée. Une puissante chaleur embrasait l'air immobile au-dessus de l'ambassade, accentuant encore le sentiment d'épuisement que nous ressentions tous. Dyrac, qui n'était plus tout jeune, suait et haletait de fatigue en traversant le boulevard. Quant à moi, j'étais vanné ; dès la tombée du jour, le sommeil me prenait comme une vague et je m'endormais brusquement dans mon angoisse.

Préalablement à notre rendez-vous, j'avais transmis à Nhem deux lettres officielles de Dyrac résumant point par point la demande française, en sorte qu'il eût le temps de consulter sa hiérarchie avant de nous répondre. À notre arrivée, il serra chaleureusement la main du consul et nous invita à prendre place dans les fauteuils en skaï. Deux ventilateurs à pied, flambant neufs, balayaient latéralement l'air dans notre dos. Le Malais s'assit à côté de lui et fit circuler un paquet de cigarettes. Un jeune garde servit maladroitement du thé, avec ses gros doigts de paysan aux ongles noirs, dans un magnifique service en porcelaine de Corée.

Refusant un tour trop solennel, le « président » prit la parole avec cette emphase fanfaronne doublée de maladresse que je connaissais bien. À l'évidence, il affectait aussi une expression qui était le fruit d'un autre mimétisme : on ne vit pas impunément dans l'ombre des mêmes chefs sans prendre quelques-unes de leurs habitudes rhétoriques et mimiques. Ainsi, comme la plupart des autres révolutionnaires que j'avais déjà vus à l'œuvre, j'observai qu'il gardait les lèvres pincées avant de parler, le temps qu'il fallait pour qu'elles se prolongeassent en un sourire rectiligne qui lui plissait les joues.

Nhem salua le représentant de la République française au nom du Gouvernement royal uni national du Kampuchea et rejeta catégoriquement la demande d'atterrissage d'un avion français. De même, il exclut la proposition d'une évacuation des réfugiés par voie aérienne. En revanche, il nous donna des assurances concernant notre approvisionnement et se montra confiant quant aux efforts de l'Angkar pour regrouper les Français isolés en brousse, « à commencer par les experts des nouvelles plantations de café de la région de Pailin », précisa-t-il, pour nous montrer qu'il connaissait bien la situation et qu'il savait de quoi il parlait.

Nous ressortîmes dans la lumière du boulevard. Dyrac se montra très contrarié par ces refus.

— Bon sang ! qu'est-ce qu'ils mijotent ? On ne va tout de même pas partir à vélo…

Sous les rayons obliques du soleil, les feuillages de la grande allée se doraient. Nous nous arrêtâmes un instant à l'ombre d'un gros tamarinier, dont le tronc écorché avait des bouts d'écorce qui pendaient misérablement comme des loques effilochées. De ses branches les plus hautes nous parvenaient aux oreilles des sortes de coups de washboard et de pincements de cordes syncopés, qui recouvraient le fond lointain de mille frottements aigus venant de la mare que les pluies avaient fait déborder derrière l'ambassade.

Nous étions à peine rentrés dans la cour qu'un GMC débâché arriva devant le portail. Debout, accrochés aux ridelles, des révolutionnaires levaient les bras et poussaient des acclamations de supporters excités par la victoire de leur équipe. Je n'eus pas besoin de les regarder par deux fois pour aviser la barbe de Jérôme Steinbach, avec tout de même un mouvement de surprise, car il était accoutré à la khmer rouge ! Parmi les jeunes révolutionnaires qui étaient autour de lui, je reconnus sous le même déguisement Jocelyne, son épouse, qui m'avait si aimablement ouvert la porte de chez eux, puis Jean-Pierre et Danièle Martinie. Comme c'était prévisible, les maquisards avaient tenu au plus vite à se débarrasser des communistes français, parce qu'ils n'avaient rien à partager avec eux.

Un des gardes assis à côté du chauffeur descendit du camion et me remit leurs passeports. Les quatre professeurs de la faculté de lettres sautèrent sur l'asphalte en faisant claquer leurs sandales Hô Chi Minh, après avoir donné maintes accolades démonstratives à leurs camarades d'escorte, lesquels, un peu gênés, répondaient en riant à ces gestes débordant d'exubérance.

Cet affichage, par des intellectuels parisiens, de fraternité avec de pauvres Khmers rouges me semblait ridicule et déplacé. Que comprenaient-ils de leurs mobiles et de leur langue, de leur histoire et de leur révolution? Quasiment rien, comme l'attestera le petit livre bien écrit que commettra le couple Steinbach, dès son retour en France, aux éditions du Parti communiste. Leur naïveté dangereuse, fondée sur une vision de l'esprit, devant des événements qui allaient marquer l'Histoire en rouge et en noir, ne pouvait que me faire frémir, car elle participait de la responsabilité lourde de l'Occident, qui avait plaqué sans nuances ses modèles et ses idées sur un monde totalement étranger à sa culture, et qui n'avait pas su en prévoir, en arrêter, ni en reconnaître les effets pervers. Quel que soit le dosage de sympathie et de haine que j'aie pu éprouver pour certains de ces coupables rêveurs, animés d'un sincère sentiment de fraternité, ils ne m'inspirent plus aujourd'hui — maintenant que le point culminant de l'irrémédiable a été atteint et qu'ils se taisent — qu'une amère compassion, une infinie tristesse...

Les cris de joie poussés du camion avaient attiré l'attention de quelques curieux, qui observèrent la scène de loin, dans la cour, d'abord sans comprendre, ensuite sans mot dire. Le gendarme ouvrit le portail, et, cachant leur dépit, les nouveaux arrivés entrèrent, non sans s'être retournés plusieurs fois pour encore saluer et applaudir leurs frères de lutte contre l'état de classes...

Casquetté à la chinoise, le *krama* autour du cou et le pyjama noir trop neuf qui bouffait aux genoux et découvrait ses chevilles, Martinie s'avança courageusement le premier. Son œil était cynique, sa mine réjouie était effrontée ; il s'efforçait de masquer le malaise que lui faisait ressentir ce recours forcé à la protection des autorités françaises. Les réfugiés qui s'étaient rassemblés derrière nous se sentirent humiliés par l'impudence du jeune prof à se présenter dans l'uniforme des révolutionnaires, comme pour les narguer. L'un d'eux, André Dessain, qui avait du sang dans les veines, ne put contenir son indignation. Arrivé en Indochine avec le corps expéditionnaire et démobilisé sur place, il avait eu le temps de mesurer, jour après jour, depuis trente ans, l'ampleur du désordre et des abominations que le communisme avait fait apparaître dans la Péninsule. Le type était costaud, râblé ; sa barbe de plusieurs jours mangeait son visage sous un fin collier qui dessinait ses os maxillaires. Il bondit à sa rencontre.

—T''as pas honte ? cria-t-il à Martinie, en se dressant sur ses courtes jambes.

Et il lui campa une claque retentissante.

L'intellectuel travesti en resta stupide, et il leva l'avant-bras pour en parer une autre qui ne vint pas. Les yeux de Dessain jetaient des flammes. Il lui arracha le havresac kaki de l'armée américaine qu'il portait à l'épaule et l'obligea à se changer. Les autres, qui arrivaient derrière, ôtèrent d'eux-mêmes leur casquette et leur *krama*...

Le jour tomba. Nous leur trouvâmes une place, derrière le parking, près des arcades, où ils sympathisèrent avec le diplomate d'Allemagne de l'Est, Erich Stange, qui avait accouru, par le dernier avion de Bangkok, pour rouvrir son ambassade et célébrer la victoire des troupes communistes... Comme eux — et comme les Russes —, il abhorrait le milieu capitaliste dans lequel, bien malgré lui, il s'était retrouvé.

En revenant sur mes pas, je m'arrêtai devant Pascal Grellety, que j'aperçus assis contre le mur, penché sur un bloc de papier à dessin; sa main en parcourait le grain d'un crayon appliqué. À ma vue, le jeune médecin de la Croix-Rouge tourna rapidement quelques feuilles consistantes et sonores, et me tendit son cahier sans rien dire, levant seulement des yeux rieurs sur moi. La page était couverte de personnages pleins de vie, colorés d'un pinceau léger. Je me reconnus dans un des tableaux, suivi du chien qui sautait au milieu des baigneurs sous la pluie. Dans un autre, on voyait le boulevard, minutieusement dessiné, avec des réfugiés qui poussaient des charrettes, et des Khmers rouges qui les regardaient. Il y avait aussi des scènes de l'ambassade, avec Sirik Matak et le drapeau français, avec les gendarmes et le consul devant le portail; et d'autres encore, où c'étaient les journalistes, les médecins, les délégués des organismes internationaux, qu'on voyait mécontents mais bien installés dans la résidence, avec les Khmers autour d'eux sur des nattes et des morceaux de carton... Il était frappant de voir à quel point, par le biais d'une imagerie naïve, l'œil du dessinateur rendait la vérité cachée des moments que nous vivions, en juxtaposant simplement des situations, dont notre propre regard ne voyait plus le trait singulier. On aurait dit qu'il voulait, dans ses dessins, trouver une mise en scène qui nous rende les choses plus nettement que dans la réalité même. Et chacun de ces petits tableaux aviva étrangement mon angoisse : tout le malheur qui s'était abattu sur notre camp se concentrait ici dans la perspective d'un seul instant. Il n'est aucun art qui puisse rivaliser avec l'image dans une telle saisie.

J'allai rejoindre Avi, qui attendait ce moment toute la journée (Migot disait que, le matin, il versait des larmes en me regardant partir). Je l'emmenai avec moi dans la cour, et nous nous assîmes ensemble sur une marche, lui entre mes genoux. Sa petite queue frétillait. C'était un de ces soirs d'apothéose de l'Extrême-Orient, quand la respiration de la vie alentour s'alanguit et qu'arrive l'heure tempérée où toutes les peines de la journée retombent.

Dans l'haleine humide du ciel subitement assombri, dansaient des moineaux nacrés qui traçaient en volant d'élégantes spirales, passant les uns devant les autres, poursuivant leurs proies vagabondes, en resserrant dans l'air encore chaud leurs cercles ondoyants. Le chien les suivait des yeux en bougeant la tête par à-coups, et, brusquement, avec un bruit de succion, décollait ses babines de boxer lorsque l'un d'eux venait nous frôler. Je m'amusais à exciter son attention en lui faisant écouter de toutes ses oreilles le friselis de leurs ailes immobiles ; agitées par instants d'imperceptibles battements, elles adressaient comme un salut aux derniers rayons du crépuscule.

13

— *Chop !* Arrête!

Sur le qui-vive, l'œil aux aguets, scrutant sans m'arrêter chaque recoin de la venelle désolée que j'avais enfilée
au pas de charge, je poursuivis ma route dans les débris
qui jonchaient le sol, faisant comme si je n'avais rien
entendu. De l'asphalte mou et défoncé, montaient des
vapeurs tièdes, des relents poisseux. Crevant les murs
enclos de treillages barbelés, des fenêtres cassées, des portes
défoncées... Sur les trottoirs, des vêtements croupissant
dans les décombres, des objets brisés, des cartonnages
vides que déplaçaient les rats... Partout des flaques d'eau
et de boue provenant des canalisations perforées par les
incendies... Campé devant moi au milieu de la chaussée tel un ver gigantesque, les lèvres troussées avec une
expression de souffrance, les pattes bleuies, écartées
comme des cornes d'escargot, et la peau gonflée par le
soleil de ces journées chaudes, le cadavre blanchâtre

d'un énorme verrat couvert de mouches dégageait une épouvantable puanteur.

Soudain, un vague bruit de caisse qu'on bouge me donna l'éveil : je m'immobilisai, suspendant brusquement ma respiration. Je dirigeai mes yeux vers un compartiment chinois, de style portugais, cloisonné de persiennes aux vantaux entrouverts, en retrait de l'alignement des murs. Émergeant d'une ouverture, un gamin à tête chafouine fixait sur moi son œil sale, posé sur la crosse d'un fusil, dans la ligne du canon : il allait tirer...

J'étais parti avant le lever du jour sans rien dire à personne, puis j'avais garé la jeep à l'EFEO et continué à pied afin d'être plus discret. Je comptais mettre trois heures, en évitant les grands axes, pour accomplir mon escapade et revenir comme si de rien n'était. Je voulais me rendre d'abord chez M. Yang Sun, spécialiste des rites liés à la fonte des statues de Bouddha, et sauver le précieux travail qu'il faisait depuis des années pour une collègue de l'École, Madeleine Giteau ; ensuite remonter jusqu'au Vat Maha Metrei, un temple du quartier de Serei Roath, avec l'espoir de pouvoir mettre la main sur les textes entreposés chez mon vieux maître You Oun, insondable puits de science, auprès de qui j'apprenais tout, le pali, le khmer, la rigueur, le doute, la curiosité, l'audace... et notamment sur un petit cahier dans lequel nous avions consigné un étrange trésor de la langue khmère, une quarantaine de mots construits sur une interversion des consonnes (*dang-kap*→*kangdap*). Je ne voulais pas laisser passer la moindre chance de récupérer, alors qu'il en était peut-être encore temps, ces documents de travail, irremplaçables.

J'avais parlé de mon projet à Nhem, deux jours plus tôt, mais il l'avait rejeté, sans chercher à comprendre (tant l'idée lui semblait saugrenue…), arguant qu'il ne pouvait garantir ma sécurité dans une cité encore hantée par d'incontrôlables rôdeurs. Or Phnom Penh me semblait vide maintenant, et je me croyais capable d'éviter les barrages dressés par les révolutionnaires aux principaux carrefours.

Dès ma sortie de l'École, des soldats m'avaient de loin intimé l'ordre de m'arrêter, à deux reprises, mais j'avais filé sans répondre, en faisant de grands gestes autoritaires. Je savais que ceux qui m'interpellaient seraient sourds à mes explications, alors que, dépourvus d'instructions précises, ils se laisseraient décontenancer si j'affichais de l'assurance. J'avais déjà été braqué plusieurs fois depuis le début de la guerre, par des gouvernementaux notamment, et quelques jours plus tôt, le matin du 17 avril, par un chef khmer rouge qui m'avait furieusement enfoncé le canon de son revolver dans le ventre. Mais à aucun moment je n'avais ressenti, comme en cet instant, dans la voie resserrée et vide, la peur qui cloue les pieds, qui glace le sang…

L'enfant me tenait en joue. Retroussé sur sa jambe gauche, le pantalon de son habit terreux découvrait un pansement maculé de boue et de sang. Ma fixité cadavérique — que je ne simulais pas — démobilisa peu à peu son œil, dont j'étais le point de mire depuis plusieurs secondes et qui me suivait, comme dans le tir de volée.

— Je suis en mission de l'Angkar ! affirmai-je le plus

calmement possible. Le camarade cadet doit me laisser aller, car je suis pressé !

Le jeune guérillero abaissa finalement la pointe de l'arme qu'il maintenait péniblement à bout de bras devant ses yeux. Il passa la main sur son front à demi mangé par une frange grasse, comme pour en écarter un voile dont l'opacité obscurcissait son intelligence. J'avais à faire à une sorte d'autiste solitaire, imprévisible, totalement imperméable aux pensées ou intentions d'autrui. Je regardai sa frimousse crasseuse avec la rage de me sentir buter contre une barrière cette fois insurmontable : son aliénation. Il vint vers moi en trébuchant dans les gravats et, sans un mot, me donna un coup de pied. Sa pâleur montrait qu'il était aux prises avec l'avitaminose et qu'il était très probablement aussi atteint de paludisme chronique. En dépit de ses quinze ans, des ridules plissaient de chaque côté la poche en goutte qui gonflait ses yeux en dessous. Il m'obligea à marcher devant lui, me poussant dans le trou sombre de rues transversales, émettant des mots inaudibles, destinés à personne. Nous longeâmes des maisons, au porche bousculé, démolies par les roquettes, dont quelques-unes n'étaient plus qu'un entonnoir rempli d'une eau jaunâtre. Dans ces passages qui n'avaient pas encore été ratissés, nous dûmes contourner par deux fois un corps isolé, membres dilatés sous le tissu tendu des vêtements, visage noirci et couvert des poussières de la ville.

Nous arrivâmes dans la clarté d'un boulevard, au milieu duquel un peloton de Khmers rouges était à l'embusquage ; ils somnolaient dans des fauteuils au grésillement d'une radio. À côté d'eux, sur une table de salon, un AK47, des chargeurs, des cigarettes, des bouteilles de bière vides. J'arrivai à leur hauteur dans la fixité un peu morne du matin. Le soleil encore invisible emplissait l'atmosphère d'une blancheur diffuse. L'avenue plate s'étendait silencieusement, avec ses lignes de « goyaviers sauvages » *(Lagerstroemia)* et de maisons vides, jusqu'au monument de l'Indépendance qui se détachait au loin sur l'immobilité du ciel. Dans l'autre sens, les premiers feux de l'aurore entouraient d'un halo brillant la tourelle de trois chars, abandonnés sur le gazon jauni de la longue esplanade qui menait à l'hippodrome. Mon garde annonça, par deux phrases courtes et pleines, qu'il avait trouvé un Français ; et il me planta là… Ne pouvant me résoudre à ce que mon expédition tournât si vite à la déconfiture, je voulus immédiatement reprendre mon chemin. On m'attacha les mains dans le dos.

J'enrageais d'avoir échoué de si peu, d'avoir manqué de prendre une balle bêtement, d'avoir laissé perdre par ce gamin la dernière chance que j'avais de retrouver mes documents. L'un des embusqués se montra immédiatement très excité par mon arrestation et voulut absolument me prendre ma montre… Bref, je me retrouvais, pour les mêmes raisons que quatre ans plus tôt, prisonnier des Khmers rouges qui ne comprenaient rien à mon histoire. Je tentai encore, par un long discours, d'influencer les jeunes éléments de l'escouade où j'avais échoué, mais j'y perdis ma peine. L'un d'eux fut dépêché à vélo auprès de Nhem. Trois heures plus tard — j'étais fou d'impatience —, le « président » arriva en voiture ; il avait un regard réprobateur. Je montai à côté de lui, mécontent de moi-même, pénétré de mon impuissance, accablé du sentiment d'absurdité dont m'avait empli cette affligeante opération, et encore plus honteux de ma désobéissance que de ma faillite. Nhem garda le silence sur le trajet du retour et je lui sus un gré extrême de ne pas me poser de questions qui m'eussent embarrassé. Nous arrivâmes devant le portail.

— Camarade Bizot! fit-il en me retenant par le bras au moment où je descendais du véhicule. Nous devons maintenant organiser le rapatriement des étrangers vers la frontière thaïlandaise. Je voudrais en parler au consul cet après-midi.

Il était dix heures. J'entrai dans l'ambassade, l'air de rien. Les gendarmes suivaient des yeux un jet chinois à quatre moteurs qui tournait au-dessus de la ville pour se poser à Potchentong. Dyrac sortit avec Maurin, et tous deux se perdirent en conjectures sur le retour de Sihanouk... Je me mêlai à eux et leur annonçai notre départ prochain :

— Vous voulez le scoop de l'année? On va rentrer en camion!...

Vers midi, Nhem fit parvenir la lettre suivante au consul :

Très urgent.
Référence : 01-ra. ra. ka. bha. ba. 75.
Destinataires : le représentant de la France, de la Suisse, de l'Espagne, de l'Allemagne, de l'Italie, de l'URSS, de la Belgique, de la Hollande (par le canal du consul de France).

NOTE

Lors de sa réunion en date du 25 avril 1975, le Conseil des ministres du Gouvernement royal d'union nationale du Kampuchea a décidé ce qui suit :

Étant donné que les relations diplomatiques avec les autres pays ne sont pas encore entrées en application du fait que le GRUNK s'emploie pour l'instant à rétablir la stabilité,

— Le Gouvernement royal d'union nationale du Kampuchea a décidé d'inviter tous les étrangers qui demeurent encore dans la ville de Phnom Penh à quitter le pays à partir du 30 avril 1975 ;

— Lorsque plus tard la situation sera stabilisée, le GRUNK examinera la question du rétablissement des relations diplomatiques ;

— Le GRUNK a décidé d'acheminer tous les étrangers par voie routière de Phnom Penh à Poipet, et chaque pays concerné devra prendre en charge ses ressortissants à partir de Poipet.

Fait à Phnom Penh, le 25 avril 1975.

Le vice-président du commandement
du front Nord de Phnom Penh
chargé des étrangers,
Signé : Nhem.

— François... François !

Je me retournai avec surprise. Personne ne m'appelait par mon prénom. Chantal Lorrine me suivait en forçant

311

l'allure, au moment où je m'apprêtais à sortir pour traverser le boulevard. L'épouse du chiffreur était fraîche et jolie, avec de beaux yeux myopes auréolés de grands verres divergents qui faisaient une marque sur ses joues.

— Accepterais-tu d'être le parrain d'Olivier ?

— !...

— Tu sais que nous venons d'adopter un magnifique bambin ! reprit-elle devant mon hésitation. C'est le père Berger qui lui donnera le baptême, et Mme Dyrac sera la marraine. Eh bien, je cherche maintenant un parrain.

J'y consentis de grand cœur, puis entrai rapidement dans l'ex-ambassade de Corée où Nhem, par un message aux gendarmes, avait fait savoir qu'il m'attendait. Brusquement, mes yeux tombèrent sur ma moto ! Elle avait été « réquisitionnée » par les hommes du président et apportée dans la cour. C'était une assez grosse cylindrée, robuste et rapide, dont j'avais toujours pris grand soin. Un engin idéal sur le sable des pistes. J'en avisai le phare brisé aussitôt : on en avait sorti les fils électriques pour établir un contact et la faire démarrer...

— Camarade ! dis-je à Nhem, en exagérant mon irritation et en pointant le doigt derrière moi. J'avais exprès laissé la clé sur ma moto, pour que les révolutionnaires l'utilisent aisément, sans être obligés de l'abîmer. Je ne suis pas un Américain qui met hors service ce qu'il laisse derrière lui ! Eh bien, non : il a fallu qu'elle soit quand même cassée, comme tout le reste...

Nhem mit quelques secondes à deviner de quoi je parlais et à comprendre le sous-entendu. Il garda le visage fermé et vint sans sourciller à son affaire :

— L'ambassade doit immédiatement interrompre ses émissions-réceptions. Je veux une réunion avant ce soir avec le consul.

Il employa pour « émission-réception » un néologisme dont le sens exact me faisait hésiter. Le poste français disposant d'une infrastructure radio assez complète, je n'étais pas sûr de bien comprendre ce qu'il voulait que nous arrêtions, du télétype, du télégraphe ou de la liaison BLU. En revanche, il n'était pas nécessaire de me faire un dessin pour voir qu'il s'agissait d'une affaire importante, qui lui emplissait l'esprit. Je ne savais peut-être pas toujours bien traduire ce qu'il disait, mais j'étais maintenant habitué à interpréter sa gestuelle et ses grimaces très codifiées : d'abord il lança sur moi des yeux durs, d'une fixité gênante ; ensuite, son visage marqua une forte tension des muscles zygomatiques, dont les oscillations involontaires relevaient les commissures de ses lèvres, par à-coups. Je fus enclin à penser qu'il obéissait derechef à un ordre du haut commandement dont l'exécution ne souffrirait (comme pour les réfugiés) aucun atermoiement. Si cet ordre, en totale violation des accords internationaux, visait à couper complètement le cordon ombilical qui nous reliait encore à notre mère patrie, il s'agissait d'une véritable catastrophe, qui affecterait le moral de plus d'un, à commencer par celui du consul…

Dyrac médita longtemps, empourpré et immobile, imaginant et rejetant toutes sortes d'explications, sans trouver rien qui justifiât pareille décision à notre encontre, si ce n'était l'activité insensée d'un des « journalistes » américains qu'il avait justement mis en garde plusieurs fois. Muni d'un puissant émetteur-récepteur clandestin, celui-ci n'avait eu de cesse d'envoyer des messages à un avion qui survolait notre secteur à haute altitude, dans l'intention de préparer une évacuation-surprise par hélicoptère...

— J'aurais dû lui confisquer tout de suite son poste ! se lamentait le consul. Ils ont des voitures gonios, tu penses ! C'était sûr ! Et puis, les experts chinois qui leur prêtent main-forte ont dû débarquer avec tout un attirail...

Il décida d'ouvrir les bureaux de l'ambassadeur, au premier étage, pour donner à l'entrevue un cadre plus solennel. Le président arriva dans l'après-midi, accompagné du Malais qui ne le quittait plus, de deux officiers taciturnes et d'un autre personnage d'assez mauvaise mine. Grâce aux gendarmes, dont l'uniforme comptait pour beaucoup dans l'esbroufe que nous continuions d'exercer sur tous nos visiteurs, nous nous entêtâmes pour que l'escorte armée qui les accompagnait demeurât au portail. Cela dit, nous fîmes semblant de ne pas voir les deux officiers enfouir sous leur chemise le revolver qu'ils portaient à la ceinture...

Nous entrâmes dans le cabinet attenant à l'ex-bureau de Louis Dauge, le sourire tendu, l'expression figée. L'ambiance n'était pas bonne. L'assistance de Nhem se composait d'éléments disparates qui nous semblaient hostiles. De son côté, Dyrac avait fait venir Revil, Maurin, le chiffreur, et j'avais demandé que l'interprète du premier jour soit présent aussi, pour être sûr de bien traduire. Nous nous assîmes autour du bureau de Clotilde d'Harcour, que

Mme Dyrac avait fait tirer au milieu de la pièce et garnir d'un paquet de cigarettes et de bouteilles de sirop. L'endroit était plein d'une lumière qui arrivait de la large fenêtre ornée de rideaux en damas foncé, relevés par des cordons. Un souffle froid sortait des trous d'un climatiseur bruyant, enfoncé dans le mur, mêlant des odeurs de renfermé à l'air humide de la pièce.

Nhem répéta, en détachant les mots, d'une voix solennelle, c'est-à-dire dans une sorte de murmure inaudible, ce que j'avais déjà rapporté au consul : arrêt immédiat de toutes les émissions-réceptions du poste. Il ajouta qu'il s'agissait d'une décision prise par le Conseil des ministres du GRUNK, en réaction aux communiqués mensongers parus récemment dans la presse en Europe et aux États-Unis d'Amérique. Je me tournai vers mon collègue, afin de comparer ce que nous avions compris. Pour ne laisser aucune équivoque, nous lui demandâmes de préciser à quel type de transmission radio se rapportait l'interdiction qui nous était faite.

— À la totalité de votre appareillage ! répondit-il, non sans montrer que notre hésitation devant ce qui était pourtant clair lui causait un certain agacement.

Dyrac trembla à la perspective d'être coupé du Département. Déjà submergé de difficultés, accablé de responsabilités, rendu de fatigue, la peur maintenant de ne plus avoir aucun contact avec l'extérieur lui barra l'estomac.

— Non ! Répondez que c'est impossible, riposta-t-il. J'exige au moins une liaison quotidienne avec Paris. Il est d'ailleurs hors de question d'envisager sérieusement une quelconque évacuation, surtout par voie terrestre, sans qu'elle soit coordonnée avec Bangkok, via Paris.

Nhem, qui comprenait notre langue (Maurin m'avait dit avoir eu, quelques jours plus tôt, une longue conversation, seul avec lui, en français), vira immédiatement au gris. Il attendit toutefois qu'on lui traduisît les paroles du consul pour succomber à la colère. Le sang se retira de ses lèvres — sa bouche devint blanche — puis de ses joues et de son front. Son regard se resserra comme des mâchoires sur ses prunelles étincelantes, envoyant dans la pièce un signal d'alarme qui nous paralysa. La ferveur révolutionnaire, qui commande tous les crimes, avait subitement déposé les mauvais instincts dans ses yeux, sans en excepter un seul, de la méchanceté au sadisme, de la férocité à la folie. Le président se mit à sourire ; son calme forcé, démonstratif, devint effrayant. Nous comprîmes qu'il était parti, sans retour, pour une colère telle qu'un guerrier qui se respecte ne peut réitérer sans mettre ses menaces à exécution.

— Les Français ne sont plus en position de refuser ou d'imposer quoi que ce soit ! martela-t-il, toutes narines ouvertes, en serrant les dents.

Il décroisa lentement ses mains réunies sur son ventre, pour les poser sur ses genoux, et je vis qu'elles tremblaient.

—Vous devez TOUT arrêter !

Son visage était blême. Il baissa les yeux et dit sur un ton martial, en vociférant et en se levant brusquement :

— Il n'y a pas lieu d'en dire plus ! Faites-nous voir la station d'émission.

Nous sortîmes, et Dyrac leur montra l'installation radio

du bureau militaire, puis celle du chiffre où les télétypes se trouvaient branchés. Les Khmers rouges décrétèrent qu'une sentinelle armée viendrait désormais monter la garde devant les deux portes, jour et nuit. Cette décision eut sur nous l'effet d'un pétard. Déconfit, Dyrac me souffla entre ses dents : « Il faut absolument éviter ça! »...

Je m'approchai de Nhem en balbutiant, faisant de grands efforts pour dominer mon trouble :

— Camarade! Euh... nous avons bien reçu les instructions de l'Angkar. J'ai cependant une requête que je voudrais respectueusement exposer... au nom du consul, comme de tous les agents français ici présents. Le camarade président accepte-t-il de m'entendre?

Il ralentit le pas, en posant ses yeux sur les choses qui l'entouraient, d'un regard qui ne bougeait pas, semblable à celui d'un enfant qui rêve. Je retrouvais chez cet homme dépourvu d'innocence des airs de naïveté qui me rappelaient les terribles contradictions de Douch. Refusant de donner suite à ma demande — il n'y avait plus matière à discussion — mais ne voulant pas non plus m'éconduire, Nhem reprit sa marche dans le couloir, d'une allure traînante et balancée, sans rien dire, m'invitant en quelque sorte à le suivre.

— Le camarade aîné nous a donné l'ordre d'interrompre toutes nos émissions, repris-je. Le représentant de la République française n'a pas d'autre issue que de s'y soumettre, et il le fait sans restriction, sans arrière-pensée. Tout sera arrêté ce soir; définitivement. Les portes des deux salles resteront fermées à clef. Dans ces conditions, pourquoi placer des gardes dans la chancellerie, alors que nous avons déjà du mal à cohabiter entre nous, par manque de place? La présence d'hommes armés au milieu de nous sera une source inévitable de difficultés nouvelles, et n'est pas sans risque… Ne nous étions-nous pas entendus sur ce point? À quoi bon, camarade, nous humilier davantage? La confiance doit régner entre nos deux peuples! Tu dois nous croire! Les Français ne font pas de longs discours : quand ils disent qu'ils arrêtent, ils arrêtent. Je m'y engage personnellement auprès de toi; tu as ma parole d'honneur! Maintiens tes sentinelles hors de nos murs. Je te promets que tout sera fermé, dès ce soir, six heures.

Le président traversa la cour d'un pas lent, penché sur ses pieds, les yeux comme attirés par le va-et-vient de l'épaisse lunule jaune autour de laquelle ses gros orteils bourrelaient. J'avais exposé ma plaidoirie par-dessus son épaule, en sautillant dans son sillage. Il franchit le portail sans en attendre la fin, m'obligeant à terminer ma phrase en forçant. Il me sembla que c'était bon signe.

Nous guettâmes anxieusement les moindres mouvements du boulevard à la tombée du jour… Les sentinelles ne vinrent pas.

Comme au foot quand on perd, nous fûmes sincèrement réjouis du seul but que nous avions marqué, et nous nous mîmes à crier victoire, esquissant des pas de danse émouvants dans la galerie du premier étage, pour évacuer, en nous congratulant, notre écrasante déroute.

Le soir, j'avais très sommeil mais je ne m'endormais jamais longtemps. Ces émotions inattendues, ces coups du sort, toute cette réalité hostile, venaient interrompre ma torpeur, et mon âme pelotonnée sortait de son refuge pour passer du sommeil à la certitude douloureuse de la victoire khmère rouge, devenue notre effroi. Alors, j'ouvrais les yeux dans le noir et sortais m'immerger dans cette parcelle moite d'univers que le destin nous avait attribuée : le périmètre de l'ambassade, enveloppé de ténèbres. Une lumière de sacristie tombait des deux globes blafards fixés de chaque côté du portail, recoupant celle des services culturels, et dédoublant les ombres du parking, couchées sur le sol comme de longs fantômes morts. Le grésillement syncopé des insectes faisait contrepoint aux accents mélodiques de la section des anches batraciennes, laissant, entre les riffs ellingtoniens, s'installer des silences. L'inébranlable masse de la nuit s'y engouffrait avec des effets si beaux, si mélancoliques, que dans ces vides s'abîmait aussi mon angoisse.

Le lendemain matin, le consul réunit autour de lui et de son conseil, dans la salle de réception de la chancellerie, les délégués de la presse, les responsables des organismes internationaux, les consuls honoraires, les médecins, les responsables de sections, etc., pour discuter et établir la liste nominative des évacués du premier convoi. En effet, les Khmers rouges ne pouvaient guère rassembler plus d'une vingtaine de camions (Molotova chinois et GMC). Il fallait donc prévoir au moins deux voyages et prendre les dispositions sanitaires et logistiques nécessaires pour une opération de plusieurs jours, couvrant une distance de quatre cent cinquante kilomètres environ, en grande partie sur des pistes de brousse, tous les ponts étant sautés et les routes creusées en touches de piano.

La population du campus s'élevait très exactement à mille quarante-six personnes, soit six cent cinquante-six Français et trois cent quatre-vingt-dix étrangers (dont quatre-vingt-quatre Chams récemment arrivés). Une première liste de cinq cent treize réfugiés (comprenant cent étrangers) fut établie, sur la base de vingt personnes par camion.

Beaucoup de réfugiés furent immédiatement saisis de terreur. Ils virent, dans ce départ incompréhensible — l'aéroport était utilisable —, une mise en scène infernale destinée à nous faire tous disparaître, selon un plan préétabli, comme cela avait eu lieu au Stade olympique, où fonctionnaires et militaires avaient été priés de se rendre dès le premier jour, puis triés en fonction de leur grade et de leur corps, et enfin exécutés par groupes séparés.

Mais un plus grand nombre demeuraient impatients de sortir de la situation intenable dans laquelle nous nous trouvions, et voulaient quitter l'ambassade coûte que coûte, au plus vite. Parmi eux, pour des questions de rivalité surtout, se trouvait l'ensemble des correspondants de presse ; sauf deux ou trois qui étaient décidés à couvrir l'événement jusqu'au bout. Il semblait exister dans leurs relations un réseau de secrets qui débordait maintenant sur les règles de bienséance. Cette rivalité d'intérêts, qui prit même chez quelques-uns un visage hideux, fut toutefois tempérée par la conscience professionnelle de chacun. Tous décrétèrent un embargo de l'information, destiné à éviter la révélation précoce dans la presse des nouvelles alarmantes qui commençaient à filtrer, comme des nombreux témoignages d'atrocités, risquant de provoquer la vengeance des Khmers rouges sur ceux restés à Phnom Penh :

Phnom Penh, le 28 avril 1975.

Nous, soussignés, correspondants, pigistes de presse, radios et télévisions, et photographes actuellement à Phnom Penh, nous engageons à ne rien publier dans un quelconque organe d'information et à ne faire aucune déclaration ni témoignage de quelque sorte que ce soit avant d'avoir obtenu confirmation que le dernier passager du dernier convoi a franchi la frontière thaïlandaise.

Nous nous engageons d'autre part à user de toute notre influence pour empêcher les autres organes d'information de publier des informations et témoignages sur ce qui s'est passé à Phnom Penh depuis le 17 avril avant que l'évacuation des personnes réfugiées dans l'enceinte de l'ambassade de France soit terminée.

L'embargo sur la diffusion d'informations, articles, films, photos, bandes magnétiques s'entend à partir de Bangkok.

La déclaration fut ratifiée par dix-huit journalistes, contre seulement deux correspondants américains, Lee Rudakewych (ABC) et Denis Cameron (CBS), qui refusèrent de signer, pour des raisons que j'ignore. En revanche, douze de ces mêmes journalistes (essentiellement américains, allemands et suédois) souscrivirent le même jour la protestation suivante, qui fut également remise au consul :

> *Nous, journalistes soussignés, protestons parce que M. le consul français n'a pas accepté le seul correspondant allemand, représentant aussi l'Eurovision, sur la liste des correspondants partant avec le premier convoi prévu pour le 30 courant.*
>
> *Avec étonnement, nous avons constaté que la moitié de la liste est composée par des Français dont deux de la même agence de presse.*
>
> *Le 28 avril 1975.*

Le père Berger n'était pas prêtre à semer les sacrements de l'Église à tout vent. Il avait néanmoins accepté d'administrer le baptême au « petit Fulro ». En la circonstance, il eût certes été malvenu de tortiller et de vouloir procéder aux investigations habituelles sur la légitimité religieuse de la demande. Le baptême ne relevait-il pas après tout de la foi des parents, adoptifs ou non ? Cependant, depuis deux jours, il ne pouvait s'empêcher de ruminer l'idée que cet enfant avait déjà tout perdu, et qu'on allait maintenant lui enlever sa propre religion, sa seule vraie identité...

Nous marchions ensemble vers la chancellerie où devait se dérouler, dans la solennité requise, la cérémonie du baptême d'Olivier.

— De quoi parles-tu ? m'emportai-je, avec une exaspération d'autant plus vive que j'étais fasciné par ses convictions militantes et paradoxales. Sa propre religion ! comme s'il s'agissait d'un caractère inné... Allons ! la seule qui convienne est évidemment celle de sa nouvelle patrie. L'Église dénie-t-elle maintenant l'ablution purificatrice aux païens ? leur droit de s'affranchir eux aussi du péché originel ? C'est le monde à l'envers !

— Cher ami, me répondit-il l'air sérieux, devrais-je, selon toi, me comporter comme un distributeur automatique ? Ne m'as-tu pas souvent dit, ajouta-t-il sur un ton narquois, que j'étais là seulement pour les convertis, pas pour les bouddhistes ni les animistes ?...

Je savais que l'homme abhorrait cette façon de confondre la religion avec une donnée sociale, culturelle, humaine, mais je ne pouvais pas m'empêcher de l'attiser à la première occasion, tant sa foi de charbonnier en un Dieu unique et universel — le nôtre, le chrétien, bien entendu ! — m'épatait et m'agaçait en même temps.

Ex-curé de la cathédrale de Saint-Denis, Berger était arrivé à Phnom Penh avec la canadienne du prêtre-ouvrier plutôt qu'avec la barbe du missionnaire. Esprit brûlant, sans humilité ni hypocrisie, totalement dépourvu des signes de l'apostolat et du zèle prosélytique, mobilisé uniquement par le cri des opprimés, le principal charme de ce frondeur était qu'il ne cherchait pas à séduire. Par-dessus tout, il ne trichait jamais, ni avec lui-même ni avec les autres, ce qui en faisait un homme difficile, amer, solitaire, et sa vie semblait au total assez malheureuse. Son investissement en l'amour du prochain n'avait d'égal que son intolérance à l'égard des nantis, comme d'ailleurs de tous ceux qu'épargnait la souffrance d'exister... Moi qui me lève chaque matin dans la joie d'une nouvelle journée qui commence, j'étais, de ce point de vue, hautement suspect à ses yeux ! Lorsqu'il venait me voir à l'EFEO, ou que je lui rendais visite au presbytère, nous passions donc de longues heures à nous disputer... Bref, nous devînmes vite de vrais amis.

Ce fut en grand nombre que nous nous retrouvâmes dans la pièce claire et vaste, réservée jusque-là au représentant permanent de l'État français, et dont le bureau ministre, recouvert d'un drap pour l'occasion, avait été transformé en autel par l'ajout d'une croix, de deux bougies et d'une soucoupe en argent. Aux murs, des photos d'Angkor, un estampage du Bayon montrant des potiers au travail, et, occupant un large espace, une de ces tapisserie d'Aubusson, dans les tons beige, jaune, gris et noir, que le Mobilier national prête à nos ambassades pour y exposer des artistes français. Les sièges, les lampes, les petits meubles en acajou, avaient été repoussés autour de l'assistance silencieuse, mal coiffée, mal habillée, venue avec gravité rendre hommage au destin tragique et chanceux de ce petit d'homme, qui devenait d'un seul coup à la fois catholique et français. Tournant le dos aux ornements menaçants de la grande tenture — tout en lames, en cornes, en dents et en griffes — qui semblaient sortir d'un dessin de Picasso pour *Guernica,* celui qui allait devenir le dernier curé de la cathédrale de Phnom Penh versa l'eau sur le front du nouveau-né. Il entonna ensuite les premiers mots de prières que je connaissais, depuis la pension, encore par cœur. Je notai avec surprise, toutefois, que la mode entre-temps était venue de tutoyer le Seigneur.

Je laissai la nouvelle maman qui pouponnait déjà comme une grand-mère, sous l'œil attendri de quelques fidèles penchés sur son petit, et quittai l'ambassade, avec des objectifs précis, déjà visés par Nhem : fouiller les rues désertes à la recherche des adresses qu'on me griffonnait sur un plan, et où je découvrirais, entre une échoppe dévastée et un établissement commercial pillé, une de ces cavernes d'Ali Baba dont la ville regorgeait encore. Avide comme un écumeur, je défonçai à coups de barre à mine la porte d'une réserve, d'un entrepôt, d'un magasin, et allai puiser dans les sacs de légumes secs, les boîtes de bœuf, de jambon... sans compter les bric-à-brac que je devais remuer, soulevant des odeurs indéchiffrables de complexité, entre le chanvre d'eau, la cendre et la moisissure de fromage.

D'abord excitantes, de telles sorties furent bientôt angoissantes. Je les multipliai pourtant, jusqu'à quatre et cinq fois par jour, parce que, finalement, malgré ma fatigue, elles me divertissaient de la vue des misères de notre cantonnement. Mais en portant sur mon dos ces lourds paquets de provisions, je devais souvent cheminer jusqu'à la remorque, en équilibre instable, au milieu d'immondices glissantes, retenues à la surface de l'eau par les sacs de sable disposés en chicane le long des murs. Seul dans les décombres, je riais alors tout haut sur moi-même, pestant avec bonne humeur contre les difficultés parfois grotesques de la situation.

Dans ces instants de diversion qui m'arrachaient à moi-même pour un temps, je laissais ma pensée vagabonde rebondir, sur un vélo d'enfant, sur des outils bien rangés, sur des sarongs à fleurs soigneusement pliés, et s'envoler dans le ciel parfois si loin qu'elle me laissait sur place abandonné comme une caisse vide où résonnaient des cris ; et je me retrouvais brusquement, seul, éperdu dans mon corps noué d'effroi, chargé comme un cercueil de la multitude des cadavres entassés en moi, au milieu desquels, disloqués sur le charnier, dépassaient ceux de Lay et de Son.

Dans l'ambassade, les réfugiés se livraient aux préparatifs du départ. Chacun triait soigneusement ses affaires pour remplir l'unique bagage autorisé. Ceux qui devaient partir en premier étaient déjà prêts et discutaient entre eux. Soudain, ce fut le branle-bas au portail. Personne n'avait prévu la menace : Nhem demandait à entrer immédiatement, avec une dizaine de soldats armés de bazookas et de fusils-mitrailleurs. Il voulait s'assurer de la neutralisation des services radio. Serein, j'accourus à sa rencontre, pendant que le gendarme de service allait prévenir le consul. Nhem, très agressif, se dirigea presque au pas de course vers la chancellerie. Dyrac tomba sur lui dans les escaliers, et sa mine semblait si bouleversée par l'intrusion du commando khmer rouge que j'en éprouvai moi-même un trouble profond. Sans répondre aux paroles du consul, le président fonça dans le couloir et s'arrêta devant la porte du radio militaire.

— Ouvrez! dit-il en frappant à la porte et en se tournant vers le consul.

Les guérilleros s'étaient amassés avec leurs armes dans la galerie de l'étage et regardaient la scène en prenant un air méchant. Dyrac semblait dans tous ses états; il regardait sans réagir le Malais qui tendait le bras dans sa direction, tournant et retournant sa main avec un air interrogateur, les doigts fermés sur une clef imaginaire. Puis il fit deux pas pour s'éloigner, mais virevolta brusquement.

— Dites au président que les clefs arrivent dans un instant, me lança-t-il.

Dyrac s'était ressaisi et souriait à Nhem en opinant du chef de façon rassurante. En fait, il avait toutes les raisons d'être inquiet, car les émissions — ce que j'ignorais absolument — n'avaient jamais cessé... Quelqu'un apporta les clefs et on les fit jouer dans la serrure. La porte s'ouvrit immédiatement, d'elle-même, débloquée de l'intérieur. Zink était dans la pièce, pris au piège. Il nous regardait, terriblement embarrassé, cherchant une contenance pour masquer sa peur. À l'évidence, les deux stations dont il avait la charge venaient juste d'être éteintes; elles étaient encore chaudes...

Je demeurai transi en pénétrant dans la pièce avec les Khmers rouges. Je ne pouvais en croire mes yeux : sur un des appareils fumait encore le cendrier. Le militaire se perdit en explications confuses : les yeux écarquillés, faisant de grands gestes, il affirmait qu'il faisait seulement de la maintenance. Je traduisis ses propos en balbutiant. Sans dire un mot, le souffle court, Nhem ordonna de retirer l'alimentation des deux postes, puis se rendit au chiffre. Les yeux dans les yeux, nous lui jurâmes nos grands dieux qu'il se méprenait, même si les apparences nous donnaient tort...

Ce jour-là, je me sentis trahi, humilié. Après le départ des Khmers rouges, j'allai immédiatement demander des explications à ceux que j'estimais avoir causé ma honte :

— Comment avez-vous pu... vous m'avez laissé jurer le ciel qu'on fermerait tout... or vous n'en aviez pas l'intention, n'est-ce pas?

Sur le visage gêné des Français, je lus une expression de surprise qui monta jusqu'à la commisération. Face à ma naïveté, certains préférèrent continuer à nier... Je me souviens qu'Ermini tourna les talons sans mot dire, avec l'air tout à fait navré de me voir si déçu, mais sans que je pusse saisir dans son regret la moindre envie de me rassurer. J'appris plus tard que nous avions continué de recevoir et d'émettre en cachette, jusqu'au dernier jour, et qu'il existait même une autre station radio dissimulée derrière les bureaux consulaires.

14

Une 203 Peugeot, bourrée jusqu'au plafond d'un barda hétéroclite, s'immobilisa en couinant devant le portail. Non seulement nous avions entendu le bruit qu'elle faisait de loin, mais son moteur usé émettait une torsade de fumée qu'on apercevait depuis le pont japonais. Un homme en short, couvert de sueur, parvint à s'en extraire en poussant la portière des deux pieds, faisant tomber des paquets avec lui. Il entra en éruption sous nos yeux.

— Ils sont tous fous, ma parole! brailla-t-il sans préambule en arrivant sur nous comme s'il nous connaissait. Il faut voir le bazar au kilomètre 6! Et ils veulent tous me piquer la bagnole.

— D'où venez-vous? lui demandai-je sur un ton ahuri.

— De loin! Moi, j'habite la campagne, répondit-il avec de grands gestes brusques. Ma famille est là-bas... Alors! comment ça se passe ici, on fait face? Bon Dieu, j'ai cru que j'y arriverais pas! Non mais, ils te tirent dessus au moindre truc... Il faut voir les morts le long de la route.

Interloqués, nous lui conseillâmes de rentrer sa voiture avant d'attirer l'attention. Mais l'engin mal réglé, qui déjà ne s'était arrêté devant nous qu'en renâclant, refusa de redémarrer. Nous le poussâmes dans la cour.

L'homme avait des copains parmi les anciens du Vietnam qui formaient, avec leurs femmes asiatiques, un groupe pétulant et roboratif sous les arcades des services culturels. Il fut immédiatement accueilli par des quolibets :

— Eh! tu te décides enfin à venir faire un tour en ville? lança l'un d'entre eux. T'as réussi à trouver la route? C'est le moment idéal pour faire des emplettes. Il y a de sacrées affaires au marché. La canette est gratis!

— Mais non! intervint un autre, goguenard. C'est pas pour acheter, c'est pour vendre. Il vient te vendre son char! Hé! les gars! il y a une occase à saisir... Ha, ha!

Lui alla tout de suite de l'un à l'autre, entrant dans leur jeu, serrant les mains, donnant des coups de poing en contrefaisant des gestes de boxeur; on aurait pu le croire heureux, si sa gueule étonnante, burinée par trop de soleil, où se creusaient maintenant des sillons d'affabilité, n'avait été, à la hauteur de son front, fendue par une crevasse tremblante. Le tissu étalé sur son crâne minéral, plein de plissements, de coups de spatule, semblait avoir été raclé par un agent chimique, et les boursouflures calcifiées qui torturaient son nez avaient le lustre d'une voûte érodée par les pluies. Il portait sa tête enfoncée dans de larges épaules, sur un buste à la fois creusé et rejeté en arrière, qui dégageait sa nuque desquamée, sur laquelle, coupées dans le biais, un millier de stries dessinaient une grille.

— Bande d'envieux! répondit-il. Venez plutôt m'aider à la décharger, allez!

Tous se mirent à vider son bazar et nous nous joignîmes à eux. Puis il commença à parler à haute voix, un peu comme un fou, sans regarder personne :

— C'est pas le tout! J'ai ma femme et ma fille qui attendent! Je dois retourner les chercher. Je suis venu en éclaireur.

— Quoi? Mais où sont-elles? lui demandai-je.

— Au kilomètre 27. Je les ai planquées. Elles ne bougeront pas...

— Eh! mais c'est pas si simple, répondis-je. Arrivé ici, les Khmers rouges ne laissent plus sortir personne! Il faudrait une autorisation spéciale, et je vois mal...

— Non mais, c'est ma femme et ma fille... Elles sont françaises. Et celui qui voudra m'empêcher d'y aller n'est pas encore né!

Ses camarades le regardèrent transpirer et s'énerver, en l'aidant à dégager la banquette arrière du fourbi qui s'y trouvait coincé. Se lançant des coups d'œil en hochant la tête, ils affichèrent un air grave. Aucun d'eux ne comprenait pourquoi il était venu seul et n'osait croire qu'il pût maintenant récupérer sa famille.

— Où sont-elles, exactement? lui demandai-je. Pouvez-vous être précis? Je vais voir s'il est possible de tenter quelque chose, dis-je en me tournant vers les gendarmes.

— Personne ne les trouvera sans moi! lança-t-il avec humeur. C'est dans un patelin... à l'extérieur... je ne peux pas expliquer comme ça où elles sont! De toute façon, elles ne sortiront de leur cachette que si elles me reconnaissent, que si elles me voient, moi, vous comprenez?

Je traversai le boulevard avec l'idée de demander à Nhem d'aller chercher les deux Françaises. Nous n'avions aucun témoignage sur ce qui se passait à l'extérieur de Phnom Penh, et la perspective de prendre la nationale n° 5, de longer le Mékong sur une trentaine de kilomètres, m'excitait beaucoup. Surtout, il n'était pas complètement impossible que je retrouve aussi la mère d'Hélène, et que je puisse la ramener avec moi. J'osais à peine penser à elle ni aux filles de la maison sur la route, tant une atroce anxiété me subjuguait immédiatement le cœur. Cela dit, je ne voulais pas me réjouir outre mesure, car je ne croyais pas que Nhem accepterait de me laisser faire une telle sortie.

Deux gamins nettoyaient des armes dans un coin du hall. Le Malais somnolait dans un des fauteuils en skaï, les jambes étendues l'une sur l'autre, à demi éveillé par le vrombrissement d'un ventilateur. Nhem était parti je ne sais où, et c'était lui qui assurait la permanence. Je pestais contre ce fâcheux contretemps et m'apprêtais à m'en retourner tout désappointé, quand j'entrevis l'avantage qu'il y avait peut-être à tirer de cette absence du président.

— Camarade, je dois aller chercher deux Français! dis-je avec assurance. Ils sont bloqués sur la route, à la hauteur de Prek Kdam. Il n'y a pas une minute à perdre!

Le Malais se leva lentement, après avoir hésité en faisant la moue, haussa les épaules et me demanda de patienter jusqu'au retour de son chef.

— Impossible! prétendis-je. La route est très encombrée. Il faut partir tout de suite. Je te demande de m'affecter un accompagnateur muni d'un ordre de mission.

Le Khmer rouge resta silencieux, perplexe, plongé dans l'embarras. Il se déplaça dans la pièce, les yeux au sol, en manifestant son improbation par des hochements de tête continus.

— C'est mon devoir de te rappeler que tu es chargé de notre sécurité! articulai-je sur un ton décidé. En l'absence du président, s'il arrive quelque chose, c'est à toi qu'il revient de prendre les mesures qui s'imposent. Et à personne d'autre. Tu es le responsable, n'est-ce pas? Je te demande cela, comme je le demanderais au camarade Nhem. Allons! nous avons déjà trop tardé.

Poussé dans ses retranchements, le Malais céda avec un air contrarié, par peur de faire une bêtise plus grande en refusant. C'est là la faiblesse de tous les régimes totalitaires. Cet homme d'instinct savait que les responsabilités tuaient plus sûrement les Khmers rouges que les B 52.

Je sortis triomphant de l'ex-ambassade de Corée, installai dans la jeep le jeune garde désigné pour nous ouvrir le chemin, et courus chercher mon Asiate.

—Allez! on peut dire que vous avez de la veine... Venez, on va dans votre bled! J'ai une autorisation... Incroyable!

Le bonhomme, entouré de ses copains, achevait de décharger sa voiture avec un air obstiné. Sa physionomie torse se creusait par instants sous l'effet du tourment.

— Ouais, attends, c'est presque fini! me répondit-il, tout en continuant de s'acharner sur le coffre qui ne fermait plus.

— Dépêchez-vous ! insistai-je. Vous ferez cela plus tard...
La jeep est prête et notre guide attend.

— Ah, mais j'y vais avec ma bagnole ! jura-t-il, en me
foudroyant du regard.

Je n'en croyais pas mes oreilles. Le type était fou. Il y
avait en lui quelque chose d'irrémédiablement buté qui faisait peur. Nous le regardions tous, les yeux écarquillés.

— Quoi ? Vous voulez rire ! répondis-je, effaré. Ça n'a
pas de sens, voyons !

— J'ai promis de la laisser à mon beau-frère !

Disant cela, il sauta dans sa voiture pour la faire démarrer... Rien ne bougea. Plus de batterie !

— Très bien ! lui dis-je. Ça ne fait rien... Venez vite,
maintenant !

Mais il ne voulut rien savoir et s'entêta sur la tirette du
démarreur, qui restait muet. Alors il appela ses copains :

— Non, on va pousser ! leur cria-t-il. Allez, les mecs !

Il sortit comme un diable et montra l'exemple en arc-
boutant ses pieds au sol pour appuyer de tout son poids sur
la portière entrouverte. De sa poitrine ruisselante de sueur
sortit une succession de *han* précipités, si pénibles à entendre
pour ceux qui assistaient à la scène que plusieurs personnes
vinrent lui prêter main-forte. La 203 prit un peu de vitesse,
et il sauta derrière le volant pour enclencher la seconde en
marche, sans toutefois obtenir qu'elle se mette en route ; elle
alla buter dans les voitures du parking... Il insista pour recommencer avec plus d'élan, et ceux qui poussaient changèrent
de côté afin de reculer son engin jusqu'au milieu de la cour...

Plus d'une demi-heure avait passé... L'exaspération

334

bouillonnait en moi. Je tournais les yeux vers le ciel, en grinçant rageusement des dents, les poings serrés dans mes
poches. Le Khmer rouge se retournait dans la jeep sans
comprendre. Le gendarme maintenait le portail ouvert en
manifestant son agacement.

Broum… broum… broum… L'auto se mit finalement
en branle, avec des ratés et des à-coups, bloqua brusquement en lâchant un paquet de fumée sur les vétérans qui la
poussaient d'un air las, et repartit en pétaradant. Je mis la
jeep en route aux premières détonations, et nous virâmes
devant le Malais qui traversait la rue pour savoir ce qui se
passait. À ce moment précis, le minibus du président déboucha dans le boulevard. Nhem me fit un signe. Je courus lui
expliquer la situation.

— C'est hors de question, trancha-t-il. L'Angkar se
charge de tout. Nous irons nous-mêmes récupérer la femme
et la fille.

— Mais…

— *At oy té!*

Écœuré, je perdis courage et plantai tout là.

Le gendarme fit rentrer le pauvre diable qui gesticulait
sans comprendre.

— Ben quoi ? Qu'est-ce qu'il y a ?… interrogeait-il.

Ses copains l'emmenèrent avec eux. Personne ne voulut
lui dire quoi que ce fût. Il quitta seul le Cambodge et fut
rapatrié en France où il n'avait plus de famille depuis longtemps.

La nuit du 30 avril fut courte. Les Khmers rouges amenèrent vingt-sept camions devant le portail, bien avant le
lever du jour. Les engins, couverts de bâches jaunes rougies par la boue des pistes, manœuvrèrent pendant des
heures dans l'avenue immobile pour se ranger l'un derrière
l'autre en une longue file. Un Molotova en panne fut immédiatement tracté, hors de la colonne fumante. Nhem surveillait lui-même les opérations ; c'est lui qui allait acheminer le convoi sur la frontière. Maurin avait été désigné
comme responsable, du côté français.

Nous étions convenus qu'avant d'entrer en Thaïlande
René Pasquier, le délégué du Comité international de la
Croix-Rouge, confierait au dernier moment un pli à Nhem.
Les mots codés qu'il nous transmettrait ainsi et sur lesquels
nous nous étions mis d'accord nous donneraient des indications précises concernant les conditions réelles de ce
voyage qui nous inquiétait beaucoup. Dans le pire des cas
— c'est ce que nombre d'entre nous craignaient — Nhem
n'aurait à son retour aucun message à nous remettre.

Alertés par le cri sonore des aides-chauffeurs orientant
les manœuvres, qu'on entendait par-dessus le vacarme des
moteurs, ceux qui devaient partir se réunirent dans l'ombre,
avec leurs affaires. En plus de la réserve individuelle et obligatoire d'eau potable, chacun emportait son unique bagage
dont il avait trié avec soin le contenu. Les Khmers rouges
devaient procéder à des fouilles au moment du contrôle des
passeports. Le service d'ordre, composé de volontaires, s'efforçait d'organiser l'attroupement qui s'était formé devant
la chancellerie et qui risquait d'obstruer l'accès aux camions.

Nhem feuilletait, à la lumière de l'entrée, le dernier inventaire nominatif dont nous lui avions remis un jeu sur papier cristal. Au milieu d'un renfort d'hommes en armes qui attendaient devant nous en observant le rassemblement, Migot marchait de long en large, les nerfs rompus par la fatigue, le nez dans les listes qu'il avait dû corriger et refaire toute la nuit avec Monique. À ce moment précis, derrière la cohue, adossée au mur de la chancellerie, je me rappelle leur fille Vinca, seule, angélique, qui luttait pour survivre à la mort de sa sœur.

Toute erreur pouvait être l'origine d'un drame. Nos gardes s'arrêtaient avec minutie sur la plus petite faute dans les noms, dont il fallait que l'orthographe soit rigoureusement la même que celle des passeports. Les copies remises aux Khmers rouges devaient strictement correspondre à l'original que nous gardions. Ils voulaient qu'elles fussent impeccables, tapées à la machine en quatre exemplaires avec des carbones, sans aucune rature, ni le moindre ajout à la main. Mieux qu'un tampon ou une signature, c'était la forme dactylographiée du document que nous fabriquions qui importait à leurs yeux, et qui seule semblait en garantir l'authenticité.

Nhem nous laissa procéder aux manœuvres de l'embarquement, camion par camion. Les réfugiés répondaient sans gaieté à leur nom vociféré par la grosse voix de Migot et allaient rejoindre le fourgon qui leur était attribué dans le boulevard. Je devais moi-même exécuter un second appel et les faire monter un par un, sous l'œil de responsables khmers rouges à qui je remettais les passeports en pile pour qu'ils les vérifient. Puis je grimpais à mon tour, me frayant un chemin jusqu'au fond de la benne, courbé sous les arceaux poudrés de latérite, dans l'odeur de graisse et de fer mouillé des capotes. À haute voix, je dénombrais une dernière fois les passagers en les pointant, sous le contrôle d'une équipe de soldats qui les examinait par-dessus la ridelle : un, deux, trois, quatre...

Sous les genoux repliés, entre les sacs et les bidons que j'enjambais avec peine, mon pied instable foulait alors une main insensible, butait dans une tête immobile, dont les prolongements se dissimulaient sous les banquettes à claire-voie... Des clandestins effrayés, à même le cambouis sur la tôle, s'étaient glissés sous les paquets et les paniers, quand ce n'était pas un photographe qui voulait avant tout échapper à la fouille, au grand dam des passagers en règle qui me jetaient des coups d'œil angoissés. Il fut également possible de faire embarquer en cachette un certain nombre de Khmers aux abois, des jeunes femmes surtout, demeurées courageusement accrochées à leur amant, et qui, tremblantes — certaines chancelantes —, se coulèrent entre les files des « légaux » qui grimpaient sous les bâches, comptant sur l'inefficacité des mesures de police.

En fait, de même que la tutelle militaire s'était montrée incapable d'opérer la surveillance prolongée et méthodique de nos activités dans l'ambassade, de même la prudence maniaque que les hommes du président affichaient, l'air méticuleux qu'ils prenaient en se penchant sur chaque liste, n'étaient qu'une parade destinée à masquer leur impuissance devant plus de cinq cents personnes dont il aurait fallu qu'ils contrôlassent d'un coup les papiers et les bagages...

Se sont-ils jamais reposés sur notre soin à bien nous coordonner dans chacune des tâches qu'ils nous laissaient accomplir à leur place? Eurent-ils jamais confiance en notre dispositif? Je crois que leur objectif, plus que toute autre chose, était de nous faire partir au plus vite. Nous ne fûmes finalement l'objet d'aucun contrôle sérieux.

Le convoi s'ébranla sous un nuage de fumée. L'aube déposa dans les yeux fixes des occupants du dernier camion, braqués sur nous comme des objectifs, une lueur tremblante qui leur donna un éclat soudain.

Tous ceux qui s'éloignaient (nous les voyions au loin se perdre derrière la cathédrale) étaient des volontaires; aucun, jusqu'au dernier moment, n'aurait laissé sa place. Cependant, en cet instant précis du départ qui les projetait dans l'inconnu, face à notre immobilité au sein du périmètre protégé, beaucoup d'entre eux se virent, sans oser se l'avouer, dupes de leur propre précipitation.

Une lumière monta dans l'enfilade du boulevard déserté, projetant sous le tissu des nuages un éclairage flamboyant. D'immenses traînées d'or strièrent l'espace bleuissant, pulvérisant sur le ciel une fragile égrisée que le premier jet du soleil balaya en un instant.

Nous nous retrouvâmes dans un espace nouveau que nous ne savions plus sonder, subitement privé d'une partie de notre propre communauté, dont nous sentîmes la présence encore longtemps, comme celle d'un membre amputé, non seulement à cause du vide qu'elle laissait en nous, mais de l'abondance des places désormais vacantes.

Ce fut l'occasion d'un grand déménagement. D'un seul coup, plus rien n'eut de valeur ; il nous fallut tout chambarder : nos marques, nos habitudes, notre façon d'être utile, notre manière de dormir. Puis, sous l'œil impassible du ciel, le train-train des événements ordinaires reprit, dans l'immobilité des heures et la fixité du beau temps.

Je retournai à l'EFEO pour trier ce que j'allais emporter et ce que je n'emmènerais pas. Je me résolus, dans une sorte d'élan de mutilation dont je garde encore la nausée, à abandonner les deux cents estampages de plusieurs mètres de haut, que j'avais commencé à faire dès mon arrivée en 1965. Je voulais à cette époque étudier l'iconographie des rinceaux historiés qui ornaient les piédroits des monuments d'Angkor, dans l'espoir d'y trouver des indices pour élucider les sources des traditions locales.

Cinq ans après, quand Douch m'avait fait relâcher — et que mes sens d'homme libre avaient repris une nouvelle vigueur —, je retournai à mes recherches sur le bouddhisme khmer, mais cette fois dans une nouvelle direction. Mon isolement prolongé et cette obligation de définir pour mes gardes une problématique persuasive avaient mûri en moi une nouvelle réflexion. Je me lançai sans attendre dans l'étude des textes en langue locale, ôtant du même coup à ces estampages une partie de leur intérêt. Dès ma libération en 1971 et jusqu'à la veille du 17 avril 1975, soit trois bonnes années durant, je n'eus de cesse de parcourir toutes les régions accessibles de l'ancien royaume pour recueillir et copier les textes du bouddhisme conservés dans les villages et les pagodes, négligeant du coup mes premières amours d'avant guerre.

— Hé! me lança Laporte qui m'aperçut dans la cour. Finalement, je pars avec elle! Ça y est, c'est décidé, dit-il avec une satisfaction non feinte, sur le ton un peu contrit et soulagé que prennent les gens sérieux quand ils avouent céder à un plaisir peu raisonnable mais qui s'impose à eux. On part ensemble... Le problème, c'est qu'elle n'a pas de papiers. Au consulat, ils disent que c'est trop tard pour l'ajouter sur les listes. Moi, on ne m'a rien dit. Et puis y a la petite!

Tout occupé par son problème personnel, comme si la difficulté à trancher relevait de sa seule décision, il avait omis, en arrivant à l'ambassade, de signaler (ou ne s'y était pas résolu) la présence avec lui de sa compagne et de son enfant.

Bronzé, cheveux lisses, fine moustache à la Errol Flynn, l'homme était célèbre à cause de sa voix qu'on entendait tous les matins aux informations sur les ondes de Radio-Phnom Penh.

J'avais connu sa femme cambodgienne, avant même de faire le lien avec lui. C'était une de ces Khmères racées, à la beauté typique qu'on n'oublie pas. J'avais des photos d'elle, où on la voyait danser, possédée par des dieux dont elle portait la parole, au cours des transes médiumniques. Sa grâce féline faisait ondoyer ses mouvements. Le blanc de ses yeux avait la teinte des épis mûrs, le blanc de ses dents avait celle de l'ivoire ; ses lèvres bordaient l'ouverture de sa bouche comme un ruban rouge moiré d'azur. En remontant de chaque côté la commissure de ses paupières obliques, la nature avait retroussé en même temps la pointe de ses sourcils, les ailes de son nez, les coins de ses lèvres. Leur petite fille était ravissante ; comme chez sa mère, une zone plus sombre inondait la base indécise du nez, où le haut de la lèvre allait se noyer en tirant légèrement sur l'ourlet des bords.

En fin d'après-midi, j'interrogeai Dyrac sur la famille Laporte.

— Évidemment, répondit-il consterné. Que voulez-vous !... C'est seulement hier qu'il a déclaré sa femme khmère et sa fille ! Maintenant les listes sont closes... Et en face, vous les connaissez. Ils n'accepteront jamais un ajout de dernière minute.

— Vous savez le problème, intervins-je. Il est marié en France, avec des enfants, et même s'il ne vit plus avec sa première femme, l'idée que la seconde devienne aussi son épouse légitime le paralyse ! Ce qu'il voudrait, je crois, c'est qu'elle quitte le Cambodge avec lui, mais pas comme sa femme. Il divorcera et reconnaîtra la petite ensuite...

— Monsieur le consul !

Un des gendarmes arriva sur nous, légèrement essoufflé.

— Nous avons de nouveaux visiteurs à la porte, glissa-t-il d'un air las, en repartant aussitôt.

Nous lui emboîtâmes précipitamment le pas.

— Je veux voir!...

Nous n'avions encore jamais vu le révolutionnaire qui s'adressa à nous en français, le regard sévère, avec un sourire radieux lui donnant, sous sa casquette mao, un air de garde rouge. Il était fier, propre, en bonne santé. Son torse bombé était ceint de deux bretelles qui se réunissaient sous une sorte de cartouchière ventrale en toile délavée. Il portait un revolver à la ceinture. Les hommes, derrière lui, avaient tous une arme, eux aussi.

Agréablement surpris de voir qu'il faisait l'effort de s'exprimer dans notre langue, le consul répondit lui-même et l'invita poliment, sans oublier d'interdire à ses hommes d'entrer avec leurs fusils. En réalité, il ne connaissait que quelques mots de français. Je fus obligé de reformuler notre exigence en khmer. Le jeune chef eut aussitôt une réaction de surprise et de gêne, et l'idée qu'il allait encore falloir chercher à le convaincre fit monter en moi une soudaine lassitude...

À mon grand soulagement, un homme du président que je n'avais pas reconnu parmi les soldats vint lui expliquer à l'oreille l'étrange usage qui maintenant faisait loi. Pas d'armes dans l'ambassade. Très mal à l'aise, mais n'osant pas contrevenir à un accord auquel Nhem semblait avoir lui-même adhéré, il désigna cinq hommes pour l'accompagner sans leur armement. C'est nous qui l'incitâmes à conserver son colt, dans la crainte de le voir perdre la face devant ses hommes.

Il traversa la cour avec nous à grandes enjambées. Il avait reçu des ordres d'en haut. Sa mission était de fouiller nos bagages, et en particulier ceux des journalistes, afin de s'assurer que nous n'avions plus ni films ni photos. Connaissant maintenant son objectif, Dyrac me parut un peu soulagé. Non qu'il se moquât de ce qui pouvait arriver au travail des photographes, mais il savait que ceux qui étaient restés avaient confié une partie de leurs bobines aux passagers du premier convoi, le reste étant soigneusement dissimulé.

Nous passâmes rapidement dans les bureaux et, au signe du Khmer rouge, dont les hommes découvraient nos locaux avec beaucoup de curiosité, le consul demandait à un gendarme de faire ouvrir un tiroir, un carton, une valise. Nous changeâmes de bâtiment, visitâmes les pièces des services culturels, dont les occupants jouissaient maintenant d'un peu de place, puis nous gagnâmes la résidence, au fond du parc, où se trouvaient une partie des délégations internationales, les médecins et les correspondants de presse.

Un peu las de ne voir remuer sous ses yeux que des culottes et des souvenirs sans intérêt, le zèle de notre jeune contrôleur, dont l'objectif premier était peut-être seulement de nous tenir en haleine, refroidit graduellement ; parcourant avec son escorte les rangées de bagages alignés dans les salles, sous les fenêtres, sur les bancs, il se fit plus paresseux qu'au début pour faire appel à nos gendarmes. Nous arrivâmes dans la salle des journalistes, qui avaient dressé le long des murs des box dont les demi-cloisons, faites d'un bric-à-brac, délimitaient pour chacun un petit espace individuel. Le Khmer rouge s'arrêta au hasard devant un gros sac plat en toile rigide posé à terre. Son propriétaire, Denis Cameron, qui se tenait devant nous, fut prié de l'ouvrir. Le reporter garda son calme et se baissa sans le moindre trouble pour en montrer le contenu. Je ne réagis pas tout de suite moi-même, et ne réalisai ce que je vis qu'en entendant Dyrac suffoquer d'indignation :

— Qu'est-ce que c'est que ça?

La valise était remplie de pièces provenant de la vieille argenterie de l'ambassade, poinçonnée aux armes de la République française. Je vis le regard du consul changer et ses forces décupler par la colère. Il souleva la lourde valise tel un fétu de paille et renversa, sur l'homme planté devant nous sans mot dire, aiguière, flambeau, saucière, soucoupe, sucrier d'argent massif, qui tombèrent en rebondissant sur le sol avec des tintements de cloche, sous le regard des Khmers rouges, qui ne comprirent rien à ce spectacle.

Le 5 mai au matin, nous étions toujours sans nouvelles du premier convoi, alors que nous devions en principe partir le lendemain. Cependant, il ne nous faudrait pas longtemps pour embarquer, et nous étions tous prêts, attendant l'heure, chacun avec ses impedimenta réduits au minimum. Il ne pouvait être question que nous nous précipitions à notre tour dans des camions sans avoir reçu certaines des garanties que nous attendions de Nhem, lequel aurait dû être rentré depuis le jour précédent. Il ne fit son apparition qu'en milieu de journée, mais avec des messages rassurants de Maurin et de Pasquier qui étaient maintenant en Thaïlande.

Revil vint me trouver. Le médecin-colonel était petit,

chauve, rond, avec des yeux très vifs qui expliquaient son autorité, et un sourire joueur qui expliquait son esprit.

— Pendant le voyage, me dit-il, un bébé est mort de déshydratation. Il y a eu aussi de nombreux malades et de nombreux accidentés, pas graves mais qui auraient pu l'être. Nous, en plus, on a une femme enceinte que la fatigue pourrait faire accoucher prématurément. J'ai demandé au président de mettre une ambulance volante à la disposition du convoi. Il semble d'accord. On a pensé à votre Land Rover. C'est le seul diesel châssis long à treuil du parc. Elle pourrait être munie d'un matériel de réanimation et aménagée en voiture sanitaire. Si vous êtes d'accord, vous seriez accompagné d'un ambulancier.

Après un silence, il ajouta, en mettant son regard sur moi :

— Je crois, euh… que ça ferait plaisir à Piquart de partir avec vous.

J'avais hérité de la voiture toute neuve de Roland Mourer, un copain préhistorien, qui avait dû quitter Phnom Penh quelques mois plus tôt, sans pouvoir la réexporter. En quelques heures, les médecins de Calmette la transformèrent en hôpital ambulant, avec tous les instruments et les produits nécessaires pour intervenir en route.

Une agitation générale, mêlée d'émotion et de fièvre, gagna le dedans et le dehors de notre communauté. Les camions chinois viendraient nous prendre dans la nuit, pour partir le plus tôt possible. À dix heures du soir, Dyrac ordonna un petit rassemblement, aussi bref que pathétique, devant le mât planté au milieu de la cour dans un boulingrin terreux entouré de galets blancs, et au sommet duquel flottait toujours le drapeau tricolore. Les gendarmes au garde-à-vous rentrèrent les couleurs.

Nous eûmes à cœur de laisser derrière nous des bâtiments propres et de veiller à ce que tout soit ouvert, les portes, les coffres, les armoires. Le consul remit symboliquement les clefs de l'ambassade à Nhem.

Nous quittâmes Phnom Penh par la nationale n° 3. En quelques instants, l'aube derrière nous fit place à l'aurore. Les rayons du jour projetèrent leurs couleurs sur l'immense feutre du ciel.

La large avenue était vide. Nous roulions doucement, en tête du convoi ralenti. Devant nous, les flamboyants en fleur qui bordaient la chaussée avaient déroulé leur tapis vermeil de pétales assoupis sur l'asphalte. Époustouflé par cette beauté, mais à la fois heurté par tant d'indifférence — l'ardent carmin était plus une invite à l'allégresse que l'image d'un flot de sang —, je pleurai d'un seul coup toutes les larmes accumulées dans mon corps. La main de Piquart vint à ma rescousse me tapoter l'épaule.

Nous parvînmes en quelques minutes à la hauteur de l'aéroport de Potchentong quasiment rasé. Béant de toute part sur l'amoncellement des gravats mais encore debout, la tour de contrôle, avec ses couleurs rouges et blanches que les roquettes et les gerbes de balles n'avaient pas effacées entièrement, fit resurgir en moi une scène qui m'avait profondément marqué. En cet instant terrible, le souvenir qui m'habita fut celui d'un immense ressentiment. Chaque détail me revint à l'esprit et je m'en livrai rapidement à Piquart.

Cela s'était passé, je crois, en janvier 1973. La venue à Phnom Penh de Spiro Agnew, vice-président des États-Unis, était prévue ce jour-là, à dix heures locales. Depuis des semaines on n'avait parlé que de ça. Les abords de l'aéroport étaient surveillés ; des avions espions tournoyaient dans le ciel. La police khmère, infiltrée partout, s'était fait un point d'honneur à mettre en place, avec la Sûreté et le Renseignement, un contrôle très strict des accès à la chancellerie, au poste diplomatique, à la résidence et aux campus américains. Le service politique avait même imposé une double protection, placée sous l'autorité d'une cellule d'experts dépêchés sur place. Plusieurs parcours possibles, entre l'aéroport et l'ambassade, avaient été étudiés dans le secret, balisés, dégagés, fouillés, voire par endroits empierrés et asphaltés. Des effectifs supplémentaires étaient arrivés de Saigon pour prêter main-forte aux GI. Depuis des jours, des soldats campaient dans les rues, guettant les allées et venues suspectes, observant les magasins, les fenêtres des immeubles, le sommet des arbres, etc.

Face à cet activisme paranoïaque, aussi risible vu de Phnom Penh qu'au regard du danger réellement encouru, les Khmers n'avaient pas voulu demeurer en reste. Le déploiement de moyens si coûteux avait quand même désamorcé un peu les rires au bénéfice du respect le plus béat. Ils avaient mis tout en œuvre pour l'accueil de l'hôte prestigieux, qu'ils avaient rêvé grandiose. Toutes les coutumes du Cambodge, depuis les plus vieux usages de l'ancien royaume, jusqu'aux protocoles les plus originaux, avaient été mises en branle pour l'occasion. On avait sollicité les maîtres traditionnels de renom, n'hésitant pas à les faire chercher, le cas échéant, dans des villages reculés de l'arrière pays. Les plus grands orchestres, les meilleures troupes de ballets et de théâtre dansé avaient répété ensemble jour et nuit, sur des mises en scène pensées en fonction des contraintes de l'aéroport et de la sécurité. Le jour J, les ministres revêtus de leur somptueux costume de cérémonie — veste blanche, sampot vert bouffant, bas blancs et chaussures vernies noires à boucle — se tenaient devant plusieurs orchestres *phimpeat*, des chanteurs avec leurs tambours en bois de *tatrao*, et des joueurs de flageolet. Les chefs militaires, en grand uniforme, étaient debout à côté de centaines d'écoliers, le drapeau américain à la main, tous au garde-à-vous. Des nattes finement tressées recouvraient le tarmac. Un tapis rouge allait jusqu'à l'emplacement où l'avion présidentiel devait s'arrêter. Des brahmanes y avaient pris place, leur conque-trompette à la main, devant des plateaux d'offrandes en laque et en argent. Les voitures du cortège étaient prêtes, avec en tête une berline blindée, arrivée la veille par avion. Des dizaines de danseuses, couvertes de tissus brodés d'or cousus à même la peau, tenaient, gracieuses, des corbeilles de pétales. Face aux ministres, les cuivres briqués d'une fanfare jouaient en grande pompe avec le soleil qui montait dans le ciel...

L'appareil tant attendu se montra, un peu plus tôt que

prévu, et vint se poser exactement où cela avait été convenu. À la minute même, la mélodie des orchestres, le son des clairons, la voix des chanteurs, les formules de bienvenue criées par les chœurs d'écoliers, résonnèrent dans une cacophonie fantastique, que parvenait à grand-peine à couvrir le long vagissement des conques sacrées. Les danseuses se mirent en mouvement sur place, pendant que ministres et généraux s'avançaient solennellement. La porte de l'appareil s'ouvrit, et des jeunes filles vêtues de soie avancèrent l'échelle dorée et fleurie. Au même moment, et en moins de temps qu'il n'en faut pour le dire, le battement des pales d'un hélicoptère se fit entendre à grand fracas dans l'air. Une demi-douzaine de GI giclèrent de l'avion sur la scène, en éventail devant l'échelle, bousculant les écoliers et les danseuses, l'arme automatique pointée droit devant, les jambes écartées, le regard fixe. En quelques secondes, porté par deux géants, le vice-président des États-Unis fut expulsé du jet et introduit dans l'hélicoptère qui décolla aussitôt (pour atterrir sur le toit de l'ambassade américaine), dans un tourbillon de poussière mélangée aux pétales de fleurs et aux drapeaux en papier, abandonnant sur place ministres, généraux, brahmanes, danseurs et musiciens...

Passé l'aéroport, laissé désert par mon souvenir, nous prîmes par le nord, en coupant à travers le parcellement des rizières, suivant des pistes à peine visibles sur le sol tassé des paillasses. Parfois, les camions s'engageaient dans des tourbières recouvertes d'eau stagnante et de végétation pourrie, en creusant des ornières que nous avions ensuite le plus grand mal à franchir; d'autres fois, c'étaient de minuscules ruisseaux qui coulaient dans les champs, entre des bourrelets infranchissables, que nous devions contourner en faisant de grandes boucles. Plusieurs fois, nous fûmes à deux doigts d'abandonner la voiture, tant le terrain sur lequel nous devions zigzaguer devenait impraticable. Mais ces passages difficiles, au milieu des buissons de *Licuala* et des *Streblus* noueux qui émergeaient de la terre sur des monticules d'argile blanche, rognés verticalement par les pluies, nous donnaient aussi une exaltante impression de liberté retrouvée.

Nous contournâmes Oudong sans nous en rendre compte et traversâmes un village où des hommes creusaient sous la surveillance d'un commando de femmes khmères rouges. Nous nous y arrêtâmes pour reformer le convoi. Je vis des soldats discuter vivement avec ceux de notre escorte, puis venir vers la Land Rover.

— Dans ce village, il y a une Française! lancèrent-ils solennellement, comme un ordre. Elle doit partir en France.

Au bord de la route qui passait au milieu des maisons, une fille plutôt jolie portait à deux mains devant elle une valise de citadine. Elle pouvait avoir seize ans, mais la sévère et douloureuse expression qui me frappa en elle produisait un étrange contraste avec son âge. Elle était habillée comme une vendeuse de marché, avec un chemisier cintré qui découvrait le haut des bras et un pantalon de coton dont le tissu sombre vrillait autour des jambes et fronçait à la taille sur un élastique. Ses mâchoires un peu carrées élargissaient son visage de rousse, mais ses yeux fendus en amande et très espacés occupaient toute la surface des tempes, remontant jusqu'aux cheveux dont la couleur n'était pas vraiment noire. Ses lèvres lisses arrivaient sur les dents avec un dégradé rose à peine marqué. Quand mon regard se posa sur elle, ses traits d'enfant tourmentée prirent une expression où se fit jour une volonté tragique. Elle tremblait.

— Je suis française! énonça-t-elle en khmer. La maison de ma tante est ici, ma mère habite Phnom Penh, mon père est en France. J'ai peur. Je veux aller en France, s'il vous plaît, monsieur.

— Comment t'appelles-tu?

— Malie.

— Marie?

— *Tcha.*

— Et ton père, quel est son nom?

— Euh… je ne sais plus, dit-elle en remuant la tête avec un sourire.

— As-tu des papiers? Connais-tu son adresse en France?

— Non, mais maman le sait!

— Parles-tu français, Marie?

— Non… mais j'apprendrai vite!

Les Khmers rouges, qui devaient être des jeunes du village, suivaient notre dialogue en opinant aux réponses de la petite, fiers d'avoir pris l'initiative de faire connaître son existence.

— Elle doit partir! affirmèrent-ils.

— Elle n'a pas de papiers, répliquai-je.

— *At oy té!* Son père est français.

J'aurais voulu tout de suite aller consulter Nhem, mais il était en queue. Le convoi s'ébranla pour repartir.

— Bon! fis-je sans trop réfléchir. On verra bien...

Il ne pouvait être question de la prendre avec nous dans l'ambulance. Je la fis monter à l'arrière du premier camion. Les gens se décalèrent sur la banquette et elle se faufila entre eux.

Nous reprîmes notre route dans une zone de fourrés discontinus alternant avec de la forêt dégradée. De place en place, nous longeâmes des îlots marécageux, dominés par de grands arbres épars, et les camions prenaient toute la largeur des sentiers qui disparaissaient sous des amas d'arbustes ployés et de grosses branches tombées à terre. Nous traversâmes des groupements d'habitations, pauvrement peuplés d'âmes « libérées » qui subsistaient dans une économie de guerre, levant à peine les yeux sur notre passage. Autour de leurs cabanes, construites en ligne à même le sol sableux, devant de rares plantations abandonnées à la jachère, des petits jardins de concombres doux, piqués çà et là de souches calcinées par les feux de brousse, semblaient avoir un peu profité des orages précurseurs de la nouvelle saison.

Sur l'horizon, le disque orange s'effrangeait derrière les sommets forestiers du mont Aural. Subitement alourdie par des applications d'or, la ouate effilée esquissa à grands traits les formes d'une jonque qui s'étalèrent comme une onde majestueuse et tranquille sur la rive des montagnes, recouverte d'une mer de pics neigeux. Le couchant s'éteignit. De l'autre côté, la lune allumée déjà signait l'espace.

La nuit tombée, nous dûmes suivre des chemins rocailleux, à peine carrossables, en cahotant à la lumière des phares. La plupart des vingt-deux masses métalliques qui composaient notre convoi n'avaient pas de lumière ; elles sautaient comme des vagues dans les défoncements du terrain. Leurs rugissements recouvraient le bruit de la Land Rover. La lune au-dessus de nous diffusait une lueur qui noyait les trous de la piste.

Nous arrivâmes finalement à Kompong Chhnang vers huit heures du soir. Un groupe de soldats à mobylette nous attendait aux portes de la ville sombre et déserte, pour nous guider jusqu'à la vieille préfecture, où nous devions passer la nuit. Les passagers fourbus sortirent lentement des camions, s'ébrouant dans les derniers relents de mazout que les moteurs brûlants et cliquetants lâchaient avant l'arrêt total.

Le bâtiment colonial, qui pouvait être ocre ou bleu, dressait dans le contre-jour sur un soubassement droit sa haute architecture arrosée d'un pâle reflet. Sa façade, ornée de portes-fenêtres à persiennes, dominait les colonnes du porche d'entrée ouvrant sur un large escalier. De part et d'autre, une aile carrée surmontée d'un toit à quatre pans encadrait la terrasse de l'étage. Piquart fut accaparé par des dizaines de personnes qui souffraient de malaises ou de contusions. J'ouvris le capot boueux de la voiture toute fumante pour vérifier l'eau, l'huile, etc. Marie était derrière moi, avec sa valise.

— Ah ! c'est vrai, dis-je en me retournant. Viens. Nous

allons demander au chef de convoi, et tu lui expliqueras toi-même. Laisse ta valise dans la voiture.

Nhem grimpait dans une jeep, à côté du Malais au volant. Je courus vers eux et montrai la jeune fille.

— Elle a rejoint le convoi en cours de route, expliquai-je aux Khmers rouges. Son père est français. Elle n'a plus de papiers.

Le président lui posa quelques questions, mais le Malais se mit à l'interroger méchamment.

— Camarade! m'interposai-je, tu vois bien qu'elle est métisse. Elle a perdu sa mère. Qu'elle retrouve au moins son père! Qu'est-ce que ça change maintenant?

— Ça change qu'elle n'a pas de papiers et qu'elle doit rester! coupa-t-il.

La jeep fit un départ en trombe et nous planta là. J'avais déjà noté, en quelques semaines, que ce petit homme, à l'âme énergique, avait gagné beaucoup d'assurance, et je me faisais maintenant la réflexion qu'il semblait avoir pris de l'ascendant sur son chef. Il était de l'espèce que les obstacles ne rebutent point, mais à cette vertu, comme tant de fanatiques du pouvoir, il joignait un total mépris à l'égard de la souffrance des êtres faibles et anonymes.

Je me retournai volontairement vers la jeune fille en prenant un air désolé.

— Réfléchis bien... lui dis-je. Je ne sais pas ce qu'il faut te conseiller. Si les Khmers rouges ne t'autorisent pas à quitter le pays, tu ferais mieux de rebrousser chemin tout de suite, avant d'être trop éloignée de ton village.

— Ce n'est pas mon village, et ma tante est morte, répondit-elle. Moi, je suis de Phnom Penh.

Je ne pus m'empêcher de pousser un soupir de lassitude. Je retournai à la voiture, muet, talonné par le découragement. Sans perdre de temps, j'allai m'asperger à l'eau d'une jarre en ciment que j'avais avisée en manœuvrant dans la cour. Piquart se préparait à dormir dans la voiture. Je décidai de m'installer sur le plancher de la préfecture, prenant pour me couvrir un champ opératoire dont nous avions emmené toute une pile.

Dans l'obscurité de la salle, où s'étalaient déjà d'autres corps immobiles, Marie s'approcha et vint se réfugier contre moi. Je me pétrifiai comme Avi, quand Hélène plaçait entre ses pattes un chaton qui se mettait à le renifler, explorant innocemment les replis de ses babines. Elle s'endormit aussitôt.

Le bruit infernal des moteurs sonna le branle-bas du matin. Sept nouveaux camions étaient venus se joindre à nous dans la nuit, chargés des nombreux ressortissants pakistanais, indiens, philippins, indonésiens, laotiens, qui se trouvaient dans la province. À peine levé, j'allai confier à Dyrac le cas de la fille qui avait obsédé mon sommeil. Pendant la nuit, une légère rosée s'était déposée sur les touffes d'herbes qui couvraient le gravier. Autour de nous avançaient et reculaient déjà les six-roues, avec des coups d'accélérateur qui leur faisaient faire des bonds, et nous fûmes obligés de crier pour nous faire entendre.

— Pfff... fit-il en faisant exagérément vibrer ses lèvres. Comment compte-t-elle retrouver son père si elle ne sait même pas son nom? Quelle tristesse! Moi, je veux bien la rajouter, mais ça m'étonnerait que ça passe comme ça... C'est comme pour la femme et l'enfant de ce journaliste de l'ORTF! Elles sont montées avec lui. Mais j'ignore ce que les Khmers rouges diront s'ils s'en rendent compte...

Accroupis dans la fumée bleue des moteurs que les soldats faisaient chauffer en les emballant par saccades successives, des réfugiés finissaient à plusieurs quelques boîtes de conserve ouvertes la veille, avant de reprendre leur place sous les bâches. Suivi de Marie qui ne me quittait pas, j'allai trouver Nhem séance tenante, et lui déclarai que la France acceptait la jeune Eurasienne. Le président répondit en s'adressant à elle :

— Pourquoi veux-tu partir? Tu n'as aucune éducation. À quoi bon aller en France pour servir les autres et devenir leur esclave? Ton pays est ici!

Les derniers camions prenaient leur place dans le cortège, faisant résonner le son creux de leur échappement troué. Je me tournai vers elle et l'enjoignis de ne pas aller plus loin. J'eus le temps de voir monter sur son visage une onde brusque qui rougit ses yeux. Je m'enfuis rejoindre Piquart qui m'attendait dans l'ambulance.

Nous reprîmes notre cheminement, tantôt en queue, tantôt en tête de la colonne tonitruante, dans l'eau des gués et la boue des ornières, bringuebalant au milieu des champs retournés, des villages rasés, des pagodes brûlées, des ponts détruits. À perte de vue, ce n'était que digues effondrées et cratères inondés, où attendaient des buffles croupissants... Et puis, par endroits, des voitures, des motocyclettes, des matelas, des bagages, abandonnés dans le fossé. Nous croisions des Khmers rouges en bande, livrés à eux-mêmes, qui souvent nous regardaient sans la moindre expression, et de nombreux civils poussant leurs affaires, accrochés par grappes à la piste, qui s'écartaient en nous faisant bonjour de la main. La tête vide, nous roulâmes pendant des heures, avec de courtes haltes, sous un soleil de plomb qui faisait briller les particules de poussière que nous avalions. La femme enceinte eut un malaise. Piquart l'allongea à l'arrière et lui fit une piqûre. Je la revois, la sueur perlant sur son front, tremblante, les yeux tournés sur elle-même, aveugle à toute autre chose que l'enfant qu'elle savait blotti dans son ventre. Je me pris à envier son égoïsme animal. Les femmes ont cela que nous n'aurons jamais.

À la tombée du jour, nous arrivâmes en vue de Battambang, que nous fûmes obligés de contourner pour passer la nuit à la sortie de la ville. Les camions s'immobilisèrent au milieu de la route. Elle longeait à cet endroit le vieux monastère de Kbal Khmoc, transformé en PC militaire.

À l'aide d'une lampe électrique empruntée à Piquart, je partis à la recherche d'Avi. Je ne m'étais occupé de rien, moins par manque de temps que de place dans ma tête. Laissant ma famille, comment décemment songer à prendre mon chien, même si l'on sait que, face aux étoiles, il n'y a pas de différence entre un homme et un chien ? Mais sans rien me dire, Migot lui avait trouvé un chaperon en la personne de Rémy. Dans l'agitation des voyageurs et des chauffeurs qui s'interpellaient entre les camions, j'aperçus Avi méthodiquement occupé à arroser un arbre.

— Il est impeccable, vraiment! me rassura Rémy. Il obéit et ne bouge pas... Aucun problème. Mais ce chien est triste. C'est étonnant comme il parvient à le montrer. Ah! j'oubliais. Voici son certificat de vaccination pour entrer en Thaïlande.

Il me tendit un formulaire ronéotypé qu'il avait lui-même fait signer et déjà rempli avec soin : « Je soussigné Goueffon Yves, Docteur vétérinaire, Directeur de l'Institut Pasteur du Cambodge, certifie avoir vacciné contre la rage le chien nommé... *Avi*, âge... *4 ans*, robe... *feu*, etc. » J'admirais cet homme, au caractère rond, qui dirigeait la Compagnie des Terres-Rouges, et dont la plantation d'hévéas donnait le plus haut rendement à l'hectare du monde. Nous échangeâmes quelques propos sur l'existence, avec des mots superficiels qui n'enlevaient rien à leur consistance (j'ai appris, depuis, que les mots simples sont parfois porteurs de vérités plus intenses que les autres). Je m'efforçai de respecter cette sobriété des colons, qui utilisaient les mêmes stéréotypes plats pour parler d'une émotion ou traduire un sentiment, qu'il s'agisse d'un effet des variations du temps, des délires de l'amour ou des affres de la mort. Le phénomène est répandu, mais je ne suis pas sûr que, d'une génération à l'autre, la langue se prête toujours avec la même pertinence à l'expression profonde de la banalité.

— Bizot! ça y est! me dit Dyrac, qui déboucha de l'obscurité sur nous. Je les ai mariés. Nhem a été d'accord. On a rajouté l'épouse et l'enfant sur nos deux listes. Sous le nom de Laporte... C'était la seule solution.

Au bord de la route, dans la rizière, autour des camions, sous les bâches, les réfugiés déroulaient leurs nattes et tendaient leurs moustiquaires pour passer la nuit. J'entrai avec Avi dans l'enceinte de la pagode, dont la cour, entourée d'une galerie en cloître qui masquait des chromos naïfs sur les vies du Bouddha, était déjà pleine de monde. Avec le temple dont le toit brillait au clair de lune, la grande salle de prédication, le haut stupa où tintaient des clarines, le capitulaire, la bibliothèque, les bâtiments résidentiels, les édicules rituels, etc., on se serait cru dans un petit village fortifié. Je trouvai ma place sur la margelle d'un muret longeant le déambulatoire.

Au lever, je croisai Laporte qui tenait tendrement sa Khmère par la taille. Elle, les reins à demi courbés sur le côté, ronronnait encore ; elle coiffait souplement ses cheveux longs devant elle et paraissait radieuse. Ils avaient laissé la petite à des voisins et dormi eux-mêmes sur la chaussée.

— Pas très confortable pour une nuit de noces ! me lança Laporte, avec un sourire de contentement.

— Je sais, Dyrac m'a dit. Bravo, et... toutes mes félicitations ! répondis-je avec un air entendu, pris un peu de court par le bonheur qu'ils affichaient.

J'aperçus au même moment, derrière eux, Marie qui se faufilait entre les camions. Par pitié pour elle, des réfugiés lui avaient offert dans leur maigre espace un asile.

Après quatre heures d'une étroite route de remblai, trouée de nids-de-poule et sans bas-côté, bien plus éprouvante que toutes les pistes de rizières (nous y laissâmes un GMC dont le moteur s'était détaché), nous fîmes une halte à Sisophon. Nous touchions au but. Il nous fallait cependant reprendre notre souffle, avant de nous engager sur la voie empierrée qui menait en Thaïlande, au travers d'une savane désolée.

Une équipe de Khmers rouges nous attendait à l'entrée de la ville et avait préparé de quoi sustenter un peu notre communauté de presque huit cents personnes : viande de buffle, riz, tubercules, noix de coco, bananes, ananas. Deux nouveaux camions et un car plus confortable furent mis également à notre disposition.

Rappelé à Phnom Penh, Nhem allait nous quitter. Il me fit venir pour me présenter à son remplaçant, un homme souriant et plus jeune, dont le Malais ne ferait qu'une bouchée. Avant de ne plus le revoir, je résolus de le prendre à part pour lui parler de la petite métisse.

— Camarade, lui dis-je en l'entraînant par la main, nos chemins se quittent ici.

Je gardai sans plaisir ses doigts épais et mous dans les miens, avec le contact de leurs callosités sur les premières phalanges.

— Je te souhaite sincèrement bonne chance ! repris-je. Qu'il te soit permis, à toi aussi, de vivre en paix et de retrouver ta famille. Je te remercie de ce que tu as fait pour nous tous...

— *At oy té !* Le camarade Bizot ne pensera bientôt plus

à tout ça ! dit-il sur un ton aimable, en me provoquant à la cambodgienne. En France, il oubliera les souffrances du Kampuchea !

— Le crois-tu ? J'y laisse ma famille... En tout cas, je n'oublierai pas le camarade Nhem, sans lequel nos épreuves eussent été plus pénibles encore ! Je suis sûr que nous nous reverrons, affirmai-je, même s'il faut attendre dix ans !

Comme je l'avais fait souvent ces derniers jours, je songeai à mon père. Je me revis à Nancy, par un bel après-midi, alors que nous traversions la rue d'Amerval. Sa main sur mon épaule me touchait l'oreille. « Toi, tu verras l'an deux mille ! » me dit-il avec joie. « Ben, toi aussi ! » — « Oh, tu sais, pour moi, c'est moins sûr... quoique j'espère bien vivre encore quelques belles années ! » — « Combien, papa ? » — « Ah ! je ne sais pas, moi, au moins une bonne dizaine ! » assura-t-il, en me serrant à plusieurs reprises contre lui, alors que nous longions le bord du trottoir. « Si peu ! » m'exclamai-je effaré... Maintenant, dans la fatigue de cette longue matinée, tandis que l'azur pâlissait sous la chaleur, je voyais, par-dessus le convoi et les réfugiés qui mangeaient, ses yeux sombres couverts de brousaille argentée, posés sur moi, emplis d'amour. Je le regardais, comme je l'avais fait d'innombrables fois, installé à sa table de travail, penché sur un dessin tracé au tire-ligne ; puis, trois ans plus tard, sur son lit de mort, quand son visage glacé s'abîma dans un silence inouï, dont le vide ne m'a jamais quitté.

— Mais, continuai-je, avant de lui dire adieu, je voudrais demander une dernière faveur. Camarade (je pris soin de laisser s'établir un silence), je te prie d'autoriser l'Eurasienne à partir avec nous. C'est son souhait le plus cher depuis qu'elle est toute petite...

— Sa place est ici, me répondit-il automatiquement. Pour reconstruire son pays, pour travailler dans les champs, pour participer aux offensives collectives, en vue de la réédification nationale. À quoi peut-elle servir à la France? alors que ses forces ici nous sont indispensables?

— Ce n'est qu'une enfant et je ne parle pas d'utilité! répliquai-je, en me cabrant devant tant de fadaises. Je t'interroge sur elle, tu me réponds sur le Cambodge. Laissons aux révolutionnaires le soin de relever le pays de ses cendres, et permettons à cette petite de se reconstituer sur les traces de son père! En cette fin de guerre fratricide, ne puis-je espérer un dernier sursaut d'humanité de la part du camarade président?

Je n'ignorais pas que le chef khmer rouge avait l'humeur prompte et s'irritait facilement de toute opposition. Sous ses paupières, qu'il avait baissées pour ne pas voir mon emportement, je perçus cependant plus de gêne que de colère. Il laissa passer un moment, accaparé (comme il le faisait à chaque occasion) par la vue de ses pieds, puis leva sur moi ses yeux pendant quelques instants. Il me quitta

finalement sans rien dire, avec un geste embarrassé, intraduisible, qui pouvait signifier à la fois : « Tu n'as pas compris », « Je m'en fiche », « Je vais voir »...

La savane broussailleuse s'étendait par vagues toujours renouvelées, jusqu'aux limites de la vue. Parfois
s'intercalaient des groupes d'arbustes noueux encombrés d'euphorbes, sur lesquels voletait un rapace. En
début d'après-midi, nous aperçûmes d'assez loin le drapeau
rouge qui flottait sur le poste frontalier. L'air était étouffant
et humide. L'ardeur du jour tremblait sur la piste. Fatigués
de rouler dans la poussière, nous avions décidé, avec Piquart,
de nous mettre devant les camions et d'y rester. Maintenant, quelques arbres se resserraient sur nous, entre des
rizières à l'abandon et des touffes de palmiers à sucre écimés,
signalant que nous quittions enfin cette zone de steppe
désertique et brûlée.

L'entrée de la minuscule bourgade était fermée par deux
rangées de barbelés, tendus sur des croisillons de bois. Elle
était défendue par un fortin de terre, étayé de sacs de sable,
dont la toile rongée faisait des charpies blanches aux murs.
L'endroit paraissait désert. Nous descendîmes de voiture
et entrâmes. Plantés dans les flancs du remblai circulaire
qui constituait le centre de Poipet, se trouvaient abandonnés quelques magasins et restaurants sur pilotis, dont l'arrière surplombait un contrebas dévolu aux ordures, aux
poules et aux cochons. D'un côté, des baraquements déman-
telés servaient de cantonnement à une cinquantaine de sol-

dats, dont on pouvait voir, à l'arrière, les uniformes noirs sécher sur un fil. De l'autre, construits en dur à l'époque du protectorat, se dressaient encore, avec leurs tuiles et leurs persiennes, les bâtiments de la poste et des services douaniers. Devant le bureau d'immigration, une barrière formée d'un long bambou et d'un bloc de pierre pour faire contrepoids; elle ouvrait sur une levée de terre menant à la passerelle d'un pont, dont l'ossature métallique, composée de trois bras d'acier et d'un parapet, soutenait de lourdes planches boulonnées. Le ruisseau marquait la frontière.

Sur l'autre berge, nous aperçûmes avec reconnaissance et soulagement une foule de gens qui s'agitaient derrière des caméras et des téléobjectifs, dans une atmosphère de kermesse. Nous prîmes subitement conscience de la portée internationale de ce que nous venions de vivre. Autour d'eux, des voitures, des cars, des tentes, attendaient sous le soleil. Les couleurs pâles de leur regroupement faisaient ressortir la croix rouge d'un dispositif sanitaire. À l'extrémité du pont, la police thaïlandaise avait dressé des tables pour le pointage des évacués. En civil, nous reconnûmes les représentants du consulat français.

Des Khmers rouges s'avancèrent à notre rencontre, comme à regret dans la lumière brûlante. Ils nous saluèrent avec le sourire et vinrent ouvrir les barbelés, autorisant l'entrée seulement aux véhicules légers de l'escorte, afin de ne pas encombrer la place. J'en profitai pour faire passer la Land Rover et l'amener le plus près possible du pont (espérant pouvoir la sortir). Les réfugiés mirent pied à terre, et s'étalèrent dans les fossés, sales, harassés, les yeux aveuglés par la poussière, créant une immense cohue de personnes et d'enfants qui se déplaçaient, de gens qui se retrouvaient, cherchant les coins d'ombre pour se recomposer et refaire leurs bagages, avançant dans un désordre indescriptible vers les camions de tête. Une véritable pagaille se propagea dans le rang des premiers arrivés, quand les Khmers rouges se mirent en devoir de les faire entrer un par un, en suivant l'ordre des listes… Beaucoup trouvèrent leur salut dans la situation intenable qui s'ensuivit. Incapable de faire face, le contrôle révolutionnaire resta inopérant. Et ceux qui n'existaient pas sur les listes, les femmes, les amis, les enfants, purent miraculeusement se glisser entre les mailles de sa surveillance. Chacun traversait ensuite jusqu'au pont, où des gardes débordés par l'affluence, et peut-être gênés par l'œil des caméras et des autorités thaïes qui se trouvaient à l'autre bout, laissaient passer à peu près tout le monde, sans trop de difficulté.

Dyrac put franchir la passerelle, s'entretenir avec son homologue français de Bangkok, et remettre la liste des immigrés aux Thaïs. La France et les autres pays concernés, qui avaient dépêché sur place un représentant, se portèrent garants des conjoints et des enfants sans papiers de leurs ressortissants. Le contrôle très strict des officiers thaïs permit de démasquer plusieurs dizaines d'illégaux, qui furent tenus à l'écart (mais du côté thaï), dans l'attente de leur régularisation et d'une autorisation de transit. Migot allait et venait au milieu du pont pour faire avancer les gens.

Marie réussit à s'infiltrer. Elle accourut près de moi. Le Malais la vit. Il se tenait au milieu de la place, observant le mouvement, avec le nouveau chef. Derrière eux se tenaient des éléments d'un commando de femmes et une douzaine d'hommes de la garnison. Je lui soufflai entre les dents de ne pas se montrer, mais c'était trop tard. Un garde vint alerter les douaniers du pont. Ceux-ci se retournèrent voracement pour l'identifier.

Le flot des réfugiés était régulé à l'entrée pour éviter un embouteillement au dernier contrôle. Laporte se présenta avec sa femme et sa fille. Les Khmers hésitèrent sur leur identité, puisqu'elles étaient rajoutées et n'avaient aucun document. Dyrac certifia qu'il s'agissait bien des époux Laporte, faisant remarquer que l'ajout manuscrit figurait sur les deux listes. La question fut renvoyée à l'arbitrage du remplaçant de Nhem, lequel, sous l'influence du Malais, braqué contre les Français, se fit longuement tirer l'oreille. Mais, devant l'insistance du consul — et peut-être aussi celle de son adjoint —, il décida de les laisser aller.

Laporte, épuisé, le visage défait, s'engagea sur la digue et passa avec les siens le contrôle khmer. À l'autre bout de la passerelle, les Thaïs, qui ne se relâchaient pas, procédaient à un pointage individuel. Le Français fut invité à avancer seul. Effrayée, sa femme voulut le suivre et perturba la procédure. Les Khmers rouges la firent reculer. Laporte, dépassé par la situation, rebroussa chemin comme un automate lui aussi, mais Migot le rappela. Un gradé thaïlandais, qui surveillait les opérations, vint examiner son passeport pour l'aider.

— Are you married? She is your wife? questionna-t-il.

Devant le militaire galonné, Laporte ne sut quoi répondre.

— Are you married? répéta l'officier en le regardant subitement dans les yeux pour voir par transparence la vérité qui se cachait derrière.

J'étais à trois mètres. Le visage du speaker de l'ORTF était plein d'angoisse et frissonnait de sueur.

— Mais tu réponds, bordel! lui criai-je en retenant mon souffle.

— Merde, je peux pas dire qu'on est mariés! lâcha-t-il en se retournant sur moi et sur Migot. Qu'est-ce que tu veux... non!

Le militaire interpréta sa mine et rejeta la resquilleuse.

—You! fit-il d'une voix forte, en la pointant du doigt. No!

Du côté cambodgien, les gardes réagirent avec précipitation. Ils firent évacuer l'entrée du pont, comme ils en avaient reçu l'ordre au premier incident. L'épouse affolée s'agrippa à son mari d'une main tremblante. Un peloton de bourrelles farouches accourut. Je les revois : les unes avaient trente ans, les autres quinze, mais les cheveux de toutes étaient raides et coupés à la chinoise. Accrochée à son homme, elle se mit à le supplier en pleurant; ses bras tendus le poussaient et le tiraient par la ceinture, afin d'éveiller chez lui un sursaut. Lui bougeait mollement, prenant un air interrogateur, comme pour se disculper. Les soldates imprimèrent des coups portés avec le canon de leurs fusils dans le dos de celle qui voulait échapper à son sort. Mais elles durent lui tordre les doigts un à un pour lui faire lâcher prise. Alors, tout son corps se vida brusquement en sanglots, comme si son cœur avait crevé. Elles l'emmenèrent.

La fille de Laporte se jeta derrière sa mère avec une plainte aiguë et les tremblotements de sa petite voix m'arrivèrent aux oreilles comme des cris de lamentations funèbres. Indifférente, la file des réfugiés se reforma, recouvrant à jamais les gémissements de l'enfant, dont l'écho dévastateur résonne toujours en moi après maintes années.

Sur le pont, les yeux agrandis par la fureur, nous nous tournâmes vers les officiers en grand uniforme pour tenter de les faire réagir. C'est tout juste s'ils regardèrent dans notre direction ; nos appels restèrent sans réponse. Terrassé par ses contradictions, Laporte passa du côté thaï.

Marie m'appela. Deux gardes voulaient lui faire évacuer l'entrée du pont. J'allai à nouveau trouver le successeur de Nhem et marchai droit sur lui.

— Camarade ! lui dis-je, avec un ton dramatique. Notre évacuation s'achève. Je te demande que ce soit sur un geste de compassion. Autorise la fille de Français à sortir !

Ma requête fit mugir de fureur le Malais, excédé par mon insistance.

— *At oy té !* répondit aussitôt le chef à qui je m'adressais.

Et d'un geste qui apaisa la rage de son adjoint, il envoya ses sauvages amazones appréhender au corps l'adolescente qui refusait de s'écarter de la passerelle.

La jeune fille fut emmenée et passa devant moi, poussée par les femmes ; elle me regarda, et ses pupilles évidées par la peur ouvrirent dans mon cerveau deux trous noirs qui ne cessent de se creuser.

Je regagnai le pont, n'osant pas poser tout de suite mes yeux tremblants sur l'autre versant de mon existence, dont le bord visible, pourtant brûlé par le soleil et sans arbre, me paraissait aussi frais qu'une lisière ombragée pour le repos des promeneurs. Le désir me prit d'une vie nouvelle, pure de toute violence. Les derniers réfugiés avançaient. Mon tour arrivait aussi. J'avertis les Thaïs que j'entrais avec une voiture. Les Khmers rouges n'osèrent pas me laisser le passage. Je bondis en tempête hors du véhicule, et dévalai la chaussée pentue jusqu'aux deux chefs communistes, mes yeux encore pleins d'une haine mortelle.

— Quand va-t-on cesser de ridiculiser les ordres du vice-président du commandement du front Nord de la ville de Phnom Penh chargé des étrangers ? hurlai-je. Cette question de la Land Rover a été discutée et résolue. Elle ne doit pas retourner mais passer la frontière ! Le président Nhem a été clair sur ce point !

Face à mon coup de bluff, le Malais tenta encore d'interposer son autorité, mais son supérieur, cette fois, ne pouvait plus l'entendre, sauf à paraître lui obéir…

Je ne peux m'empêcher de penser, aujourd'hui, que si j'avais d'abord songé à sortir la voiture avant de vouloir sauver Marie, c'est peut-être elle qui aurait passé le pont.

Je traversai sans me retourner. Le crépuscule tomba en pays khmer. D'épaisses ténèbres emplirent l'espace où s'était engloutie la lumière.

S'abattant sur ce monde abandonné aux puissances obscures et terrifiantes, la primitive engeance déchaînait dans l'orage derrière nous la horde des morts, tandis que sous ses pieds d'automate, dans le sol raviné par le sang, se superposaient déjà, de siècle en siècle, des colonnes de victimes jusqu'au plus profond de la terre. La pensée me vint que l'homme était créé à l'ignoble image de l'équarisseur.

Telle une âme errante libérée — pour la seconde fois — par le juge des morts, je sortis de l'enfer cambodgien, en passant le pont des transmigrations. Expulsé, comme le nouveau-né, dans des tourments d'une douleur indicible — la vision de mon propre cadavre surgit de ces scènes répugnantes —, mon voyage sur l'autre rive m'entraîna au centre d'une île précieuse. J'entrai au pays des jambosiers pour renaître à une nouvelle existence.

Mais sur cette terre il n'est point de refuge où l'on puisse s'établir.

Épilogue

Piémont des Cardamomes, janvier 2000.

Le villageois peu disert qui accepte de me conduire au camp d'Anlong Veng a le même âge que moi et se souvient du barbu au « long nez » qu'il avait vu en 1971, attaché sous les bambous. J'emboîte son pas de mon mieux sur un chemin qui sort à l'ouest de Phum Thmar kok (à dix kilomètres au sud d'Omleang), pour longer un sentier caché que lui seul perçoit entre les arbustes épars. J'apprends de sa bouche que l'ancien camp de détention dirigé par Douch, de 1971 à 1973, appelé M.13 (bureau 13) par les Khmers rouges, était connu sous le nom d'Anlong Veng, parce qu'il s'élevait près d'un ruisseau qui forme à cet endroit un long bief *(anlong)*. Abandonné depuis vingt-sept ans, le lieu funeste a été repris par la forêt, et personne ne saurait m'y mener en dehors de lui et de quelques autres survivants de l'époque.

Depuis mai 1999, moment où j'ai appris l'arrestation de Douch, je vis dans cet impérieux besoin d'un retour en arrière, sur cet autre versant du portail de ma vie, jamais refermé.

Du fond de sa prison, mon ancien bourreau attend maintenant son procès pour crime contre l'humanité et ressasse cette période de sa jeunesse, quand le meurtre, le pillage, le mensonge n'avaient pas été seulement licites, mais méritoires. Parti la fleur au fusil et le cœur gorgé d'espoir, il s'était plongé dans un monde primitif, rempli d'épouvante. Ici, les dangers de la guerre s'effaçaient derrière ceux de la révolution ; dans les affrontements les plus difficiles, le combattant ne cessait de prendre garde à son voisin. Et, tel l'enfant s'aventurant au milieu des loups, dont il

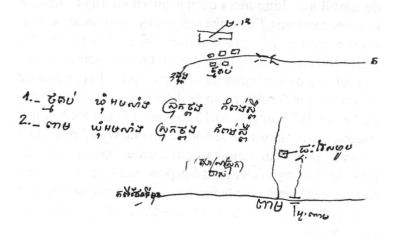

FIGURE 1.

374

avait dû, pour survivre, boire le lait et contrefaire le hurlement, il avait laissé l'instinct remonter en lui. Dès ce moment, la terreur avait été toute-puissante. Elle avait pris, pour l'attirer, le visage de l'ordre et de la morale.

L'ancien tortionnaire ne m'a pas oublié. Il a répondu, derrière ses barreaux, avec le plus grand soin, aux questions que je suis parvenu à lui poser, par quelques entremises. Ainsi, pour m'indiquer l'emplacement du camp forestier où j'avais été détenu en 1971, il m'a fait passer un croquis précis *(fig. 1)*, grâce auquel j'ai pu arriver au village de Thmar kok.

Derrière mon guide, j'avance rapidement sous le soleil dévorant, parmi les buissons argentés et les grosses feuilles vernissées, telles d'insolites enluminures posées sur la poussière. Je ne tarde pas à reconnaître autour de moi les signes qui disent l'approche de mon ancienne détresse, ainsi que je me les figure encore. C'est comme si, des profondeurs de la vie, je remontais à la surface.

Mais plus loin, balayant de mes yeux le reliquat de forêt qui s'ouvre devant nous, je ne retrouve plus mes marques. Les grands arbres ont disparu ; les derniers témoins encore debout sèchent sur pied, déjà cerclés par la hache du charbonnier. De chaque côté, et aussi loin qu'il est possible de voir, seul un maigre perchis aux branches molles, alourdies de chaleur, arrête parcimonieusement mon regard. Il n'est pas jusqu'au sol que nous foulons qui ne me paraisse maintenant étrange et ignoré.

Le plus inquiétant, c'est la déroute de mes souvenirs. Car, par-dessous le bandeau que Douch avait placé sur mes yeux, j'avais entrouvert les paupières pour scruter chaque détail du chemin. En de telles circonstances, l'œil s'attache à de toutes petites choses, et je me souviens de plantes minuscules, semblables à des sensitives, qui fleurissaient en touffes serrées parmi les feuilles mortes. Or je ne reconnais plus rien. Le paysage n'est plus qu'apparences trompeuses et vacille sous le ciel, semblable aux étendues mortes qui s'ouvrent dans les songes. Des endroits subsistent, qu'il me semble identifier avec certitude (comme le gué que nous avions traversé et au sortir duquel j'avais trébuché), mais tout après, pareilles aux îles qui surgissent désormais au milieu du Mékong, s'élargissent des zones nouvelles dont la topographie me déroute totalement : vieilles paillasses, pistes charretières, brûlis...

Je ne sais dire ce que cette marche insolite dans le sous-bois disparu provoque au fond de mon être. Ma pensée glisse sur de noires apparences et se dérobe à l'emprise des mots, comme l'esprit absorbé dans le cauchemar se disperse parmi des régions indicibles. Ce n'est plus le langage qui soutient le cheminement de ma pensée. C'est une mosaïque mobile où les syllabes s'associent les unes aux autres comme des vols d'oiseaux lugubres, et ma sombre rêverie s'effrange dans les contours indéfinis d'un espace sépulcral creusé à même la poussière blanche.

En dépit du coureur robuste qui ouvre la marche avec assurance sous mes pas, je foule la terre caillouteuse en hésitant, comme on circule à tâtons dans un labyrinthe. Mon pied s'enfonce par endroits dans des poches poudreuses d'où s'élèvent des projections de cendres. Devant nous, un rapace sort sans bruit du fourré et monte dans l'air immobile. Le violoncelle bourdonnant d'une mouche dans son corsage d'airain fait vibrer l'air contre mes tempes en nage.

Franchissant une bordure de ronces grises, nous atteignons, au bout d'une heure, des bambous noueux et rabougris qui marquent l'extrémité d'un chemin. Nous nous frayons un passage dans l'hostile broussaille. Mon guide se retourne sur moi et fronce ses lèvres vers la terre.

J'avance aussitôt, comme on entre avec précaution dans une chapelle, sous des guenilles épineuses qui pendent au-dessus de nos têtes. Le sol est couvert d'une épaisse couche de branches et de feuilles, et de cette croûte sèche, qui craque sous mes pas, je vois surgir, contre une énorme termitière, trois grosses pierres calcinées, enfoncées dans la poussière. Plus loin, la base d'un petit pilier moisi sort du tapis broussailleux. Et j'aperçois devant moi le grand fût de l'arbre *chhlik* : il dresse sa carcasse solitaire à trente mètres, alors qu'il n'avait jamais été à mes yeux qu'une colonne dont le chapiteau se dérobait par-delà le couvert.

— Où est le ruisseau ? crié-je sans me retourner.

Le paysan part devant moi et, comme je me hâte pour le rejoindre, il tend la main, guidant mon regard. Je sens mon cœur saisi par des griffes : à nos pieds coule son onde claire sur des galets moussus. En cette période de l'année, ses eaux m'apparaissent moins profondes et moins lumineuses, mais dans son miroir glauque se forme toujours l'image tremblante de ses berges.

Me voici sur la rive creusée par laquelle je descendais chaque soir. Pour ne pas déraper, j'appuie mes pas sur les racines à nu, avec l'impression de retrouver d'anciennes marques. Des songes me saisissent et maintes choses me deviennent sensibles à la fois. Dans mon dos s'étend la clairière desséchée, couverte d'herbe à éléphant, qui vers le fond cède la place à une haie d'épines. Sur cette aridité brûlante, sans ombre, s'étale l'ancien champ d'oppression dans toute son ignominie encore présente, car rien ne me cache plus désormais les baraques, dont les lignes se détachent très nettement *(fig. 2)*, jusqu'à ce monticule que les gardiens avaient coupé à la verticale, pour y faire sécher leur linge, selon la règle des idéologues de l'Angkar.

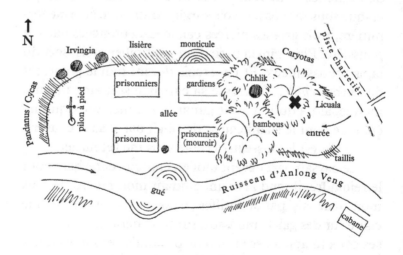

FIGURE 2. – *Camp d'AnlongVeng (Phum Thmar kok, Khum Omleang, Kompong Speu).*

Nous nous asseyons au bord de l'eau et reprenons notre souffle. Je m'abandonne aux pensées qui m'assaillent de tous côtés, tandis que du fond des taillis retentit la flûte lointaine du loriot...

Mon guide me dit en riant que je suis le seul prisonnier de ce camp qui puisse faire un tel pèlerinage, car aucun n'en a réchappé[1].

— Où étaient-ils exécutés ? lui demandé-je.

— Dans la brousse, à l'extérieur, fait-il en donnant un coup de menton vers le nord. À quelque cinq cents mètres d'ici.

— Mais on n'entendait jamais rien ! De quelle manière étaient-ils abattus ?

— Au gourdin. Tu as eu de la chance... Permets-moi de te toucher pour en avoir un peu moi aussi, *lok euy !* fait-il en avançant la main sur mon bras.

— Tu connaissais Douch ?

— Non, me répondit-il, mais je le voyais souvent venir à Thmar kok.

— Pour y faire des achats ?

— Non, pour cela il allait à Phum Peam, à sept kilomètres au nord. Il a épousé une couturière de Peam. Quand

---

1. J'ai été le seul Occidental relâché sur plus d'une trentaine de personnes arrêtées par les Khmers rouges avant 1975. Deux autres, le pasteur Clavaux et le fils du docteur Baudelet, eurent la chance d'être seulement retenus, le premier chez lui, le second dans un village de Siemreap, avant de regagner Phnom Penh sains et saufs. Tous les autres prisonniers libérés furent arrêtés au Cambodge par des Nord-Vietnamiens

il venait à Thmar kok, c'était pour voir Ta Mok qui occupait une maison au sortir du village.

Je me dirige vers l'emplacement du pilon à pied où j'avais pris mon dernier repas avec Lay et Son. Courbé sur la glèbe, démêlant le tapis aplati qui la recouvre sous mes pieds, je sens monter, porté par des vapeurs sèches, le souffle de floraisons éparses ; et mes yeux reconnaissent la trace de leurs pas sous la friche.

Caressant cette terre qui n'a pas bougé, ma mémoire évoque aussi l'odeur d'ambre gris de mes amies les poules, dont les miasmes chaque matin venaient au-devant de moi lorsqu'elles sautaient des branches.

Alors, tous mes anciens compagnons surgissent invisiblement, le crâne défoncé. Méconnaissables, ils m'environnent quand je prends le sentier qu'ils avaient emprunté jusqu'à l'endroit abominable. Tous ces spectres, avant de mourir, sont passés devant moi d'un pas décidé, comme pour chasser leur peur, le visage enfoncé dans cette morbidité de l'homme perdu qui préserve la face pour refouler le désespoir. Et dans mon cœur, pareils à des lambeaux volants pendus à mille prunelles qu'exorbitèrent les coups, leurs restes sans substance se mettent à danser et à sauter. Sur le chemin du retour, je vois encore leurs âmes se glisser dans les herbes comme des poissons blancs, et les mouvements de l'air abattre sur eux l'odeur de la poussière.

Nous regagnons rapidement Thmar kok, pauvre ramassis de cabanes vétustes, aux cloisons noires, aux toits de chaume moisi. Là vivent misérablement, comme au temps de la sombre engeance, des familles d'anciens Khmers rouges enrôlés dans les milices villageoises, dont tous les fils furent envoyés au front. Avant que je ne quitte leur hameau, les habitants me montrent en riant la maison de Ta Mok.

Sur son plan, Douch m'a expliqué comment retrouver le local où eut lieu mon dîner d'adieu. Je me rends à Phum Peam. L'endroit est entouré de palmiers à sucre dont je n'avais gardé aucun souvenir. Dès l'abandon d'Anlong Veng, les chefs khmers rouges en avaient fait leur salle de banquet, juste à côté d'une base de détention et d'interrogatoire, construite après coup. L'ensemble a été rasé en 1979, par les troupes vietnamiennes qui envahirent la région.

Je reviens sur mes pas, empruntant la longue piste de poudre blanche que j'ai prise trente ans plus tôt, rassasié, avec Douch dans la 404, pour retourner à Oudong. Le bureau 13 en était si peu éloigné que, lorsque le vent soufflait, le bruit des rares camions qui s'y aventuraient montait jusqu'à ma retraite ; et mon oreille demeurait longtemps aux aguets dans la nuit quand leur moteur se taisait.

Je traverse pour rentrer un paysage parcellaire semé de palmiers à sucre uniformes — c'est à de telles images que la beauté de ce pays me touche jusqu'à la souffrance — dont on voit à l'infini les boules aériennes se détacher en ombres chinoises. De ce lointain scintillent l'eau, l'air et la terre comme si c'était de là que jaillissait la vie. Je mesure en tremblant l'ardeur inconsidérée avec laquelle j'avais été prêt à me lancer dans une évasion qui m'aurait obligé à parcourir d'aussi larges espaces à découvert...

Avec le recul, d'autres informations que Douch m'a adressées de sa prison militaire me plongent dans un effroi pareillement mesuré. Je n'ai avec l'ancien tortionnaire que des liens distants et espacés, par personnes interposées, qui m'empêchent de solliciter comme je le voudrais sa mémoire. Mais il est revenu plusieurs fois, dans ses brefs messages, sur les circonstances secrètes de ma libération.

Le rapport qu'il avait fait sur moi, après dix semaines d'interrogatoire, avait été remis par ses soins à Sok Thuok, alias Von Veth, son supérieur direct, alors vice-ministre de l'Intérieur du GRUNK et président de la région spéciale, avec copie à Ta Mok, lui-même membre du haut commandement militaire et du comité central du Parti.

De singulières alliances s'étaient formées dans les forêts. Les deux hommes vivaient dans des mondes différents, sauf qu'ils étaient entrés l'un et l'autre dans le maquis sans préparation, un peu comme on part pour l'aventure. Rien ne les réunissait : le premier était un communiste militant des années cinquante, épris d'idéal et de justice ; le second un pur technicien de la force. Homme d'action instinctif, Ta Mok croyait que le doute se résolvait en tranchant tout d'un coup. Sous ce rapport, il était moins équivoque que Von Veth dans la mesure où il méprisait la théorie. La faiblesse de Von Veth tenait à ce que chez lui le pouvoir s'exprimait surtout par la pensée, et que déjà il s'enlisait dans le tourbillon de ses mécanismes trompeurs.

Le document, rédigé avec soin, s'appuyait sur une série d'arguments précis. Il m'innocentait de l'accusation portée contre moi, à savoir d'espionner pour le compte de la CIA. Mais Ta Mok rejeta en bloc les conclusions du rapport et ordonna (vers la mi-décembre) mon élimination immédiate. Sa réaction pouvait sembler d'autant plus fondée qu'une instruction orale de l'Angkar avait, dès 1971, ordonné de ne plus libérer aucun détenu, autrement dit d'abattre chaque prisonnier systématiquement, après constitution du dossier.

Von Veth ne m'avait pas été acquis d'emblée et avait tout d'abord cru, comme Ta Mok, à mon appartenance à la CIA.

— Allons, camarade! dit-il à Douch au vu de ma première confession. Ça n'existe pas... Il n'y a pas de *barang* qui vienne ainsi au Cambodge étudier le bouddhisme et la céramique khmère. C'est un agent de la CIA!

Mais au fil de mes déclarations et de mes explications, le chef du bureau 13 parvint à monter un dossier qui avait convaincu le vieux révolutionnaire. Pour contrecarrer l'intransigeance de Ta Mok qui n'en démordait pas, Von Veth avait pris le parti, sans rien dire, au nom d'une équité à laquelle il ne renonçait pas, de faire surseoir à mon exécution et d'en appeler à l'arbitrage de Saloth Sar (qui prendra le nom de Pol Pot après 1975), alors chef adjoint du haut commandement militaire.

Découvrant qu'on avait sursis à mon exécution, contrairement à ses instructions, Ta Mok en conçut un ressentiment d'autant plus vif que l'arrêt en avait été soumis à la décision d'un de ses supérieurs. Le malheur voulut que la réponse de Saloth Sar tardât à arriver. Emporté par l'impatience et la colère, l'impénitent boucher ordonna ma mort une seconde fois. Von Veth fit la sourde oreille et couvrit le silence de Douch. Croyant de son devoir d'attendre le verdict d'en haut, il bloqua le scénario macabre.

Je me souviens, à ce moment, des allers et retours de Douch (probablement vers Phum Thmar kok) qui ne savait plus par quel mensonge me contenir, et qui se laissait alors déborder par l'éruption impétueuse de mes protestations. Je sentais sans comprendre, à son regard, qu'il avait des choses en perspective plus nettes qu'auparavant, mais, à ses yeux, que l'anxiété ne le quittait pas. Sous le ton badin qu'il tentait d'affecter pour me tranquilliser, perçait une profonde inquiétude qui me rendait fou.

Finalement, au vu du rapport que Douch avait circonstancié, le futur Pol Pot confirma la sentence : relâcher le Français.

Ta Mok en fut rapidement averti et convoqua Douch furieusement, sans rien lui dévoiler des instructions reçues. Ses yeux lançaient des flammes. Il voulait au plus vite, d'abord par la raison, le persuader de ma culpabilité, ensuite par la menace, le forcer à m'abandonner aux gardes chargés de la besogne. Après ma mort, il aurait juré que ma lettre de grâce lui était parvenue trop tard.

Douch tint bon et Von Veth vint à la rescousse. Profitant d'une tournée dans le Sud, le président de la région spéciale se rendit à Phum Thmar kok, dans la masure sur pilotis que Ta Mok et ses sentinelles occupaient, pour y discuter avec lui des affaires courantes. Les principaux responsables locaux avaient été convoqués pour son passage. Sur place, il aperçut Douch qui attendait sous la maison.

— Eh! que vient faire ici le camarade cadet? interrogea-t-il cordialement.

— Je suis convoqué par le camarade Mok... pour l'énième fois. Je suppose que c'est encore à cause du Français.

Quand la réunion fut finie, Ta Mok entraîna Von Veth dans une maison voisine et fit inviter Douch à les rejoindre. Il le prit à partie sans attendre.

— Ce foutu Français est de la CIA! Je refuse de pactiser avec un espion au service des Américains! En haut, ils veulent le libérer. Mais nous, sur le terrain, on voit mieux les choses : sa relaxe est exclue!

Douch avait décidé de se taire. Le vieux communiste taciturne intervint sur-le-champ.

— Ce foutu Français n'est pas de la CIA! répondit-il simplement.

Ta Mok n'osa pas s'exposer plus avant en s'obstinant davantage, et je fus libéré. Mais l'entêtement de son adversaire provoqua chez lui une rage éternelle qui ne s'éteindra que par la mort de mon libérateur. Sept ans plus tard, il arrêtera lui-même Von Veth pour le conduire à la prison de Tuol Sleng, alors placée sous la responsabilité de Douch. Par un injuste retour des choses, celui-ci sera obligé de faire exécuter son ancien protecteur...

Douch proposa aussitôt de donner une certaine emphase à ma libération pour me protéger d'une éventuelle réaction de Ta Mok. Il prévit d'organiser un dîner d'adieu et de m'accompagner lui-même sur la route que je devais prendre. La préparation du repas fut confiée à son mentor dans le maquis, le chef exécutif du bureau de la région Sud-Ouest, Chay Kim Hour, alias Hok, ancien professeur de mathématiques comme lui. Siégeant au milieu des convives qui me regardaient manger, j'avais répondu aux questions de ce diable d'homme qui me faisaient trembler, sans me douter des terribles secrets que ce festin cachait... Hok sera également arrêté par Ta Mok et conduit à Tuol Sleng.

Douch m'a fait une autre révélation que j'ose à peine rapporter, tant elle avive en moi cette affreuse sensation d'écœurement moral et physique qui ne me quitte plus. Je l'ai, non sans trembler, interrogé sur ce qu'étaient devenus Lay et Son après mon départ. Avaient-ils été enrôlés pour combattre (comme je m'y attendais)? Étaient-ils morts? Douch le savait-il? Sa réponse, écrite en français au bas de ma lettre, a été un choc que, dans mon inconscience, je n'avais pas imaginé :

« *Après que Von Veth eut fait relâcher Bizot, il m'a donné l'ordre de tuer Lay et Son.* »

Leur exécution, précise-t-il en khmer au dos de la feuille, a eu lieu à la fin du deuxième mois qui suivit ma libération... Ayant si fermement contrevenu aux ordres de Ta Mok pour me sauver, sans doute au péril de sa propre vie, il était, affirma-t-il, impensable qu'il tentât en plus de les protéger.

De retour au marché d'Oudong, je prends la direction, le lendemain, sur la piste qui mène à Vat O, de la fameuse pagode où je m'étais fait prendre, et vers laquelle j'ai si souvent dirigé mes souvenirs. Peu de choses subsistent des anciens bâtiments; les moines sur place, tous très jeunes, ne savent plus rien. Je décide de poursuivre ma quête trois kilomètres plus loin, jusqu'à Phum Tuol Sophi, empruntant la route sur laquelle, avec mes deux compagnons déjà ligotés, j'avais immédiatement été entraîné par la milice khmère rouge.

Je gardais une vue très précise de l'échoppe vide en appentis où l'on m'avait fait asseoir avant qu'un chef n'arrivât. Construite à même le sol contre la route, elle se trouvait adossée sous un grand kapokier, à quelques mètres d'une piste qui partait plein nord. Ne reconnaissant plus rien, j'avise quelques paysans au coin d'une maison en bois, dont le rez-de-chaussée sert de boutique. Ils m'écoutent sans trop comprendre, lorsqu'un petit homme en noir d'une quarantaine d'années, qui s'était joint à nous, me questionne avec vivacité :

— Le Français qui s'est fait prendre à Vat O? L'amateur de fleurs de margosier?

En moins d'une minute, c'est l'attroupement. Non seulement personne n'a oublié, mais les plus jeunes connaissent même l'histoire. Le jour de mon arrestation, quelques heures après mon départ forcé en direction d'Omleang, les soldats gouvernementaux avaient lancé en grand nombre une offensive pour me récupérer. Je me souviens que Douch, dans la 404, avait évoqué cette action, dont j'ignorais tout, comme une circonstance qui avait aggravé mon dossier. Elle avait fait deux morts et mis en fuite la tête de la colonne khmère rouge qui occupait le village. Par crainte de représailles aériennes, les habitants de Tuol Sophi avaient dû abandonner leurs maisons et se cacher dans la brousse pendant plus d'une semaine.

Mon interlocuteur, qui semble si bien me connaître, s'appelle An. Il est vif, sympathique, mais de son visage terne et marqué ressortent seulement les yeux sombres. À l'époque, il avait quinze ans. Fasciné par mon arrestation, le gamin qu'il était — et dont je n'ai aucun souvenir — m'observa, dans l'échoppe désaffectée qui appartenait à sa tante, pendant tout le temps où j'y avais été maintenu.

— Celui qui t'a arrêté habite à deux pas d'ici, me dit-il. C'est Duong! lance-t-il à l'adresse des autres. C'est lui qui commandait les sept miliciens qu'un vigile posté au monastère avait avertis de ton arrivée en voiture, avec les deux Khmers.

Alors, on fait venir Duong. L'homme avait vingt et un ans au moment des faits. Je prends ses mains calleuses dans les miennes, et nous nous regardons longuement, en riant. J'ai devant moi celui par qui tout a commencé, celui qui a décidé de me garder pour me conduire à son chef. Les êtres qui appartiennent à notre histoire, que le temps a nichés tout au fond de notre souvenir, même s'ils ont été l'instrument de notre malheur, finissent par réveiller en nous une sorte d'affection. C'est ce que j'éprouve en le rencontrant. Il est trapu, avec un visage épais, marqué de rides peu nombreuses mais profondes ; un appareil en or intercalle entre ses incisives une dent de résine blanche qui remonte en pointe au milieu de la gencive. Le pauvre diable, confondant sans doute mon émotion avec du ressentiment, s'attache tout de suite à minimiser sa responsabilité dans mon envoi à Anlong Veng, en en rejetant l'initiative sur Ta Teng, le chef qui m'avait fouillé, maintenant décédé...

— Ensuite, reprend An, en montrant du doigt le carrefour, tu es parti seul sur cette piste avec deux gardes, pour arriver au village où tu t'es régalé de pousses de margosier...

Au même instant, tout me revient. Quand nous sommes arrivés, après plusieurs kilomètres parcourus rapidement sur une route tortueuse, le crépuscule tombait. De loin déjà, j'avais reconnu que l'inquiétude régnait partout. Les champs étaient vides ; nous n'avions croisé personne. Des miliciens étaient alors sortis des fourrés devant nous et m'avaient emmené à une petite maison, où une villageoise avait été priée de me donner rapidement à manger. Prise au dépourvu, la femme s'était excusée de ce qu'elle pouvait seulement m'offrir, mais avec une douceur si grande et un regard si compatissant que le malheur qui m'affligeait déjà avait pris en moi des proportions extrêmes. Elle m'avait apporté toute confuse un bouillon de poisson et, pour accompagner le riz, de jeunes pousses de *sdao*, que j'adorais pour leur saveur amère. J'avais avalé mon repas avec précipitation, en prenant soin toutefois de croquer jusqu'au bout les délicieuses tiges et leurs minuscules clochettes de fleurs blanches. Mon goût pour les pousses de margosier était aussitôt devenu légendaire. C'était ce détail que les gardes avaient rapporté dès leur retour à Tuol Sophi...

— Qu'est devenu le supérieur de Vat O ? demandé-je aux gens rassemblés autour de nous.

— Ta Hieng ? me questionne tout le monde d'une même voix. Il a plus de quatre-vingts ans et dirige maintenant le Vat Vieng Chas, à Oudong.

Je demande qu'on m'y conduise sans attendre, et An propose d'être mon guide. Dès notre arrivée dans la cour de la grande pagode reconstruite par le Premier ministre Hun Sen, les bonzes du monastère nous mènent à l'intérieur d'une haute salle ouverte, où siège une grande statue de Bouddha dorée. Le vieux vénérable y sommeille à même un bat-flanc de bambou, à côté d'une caisse retournée garnie d'une théière et de plusieurs tasses. Le ciment à ses pieds est recouvert d'une natte poussiéreuse, de quelques livres imprimés, et d'une coupe à pied contenant une boîte et des bougies. Nous nous asseyons. À ce vieillard silencieux devant nous se rattache mécaniquement le souvenir d'une scène muette qui m'avait déconcerté.

Ayant quitté Phum O Slat, où j'avais laissé Hélène chez un oncle de Son, et nous rendant à Vat O, la tristesse nous avait saisis sur la piste rouge, car bien des signes y manifestaient déjà le déclin (paysage désolé, ponts coupés...). Un vieux du coin, qui connaissait tout le monde, était venu avec nous pour nous rassurer. Le ciel était serein ; les oiseaux chantaient de buisson en buisson. D'invisibles insectes déclenchaient leur stridulation brusque et automatique. Le calme de la journée s'y mêlant, nous avions cru que tout était demeuré comme par le passé. Car le danger est pareil au vent qui se lève, disparaît et revient.

Lorsque nous sommes entrés, avec Lay et Son, pour saluer le supérieur de Vat O, celui-ci s'était figé instantanément dans un mutisme qu'aucun de nous n'avait su interpréter. Ses yeux pleins de mouvement regardaient ailleurs ; il ne nous écoutait pas. J'avais même fait un aparté avec Lay pour lui dire mon étonnement devant ce qui me semblait une impolitesse étrange. Et c'est en me retournant que, dans le champ de mon regard, j'avais aperçu un tapinois armé, vêtu de noir, courant derrière les haies...

Ta Hieng se redresse brusquement sur sa couche, fermant à demi les yeux à la lumière du jour. Les bonzes autour de nous l'ont volontairement réveillé en parlant un peu fort. Lorsque je le vois de plus près, une sorte de peur me saisit, car son corps découvert me semble si flétri qu'il est difficile de croire que la vie l'occupe encore. Je m'approche aussitôt pour lui expliquer qui je suis. Le vieux moine avoue ne se souvenir de rien. Je reçois sa réponse avec étonnement mais bonne humeur, car je trouve cocasse qu'il n'ait lui-même rien retenu de ce funeste rendez-vous.

Refusant de croire pareil oubli possible, An recommence l'histoire, sans omettre que j'étais venu interroger aussi deux chanteurs *arak*, spécialisés dans les rites de méditation. Brusquement, les yeux du vieillard tombent sur moi. Sa physionomie de cire tendre s'ensoleille doucement, cependant que ses rides s'animent d'un mouvement de stupeur.

Il faut lui redire plusieurs fois qui je suis, le « Français au margosier », et dans son regard trouble, où luit une transparence glauque, nous voyons augmenter la surprise en même temps que le bonheur.

— Ah! *Gnom euy!* Cela fait trente ans... J'attendais cet instant sans y croire. Je te pensais mort. Quand tu es entré ce jour-là, tout mon sang s'était retiré. Tu parlais, je n'osais rien dire. *Pouttho!* Que je te donne enfin cette bénédiction que tu vins chercher pour ton plus grand malheur!

— Alors, dépêche-toi, grand-père! lui dis-je, d'une voix que je dois contraindre en resserrant ma gorge. Surtout, ne t'interromps pas. Car, moi aussi, cela fait trente ans que j'attends ce moment.

Traversant les jardins du monastère, je quitte Ta Hieng sans prendre garde au ciel qui a changé. Plein d'étonnement, je vois que le terrain encombré de plates-bandes et de massifs taillés est baigné d'une étrange lumière. Le flamboiement du soleil disparu a empourpré les nuages derrière nous sur tout un côté, cependant que de l'autre, comme portées par les coups de brosse d'une main brouillonne, des stratifications minérales presque noires barbouillent la voûte azurée. Elles se modifient soudain à vue d'œil, pareilles à des taches d'encre sur un fond de buvard, dans un processus d'érosion qui couvre les lointains d'une vapeur de matière fine. Et, dans le flamboiement presque éteint, monte la lune, semblable à l'œil d'un

Bouddha de Sukhothay quand la paupière mi-close ne laisse apparaître qu'un mince croissant d'or.

Dès 1988, j'étais retourné au Cambodge, et je m'étais rendu, comme chaque visiteur, à l'ancien lycée de Tuol Sleng transformé par les Khmers rouges en macabre vestibule : des dizaines de milliers de prisonniers y avaient systématiquement été numérotés, photographiés, puis interrogés avant d'être envoyés à la mort.

Les pièces du rez-de-chaussée, où avaient lieu les interrogatoires, étaient meublées d'un lit de fer sur lequel on allongeait la victime. Si l'on y prêtait attention, en se penchant, on entendait le chuintement continu du sang coulant des faces torturées dont les photos tapissaient les murs. Figures fendues, trouées par la douleur, qu'aucun signe visible ne trahissait plus, pas même la rouille ou l'usure sur le fer ; car ce fer me faisait hésiter sur son sens : je croyais y reconnaître par endroits la trace d'une souffrance, le râle d'une agonie, l'aboiement de la frayeur, et tout à coup c'était le cri de l'homme qui m'apparaissait lointain, dérisoire, préhistorique, si vain surtout qu'il en venait finalement à se confondre avec les balbutiements de la vie, avec les hurlements du nouveau-né.

Du sommier métallique à nu, d'où pendaient encore des lambeaux pincés dans la grille, des menottes tachées qui avaient rayé le cadre, des rivets d'articulation forcés, avaient surgi les mêmes fantômes que du portail, et dans leur abomination ils me firent pâlir d'effroi. Il me fallut retenir mon souffle pour soutenir une telle vision, et je sentis les larmes me monter irrésistiblement aux yeux.

L'ensemble des bâtiments avait été aménagé en «Musée génocidaire». Les cellules, garnies d'une épaisse poussière, étaient dans l'état où les avaient laissées leurs gardiens, mis en fuite dans l'après-midi du 7 janvier 1979, par l'arrivée des Vietnamiens. Abandonnés pêle-mêle sur le carrelage jaune et blanc, une chaîne, un bidon de plastique (pour l'urine), une boîte à munitions (pour les fèces mêlées de sang), une barre courte avec ses deux étriers, un bureau et une chaise (pour l'interrogateur), une serpillière de coton, des fils électriques, quelques instruments allant du rotin à la pince, le tout déplacé par le dernier corps mutilé traîné sur le sol maculé de sang noir.

Dans une des salles centrales, ceux qui avaient voulu faire de ce lieu un symbole avaient exposé la baignoire transformée pour l'immersion, le bat-flanc incliné pour l'étouffement, la cage des araignées, des scolopendres, des serpents, des scorpions, les crochets, les nerfs de bœuf, les fouets, les couteaux tachés.

Aux murs, parmi les photos des faces suppliciées d'une centaine de martyrs, ils avaient accroché des clichés de groupes représentant quelques-uns des bourreaux avec leurs aides. Dans un angle trônait l'agrandissement du portrait de leur maître.

J'eus toutes les peines à y reconnaître Douch. Non que l'image fût mauvaise : yeux rieurs, dents déchaussées, lèvres entrouvertes, tout était fidèle, jusqu'aux grandes oreilles que j'avais oubliées, et, surtout, cette subtile amertume qui ne le quittait pas, comme si déjà chez lui le bonheur était perdu à jamais. Mais je ne pus me résoudre à identifier l'homme épris de justice que j'avais connu, avec le chef des tortionnaires de cette geôle abjecte, comptable de tant d'infamies. Par quelle monstrueuse métamorphose était-il passé ? Plongé dans les affres de l'épouvante, je sentis un relent de marais et de tanières me soulever l'estomac, et monter à mon cerveau l'odeur de la bête sauvage qui les avait hantés ici.

Il est des expériences qui nous contraignent à tout réviser. Tel est pour moi ce pèlerinage dans la brousse clairsemée et lointaine, au lendemain duquel je retourne à Tuol Sleng. Dans l'encadrement de barbelés et de tôles où je pénètre encore tout tressaillant d'effroi, le branle macabre de dessous les bambous se remet en marche et cogne à mon cerveau ; mes yeux se décillent. Aux pupilles ouvertes de mes compagnons qui sont fixées sur Douch, se joignent celles des torturés du lycée qui se mettent à danser elles aussi.

De la forêt d'Omleang à la prison de Phnom Penh, mon malheureux ami n'a subi aucune transformation. Rien n'a changé : en bon élève et sans faillir — quoi qu'il ait vainement demandé à être muté dans l'industrie en avril 1975 —, il a continué le même travail, dans le même cadre familier, fait de chaînes cliquetantes et de faces décharnées, poursuivant sans plaisir mais toujours avec rigueur les mêmes objectifs de sûreté : expurger le pays des ennemis que les camions lui versaient chaque matin ; avec les mêmes moyens : le bâton, le bêchoir, le tire-sang.

Pour moi, inversement, tout a changé. À mon retour de captivité, j'ai peu à peu, comme on dit, retrouvé « une vie normale ». De là cette brutale incapacité, devant les instruments de Tuol Sleng, à faire coïncider la vision de l'infâme bourreau des lieux avec l'image de mon libérateur. De ce dernier je n'avais gardé que le souvenir du jeune révolutionnaire.

Là-bas, dans le temps où j'avais été enchaîné dans la poussière, le cri de mes congénères attendant leur tour était allé en s'amenuisant. La mort était si proche que nous nous étions accoutumés à son haleine fétide, à sa figure hideuse, et si familière que personne n'en supportait longtemps avec le même haut-le-cœur, l'omniprésence aux quatre coins de notre camp : comme eux, comme Douch, comme l'homme sur la terre, j'avais secrètement apprivoisé l'épouvante.

Expurgé de mes ombres, vidé de ma mémoire, je referme *Le Portail* derrière moi. Dans la lueur crépusculaire, suspendue à des tringles, la moisson serrée des marionnettes dévouées aux loups se dandine. Je me retourne une dernière fois ; de l'autre côté de la grille, Douch les a rejointes.

Remerciements

Le Portail est le dénouement d'un travail enfoui en moi depuis trente ans. Je dois cette exhumation aux encouragements et au concours de plusieurs amis : Claude Allègre, Olivier de Bernon, Jean Boulbet, Josseline de Clausade, Jean Dyrac, Benoît Gysembergh, Boris Hoffman, Monique et Jan Migot, Jean-Claude Pomonti, Nate Thayer, Léon Vandermeersch. Qu'ils trouvent ici l'expression de toute ma reconnaissance.

J'ai bénéficié aussi de la lecture des nombreux livres écrits sur les Khmers rouges, de Ponchaud à Vickery, de Haing Ngor à Szymusiak, et en particulier de celui de Jon Swain, qui conjugue plus qu'aucun autre la poésie avec une description précise et rigoureuse des faits.

Je remercie tout spécialement Jane et David Cornwell de leur affection, de leurs conseils, de leur constant soutien.

Ce livre n'aurait pas vu le jour sans la présence de Catherine, mon épouse. Bien que je n'aie eu à inventer aucun des événements, des personnages, des sentiments, des dialogues, des paysages, que je rapporte ici, il me fallut les faire revivre à l'aide de l'écriture et de l'imagination, créant du coup un instrument optique dont les effets sur le lecteur m'échappaient. J'ai écrit *Le Portail* par rapport à son regard : c'est elle qui l'a éprouvé et rapporté à ce qu'elle savait que j'avais vu, senti ou cru. Elle y a mis son âme à côté de la mienne.

CET OUVRAGE A ÉTÉ REPRODUIT ET ACHEVÉ
D'IMPRIMER SUR ROTO-PAGE PAR L'IMPRIMERIE
FLOCH À MAYENNE EN OCTOBRE 2000, POUR LE
COMPTE DES ÉDITIONS DE LA TABLE RONDE.

Dépôt légal : octobre 2000.
N° d'édition : 3326.
N° d'impression : 49709.

Imprimé en France.
(R6)